HOGAN

EL GUARDIÁN DE LOS OBJETOS PERDIDOS

Traducción de Antonio-Prometeo Moya

DUOMO EDICIONES
Barcelona, 2018

Título original: *The Keeper of Lost Things*

© Tilbury Bean Books Ltd 2017
   Publicado por primera vez en Gran Bretaña en 2017 por Two Roads
   Un sello de John Murray Press, una empresa de Hachette UK

© 2018, de la traducción: Antonio-Prometeo Moya
© 2018, de esta edición: Antonio Vallardi Editore S.u.r.l., Milán

Todos los derechos reservados

Primera edición: mayo de 2018

Duomo ediciones es un sello de Antonio Vallardi Editore S.u.r.l.
Av. del Príncep d'Astúries, 20. 3.º B. Barcelona, 08012 (España)
www.duomoediciones.com
Gruppo Editoriale Mauri Spagnol S.p.A.
www.maurispagnol.it

ISBN: 978-84-17128-14-2
Código IBIC: FA
DL B 9479-2018

Diseño de interiores:
Agustí Estruga

Composición:
Grafime
www.grafime.com

Impresión:
Grafica Veneta S.p.A. di Trebaseleghe (PD)
Impreso en Italia

Para Bill, mi leal piloto de flanco,
y la princesa Tilly Bean

Quien no se atreve a abrazar la espina
no debería desear la rosa.
ANNE BRONTË

1

Charles Bramwell Brockley viajaba solo y sin billete en el tren de las 14:42 de London Bridge a Brighton. La lata de galletas Huntley & Palmers en la que se encontraba osciló peligrosamente en el borde del asiento cuando el tren se detuvo con una sacudida en Haywards Heath. Pero en el momento en que se inclinaba hacia el suelo del vagón, unas manos firmes impidieron la caída.

Se alegraba de estar en casa. Padua era una sólida villa victoriana de ladrillo rojo, con un porche de techo inclinado y cubierto de madreselvas y clemátides. El fresco y resonante vestíbulo, que olía a rosas, acogió al hombre que llegaba del implacable resplandor del sol vespertino. Dejó la bolsa, puso las llaves en el cajón de la consola y colgó el panamá en el perchero. Estaba rendido, pero la quietud de la casa apaciguó su ánimo. La quietud, no el silencio, vagamente turbado por el tictac de un reloj de péndulo y el lejano rumor de un viejo frigorífico. Y en el jardín cantaba un mirlo. Pero la casa no estaba contaminada por los leves zumbidos de la tecnología. No había ordenador, ni televisor, ni reproductor de CD o DVD. Las únicas conexiones con el mundo exterior eran un antiguo teléfono de baquelita, que estaba en el vestíbulo, y una radio. Ya en la cocina, dejó el grifo abierto hasta que el agua salió helada y llenó un vaso. Era demasiado temprano para una ginebra con lima y hacía demasiado calor para tomar té. Laura no volvería hasta el día siguiente, pero le había dejado una nota y una ensalada de jamón en el frigorífico para que cenara. Siempre tan atenta. Se bebió todo el vaso.

Cuando volvió al vestíbulo, sacó una llave del bolsillo del pantalón y abrió una pesada puerta de roble. Recogió la bolsa y entró en la habitación, cerrando suavemente tras de sí. Estanterías y cajones, cajones y estanterías, estanterías y cajones. Tres paredes completamente ocupadas, todos los estantes llenos y todos los cajones a rebosar de tristes objetos heterogéneos acumulados durante cuarenta años, debidamente etiquetados y colocados. Las cortinas de encaje que cubrían las puertas de cristal mitigaban la ardiente claridad del sol de la tarde. Por la ranura que quedaba entre ellas se filtraba un rayo de luz que cortaba la oscuridad e iluminaba las motas de polvo flotante. El hombre sacó de la bolsa la lata de galletas Huntley & Palmers y la dejó con cuidado encima de una ancha mesa de caoba, la única superficie despejada de la habitación. Levantó la tapa e inspeccionó el contenido: una sustancia de color gris pálido, con la textura de la arena de grano grueso. Hacía muchos años había esparcido algo semejante en la rosaleda de la parte posterior de la casa. Pero no podían ser cenizas humanas. Nadie las dejaba en un tren, dentro de una lata de galletas. Volvió a tapar la lata.

Había querido entregarlas en la estación, pero el empleado que recogía los billetes, convencido de que no era más que basura, le había sugerido que la echara en la papelera más cercana.

–Se sorprendería usted de la cantidad de basura que dejan en los trenes –había dicho, desentendiéndose de Anthony al tiempo que se encogía de hombros.

Nada sorprendía ya a Anthony, pero las pérdidas, grandes y pequeñas, le producían siempre cierta emoción. De un cajón sacó una etiqueta de papel marrón y una estilográfica con plumín de oro. Escribió cuidadosamente con tinta negra el día, la hora y el lugar, todo muy detallado:

Lata de galletas Huntley & Palmers
con posibles cenizas de crematorio.
Encontrada en vagón sexto desde la locomotora,
tren de las 14:42 de London Bridge a Brighton.
Difunto desconocido.
Dios lo tenga en su seno, descanse en paz.

Acarició la tapa con ternura antes de encontrar un sitio en las estanterías y dejar la lata con delicadeza.

El reloj del vestíbulo dio la hora de la ginebra con lima. Sacó del frigorífico cubitos de hielo y zumo de lima, y los llevó a la habitación que daba al jardín en una bandeja de plata con un vaso verde para cóctel y un platito de aceitunas. No tenía hambre, pero esperaba que la bebida le abriera el apetito. No quería decepcionar a Laura no tocando la ensalada que le había preparado con tanto esmero. Dejó la bandeja y abrió la ventana que daba al jardín de la parte posterior de la casa.

El gramófono era un bonito aparato de madera con un altavoz curvo en forma de bocina. Levantó el brazo de la aguja y lo colocó suavemente encima del disco de color regaliz. La voz de Al Bowlly flotó en el aire y salió al jardín, compitiendo con el mirlo.

Solo con pensar en ti.

Había sido la canción de ambos. Apoyó los largos brazos en el cómodo sillón orejero. De joven, su volumen había armonizado con su estatura y su figura había resultado impresionante, pero la vejez le había reducido la masa muscular y ahora tenía la piel mucho más cerca de los huesos. Con el vaso en una mano, brindó por la mujer cuyo retrato con marco de plata sostenía con la otra.

–¡Chinchín, querida criatura!

Bebió un sorbo y estampó un beso cariñoso y nostálgico en el cristal del retrato, antes de dejarlo en la mesa que tenía junto al sillón. No era una belleza clásica: una joven con el pelo ondulado y unos grandes ojos negros que resplandecían a pesar de que la vieja foto no era en color. Pero era increíblemente llamativa, con una presencia que, a pesar del tiempo transcurrido, aún tenía fuerza suficiente para cautivarlo. Aquella mujer seguía presente en su vida. Su muerte, ocurrida cuarenta años atrás, le había proporcionado a Anthony Peardew una misión: lo había convertido en el guardián de los objetos perdidos.

2

Laura había estado perdida; a la deriva y sin esperanza. Se mantenía ligeramente a flote por una desafortunada combinación de Prozac, Pinot Grigio y la falsa ilusión de que no sucedía nada. Que no existía su relación con Vince. Anthony Peardew y su casa la habían salvado.

Mientras frenaba y aparcaba el coche delante de la casa, pensaba en el tiempo que llevaba trabajando allí: cinco años, no, casi seis. Se encontraba en la sala de espera de su médico, hojeando nerviosamente unas revistas, cuando le llamó la atención un anuncio publicado en *Lady*:

Escritor necesita
ama de llaves/ayudante personal.
Interesadas diríjanse por escrito a Anthony Peardew
Apartado 27312

Había entrado en el consultorio con intención de pedir otros fármacos para que su desdichada vida resultara más soportable y había salido decidida a solicitar un empleo que, casualmente, transformaría su existencia.

Cuando giró la llave en la cerradura y cruzó la puerta principal, la paz de la casa la envolvió como siempre. Se dirigió a la cocina, llenó el hervidor y lo puso en el fuego. Anthony estaría fuera, dando su paseo matutino. La víspera no había detectado el menor rastro de él. Había ido a Londres, a ver a su abogado. Mientras esperaba a que hirviera el agua, echó un vistazo a los papeles que Anthony le había preparado: unas facturas que pagar, unas cartas a las que responder en su nombre y una nota en que le decía que pidiera hora a su médico. Laura sintió un hormigueo de ansiedad. Se había esforzado por no contemplar cómo se consumía durante los últimos meses, como un delicado retrato al que le da el sol demasiado tiempo y acaba por perder definición y color. Cuando había hablado con él por primera vez, muchos años antes, era un hombre alto y musculoso, con abundante pelo negro, ojos del color de la tanzanita y una voz como la de James Mason. No había sospechado que tenía sesenta y ocho años.

Laura se había enamorado del señor Peardew y de la casa momentos después de cruzar la puerta. El amor que sentía por él no era romántico, sino más bien el que experimenta una niña por su tío favorito. Su bondadosa fortaleza, sus modales serenos y su impecable educación eran cualidades que Laura, aunque un poco tarde, había aprendido a valorar en un hombre. Su presencia la animaba en todo momento y hacía que apreciara su propia vida de un modo que no sentía desde hacía mucho. El señor Peardew era una seguridad constante, como Radio 4, el Big Ben y *Tierra de esperanza y gloria*. Pero siempre se mostraba un poco distante. Había una parte de sí mismo que nunca revelaba; siempre quedaba un secreto. Laura se sentía contenta. La intimidad, tanto física como emocional, la había decepcionado siempre. El señor Peardew era el jefe perfecto que con el tiempo se había transformado en Anthony, un buen amigo. Pero un amigo que nunca se acercaba demasiado.

En cuanto a Padua, la casa, Laura se había enamorado de ella gracias al mantelito de la bandeja. Durante la entrevista Anthony la había invitado a un té y se lo había servido en la habitación del jardín: tetera con cubreteteras, jarrita de leche, azucarero con tenacillas, tazas, platillos, cucharillas de plata y colador con su correspondiente pie. Todo en una bandeja cubierta con un paño. Lino inmaculadamente blanco con cenefa de puntilla. El mantelito de la bandeja fue el toque definitivo. Padua era sin la menor duda una casa en la que todas aquellas cosas, incluso el paño de la bandeja, pertenecían a la vida cotidiana y el señor Peardew era un hombre cuya vida cotidiana era exactamente la que deseaba Laura. Al poco de casarse, Vince se burlaba de ella por querer introducir aquellos detalles en su casa. Si se veía obligado a prepararse el té, dejaba la bolsita usada en el escurridero, a pesar de que Laura no paraba de decirle que la tirase a la basura. Bebía la leche y los zumos de frutas directamente del envase, comía con los codos en la mesa, sujetaba el cuchillo como si fuera un lápiz y hablaba con la boca llena. Todos estos detalles eran insignificantes cuando se consideraban individualmente, como muchas otras cosas que hacía y decía y que Laura se esforzaba en pasar por alto, pero le molestaban en lo más hondo. Con el paso de los años, el aumento de aquellos detalles –tanto en cantidad como en frecuencia– endurecieron el corazón de la mujer y se alzaron como un obstáculo que le impedía satisfacer su deseo de gozar aunque solo fuera de una parte modesta de la vida que había visto en casa de sus antiguas amigas del colegio. Cuando las burlas de Vince adquirieron tintes humillantes, objetos como un paño de bandeja solo servían para acicatear su desprecio. Al igual que Laura.

La entrevista había tenido lugar el mismo día que Laura cumplía treinta y cinco años y había sido asombrosamente breve. El señor Peardew le había preguntado cómo tomaba el té y luego lo había servido. Apenas hubo unas cuantas preguntas por ambas partes antes de que él le ofreciera el empleo y ella lo aceptara. Había sido el regalo perfecto para Laura… y también el renacer de su esperanza.

El silbido del hervidor interrumpió el recuerdo. Llevó el té a la habitación del jardín, con un trapo y un abrillantador. Detestaba limpiar, sobre todo después de haber compartido casa con Vince. Pero en Padua era un acto de amor. La primera vez que la había visto presentaba un aspecto un tanto descuidado. No estaba sucia ni envejecida, sino ligeramente desatendida. Muchas habitaciones ni siquiera se utilizaban. Anthony estaba casi todo el tiempo en la habitación del jardín o en su estudio y ningún invitado se quedaba nunca a dormir en los dormitorios sobrantes. Con gentileza y amabilidad, habitación por habitación, Laura había devuelto la vida a la casa a base de amor. Exceptuando el estudio. Nunca había estado en el estudio. Anthony le había dicho desde el principio que allí solo entraba él y, cuando no estaba en casa, permanecía cerrado con llave. Laura nunca había puesto objeciones. Pero todas las demás habitaciones estaban como los chorros del oro, preparadas para cualquier visita, aunque nunca recibieran ninguna.

Ya en la habitación del jardín, cogió el retrato con marco de plata y frotó el cristal hasta que le sacó brillo. Anthony le había dicho que la mujer retratada se llamaba Therese y Laura sabía que debía de haberla amado mucho, porque era la única mujer que aparecía en las tres fotos que había en toda la casa. Las otras dos eran reproducciones de una misma instantánea en que estaban Anthony y Therese juntos: una se encontraba en una pequeña mesa que el hombre tenía junto a su cama y la otra en el tocador del amplio dormitorio situado al fondo de la vivienda. En los años que habían transcurrido desde que conocía a Anthony, nunca lo había visto con un aspecto tan feliz como en aquella foto.

Cuando dejó a Vince, su último gesto había sido tirar a la basura la gran foto enmarcada que se habían hecho el día de su boda, no sin antes aplastar con el tacón, haciendo añicos el cristal, la sonrisa de suficiencia de su marido. Que se quedara con Selina, la de «Mantenimiento». Vince era un auténtico cretino y aquella había sido la primera vez que Laura lo admitía de verdad, incluso ante sí misma, aunque no por eso se había sentido mejor. Por el contrario, al pensar en los años que había malgastado con Vince solo sentía tristeza. Pero Laura no había terminado los estudios, carecía de experiencia laboral y no tenía medios para mantenerse por su cuenta, de modo que tampoco le quedaban demasiadas opciones.

Cuando terminó en la habitación del jardín, cruzó el pasillo y subió por la escalera, pasando el trapo por la curva barandilla de madera y dejando tras de sí una estela de brillos dorados. A menudo, se preguntaba qué habría en el estudio, desde luego. Pero respetaba la intimidad de Anthony como él respetaba la suya. El dormitorio más grande del piso superior era también el más bonito y tenía un mirador que daba al jardín trasero. Era el cuarto que Anthony había compartido antaño con Therese, aunque ahora dormía en la habitación contigua, más pequeña. Abrió la ventana del mirador para que entrase el aire. Los rosales del jardín estaban en flor: pétalos rizados como volantes de color escarlata, rosa y crema; y los arriates de alrededor desbordaban de trémulas peonías entre zafirinas lanzas de espuelas de caballero. El aroma de las rosas ascendía en el cálido aire y Laura aspiró profundamente para inhalar aquel perfume embriagador. Pero aquel dormitorio siempre olía a rosas. Incluso en mitad del invierno, cuando el jardín estaba helado y dormido, y las ventanas selladas con la escarcha. Estiró y acarició la ya tersa colcha y ahuecó los cojines de la otomana. El cristal verdoso del tocador destellaba a la luz del sol, a pesar de lo cual le pasó el trapo por encima cariñosamente. Pero no todo estaba impecable en el dormitorio. El pequeño y esmaltado reloj azul había vuelto a pararse. Marcaba las 11:55 y no emitía ningún tictac. Todos los días se detenía a la misma hora. Consultó su reloj y movió las saetas del otro. Luego, con mucho cuidado, giró la pequeña llave de cuerda hasta que volvió a oírse el tictac y lo dejó otra vez en el tocador.

El golpe de la puerta principal al cerrarse le indicó que Anthony había vuelto de su paseo. A continuación, oyó la cerradura de la puerta del estudio y el chasquido que producía esta al abrirse y cerrarse. Laura conocía de memoria aquella secuencia de ruidos. En la cocina preparó una cafetera que puso en una bandeja con una taza y un platillo, una jarrita de leche y un plato con galletas digestivas. Salió al pasillo con la bandeja en la mano y llamó suavemente a la puerta del estudio. Cuando abrió Anthony, le entregó la bandeja. El hombre parecía cansado, como si el paseo lo hubiera debilitado más que animarlo.

–Gracias, querida.

Laura advirtió con pesar que las manos masculinas temblaban ligeramente al recoger la bandeja.

–¿Le gustaría comer algo en particular? –preguntó con voz persuasiva.

–No, no. Seguro que lo que usted decida estará delicioso.

La puerta se cerró. Al volver a la cocina lavó la taza sucia que había aparecido en el fregadero y que sin duda había dejado allí Freddy, el jardinero. Freddy llevaba un par de años trabajando en Padua, pero sus caminos se cruzaban muy poco, lo cual descorazonaba a Laura, que habría querido conocerlo mejor. Era alto y moreno, pero no tan apuesto como para ser un modelo. Tenía una pequeña cicatriz que le corría verticalmente por el labio superior y le torcía un poco la comisura de la boca, pero el efecto era más bien atractivo y le daba a su sonrisa un encanto picaresco. Se dirigía a ella con amabilidad cuando coincidían, pero no más de la que exigían las normas de cortesía, lo cual no animaba a Laura a buscar la amistad del hombre.

Empezó a ordenar los papeles. Las cartas se las llevaba a casa y allí las mecanografiaba con el portátil. Cuando había entrado a trabajar en Padua, Laura corregía los manuscritos y los mecanografiaba con una antigua máquina de escribir eléctrica, pero hacía años que Anthony no escribía y Laura lo echaba de menos. Cuando era más joven había acariciado la posibilidad de dedicarse a escribir profesionalmente; novelas o tal vez periodismo. Hacía multitud de planes. Era inteligente, había conseguido una beca para estudiar en el instituto femenino local, con posibilidad de ir a la universidad. Habría podido tener –debería haber tenido– la vida que le gustaba. Pero había conocido a Vince. A los diecisiete años todavía era vulnerable, estaba sin formar y desconocía sus propias aptitudes. Era feliz en el instituto, aunque la beca venía a significar que no se encontraba exactamente en su sitio. Su padre trabajaba en una fábrica, su madre era dependienta de una tienda y los dos estaban muy orgullosos de su inteligente hija. Habían tenido que ahorrar para comprar cada complemento del caro uniforme escolar: objetos desconocidos e innecesarios como calzado para el interior y el exterior. Todo tenía que ser nuevo. Nada de segunda mano para su hija y Laura se sentía sinceramente agradecida. Conocía bien los sacrificios que habían hecho sus padres. Pero eso no bastaba. Ser brillante y tener un excelente aspecto no era suficiente para introducirse sin llamar la atención en la vida social de quienes integraban las bases del consejo escolar. Chicas para las que era normal y corriente pasar las vacaciones en el extranjero, ir al cine, asistir a cenas colectivas o navegar los fines de semana. Tenía amigas, desde luego, muchachas amables y generosas, y aceptaba sus invitaciones a quedarse en grandes casas con sus amables y generosos padres. Casas grandes en las que el té se servía en teteras, las tostadas en soporte metálico, la mantequilla en platillos, la leche en jarritas y la mermelada con cucharilla de plata. Casas con nombre en vez de número, con terraza, pista de tenis y setos esculpidos. Y paños en las bandejas. Allí veía una vida diferente que la fascinaba. Que hacía crecer sus esperanzas. En su casa la leche estaba en botellas, la margarina en tarrinas, el azúcar en sobres y el té en un tazón, y todo aquello era como tener los bolsillos llenos de piedras que le impedían ascender. A los diecisiete años se encontraba en un terreno situado entre dos mundos sin pertenecer a ninguno. Fue entonces cuando conoció a Vince.

Era mayor que ella, apuesto, creído y ambicioso. Laura se sintió halagada por sus atenciones e impresionada por su seguridad. Vince estaba seguro de todo. Incluso se había puesto un apodo: Vince el Invencible. Era vendedor de coches y conducía un Jaguar E-Type de color rojo, una virguería con ruedas. Los padres de Laura quedaron consternados. Habían esperado que tuviera una vida mejor gracias a los estudios; una vida mejor que la de ellos. Una vida con más comodidades y menos esfuerzos. Puede que no entendieran lo de los paños de bandeja, pero sabían que la vida que deseaban para su hija comportaba algo más que dinero. Para Laura, nunca había tenido nada que ver con el dinero. Para Vince el Invencible, nunca había tenido nada que ver con algo que no fuera el dinero y la posición social. El padre de Laura no tardó en poner a Vince Darby un apodo privado: VD.*

Al cabo de unos cuantos años de infelicidad, Laura se preguntaba a menudo qué habría visto Vince en ella. Era mona, pero no hermosa, y no presentaba esa armoniosa combinación de dentadura, tetas y culo en que Vince solía fijarse. Las chicas con las que Vince salía normalmente se bajaban las bragas con la misma facilidad con que se comían preposiciones. Puede que a ella la hubiera visto como a una presa superior. O como una novedad. Fuera lo que fuese, le bastó para creer que sería una buena esposa para él. Con el tiempo, Laura acabó sospechando que la petición de mano había estado tan motivada por el deseo de posición como por el deseo sexual. Vince tenía mucho dinero, pero eso solo no bastaba para que lo admitieran en la masonería o lo nombraran presidente del club de golf. Con sus buenos modales y sus estudios en un colegio privado, la misión de Laura era poner una pátina de refinamiento social a los billetes del mozo. El mozo acabaría sufriendo una amarga decepción, pero no tan amarga como la de Laura.

Cuando se enteró de que Vince tenía una aventura, fue fácil echarle la culpa de todo; presentarlo como a un

---

* VD es la abreviación de *Venereal Disease*, enfermedad venérea. (N. del T.)

24

desaprensivo de novela de Jane Austen, mientras Laura aparecía como una heroína virtuosa que se quedaba en casa tejiendo fundas para el papel higiénico o cosiendo cintas en su sombrero. Pero en lo más profundo de su ser sabía que todo aquello era una fantasía. Desesperada por huir de una realidad que no la hacía feliz, había pedido a su médico que le recetara antidepresivos, pero el médico le había sugerido que viera a un terapeuta antes de caer en el consumo de fármacos. Para Laura, solo era un medio para alcanzar un fin. Había esperado conseguir una receta mareando y humillando un poco a una señora normal y corriente, poquita cosa, madura y con vestido de poliéster, que seguramente se llamaría Pamela. Pero se había encontrado con una rubia vivaracha, vestida con elegancia y llamada Rudi que la había obligado a afrontar unos cuantos hechos desagradables. Le había dicho a Laura que escuchara la voz que sonaba dentro de su cabeza, esa misma voz que le señalaba verdades molestas y le presentaba razones incómodas. Rudi lo llamaba «sintonizar con su lenguaje interior» y decía que para Laura sería «una experiencia muy gratificante». Laura lo llamaba «confraternizar con el Hada de la Verdad» y lo encontraba tan gratificante como escuchar su disco favorito con un profundo rayón. El Hada de la Verdad tenía un carácter muy desconfiado. Acusaba a Laura de derrumbarse bajo el peso de las expectativas de los padres y de haberse casado con Vince, entre otras cosas, para no ir a la universidad. En su opinión, Laura había temido ir a la universidad por miedo a fracasar; había temido quedarse de pie para no caerse de bruces. El hada, además, había desenterrado el desdichado recuerdo de su aborto espontáneo y su casi obsesiva e infructuosa búsqueda posterior de otro embarazo. Si hay que decir la verdad, el Hada de la Verdad la inquietaba. Pero dejó de escucharla cuando empezó a tomar Prozac.

El reloj del vestíbulo dio la una y Laura se puso a hacer la comida. Batió huevos con queso y hierbas del jardín, vertió la mezcla en una sartén caliente que estaba al fuego y luego la observó subir y burbujear hasta convertirse en una esponjosa tortilla dorada. La bandeja estaba preparada con una blanca y almidonada servilleta de hilo, cuchillo y tenedor de plata y un vaso de tónico de flor de saúco. En la puerta del estudio, se la entregó a Anthony y recogió de sus manos los restos del café matutino. Las galletas estaban intactas.

3

Eunice

Cuarenta años antes: mayo de 1974

L a mujer se había decidido por el sombrero azul cobalto. Su abuela le había dicho en cierta ocasión que cualquiera podía culpar de la propia fealdad a los genes y de la propia ignorancia a la falta de estudios, pero que una persona aburrida no tenía perdón de Dios. El instituto había sido un aburrimiento. Eunice era una chica inteligente, pero inquieta; se aburría demasiado en clase para sacar buenas notas. Quería emociones, una vida con más vitalidad. La oficina en la que trabajaba también era un aburrimiento, estaba llena de personas aburridas y su empleo era también muy aburrido; no hacía más que teclear y archivar. Sus padres decían que era un trabajo respetable, pero esa era otra palabra para designar el aburrimiento. Sus únicas evasiones eran el cine y los libros. Leía como si su vida dependiera de ello.

Había visto el anuncio publicado en *Lady*:

Editor prestigioso necesita ayudante.
Salario de pena, pero el trabajo no es aburrido.

Era un empleo hecho expresamente para ella, de modo que lo solicitó aquel mismo día.

La entrevista se había fijado para las 12:15 del mediodía, pero salió a la calle mucho antes para poder pasear a su antojo, para que las imágenes y sonidos de la ciudad poblaran sus recuerdos futuros. Las calles estaban abarrotadas y Eunice se dejó llevar por el homogéneo flujo de humanidad, ocasionalmente obstaculizado por alguna figura que, por el motivo que fuese, asomaba por encima de la superficie de la inconcreta marea. Saludó con la cabeza al camarero que silbaba mientras barría la acera delante del restaurante The Swish Fish y viró bruscamente para eludir un desagradable choque con una turista gorda y sudorosa, tan ocupada consultando su guía de bolsillo que ni siquiera vigilaba por dónde iba. Se fijó en el hombre alto que estaba detenido en el cruce con Great Russell Street y le sonrió porque tenía aspecto simpático, aunque preocupado. Cuando se cruzó con él, prestó atención a todos los detalles: era fornido y guapo, y tenía los ojos azules y el porte de un buen hombre. Consultaba su reloj con nerviosismo y miraba a un lado y a otro de la calle. Era evidente que esperaba a una persona que ya se retrasaba.

Ella, en cambio, aún tenía tiempo por delante. Eran solo las doce menos cinco. Siguió paseando. Dejó volar sus pensamientos hacia la inminente entrevista y hacia el entrevistador. Esperaba que se pareciera al hombre con el que se había cruzado en la esquina. Aunque cabía la posibilidad de que fuera una mujer; una mujer astuta y quisquillosa, una auténtica raspa con pelo negro cortado a lo paje y los labios pintados de rojo. Cuando llegó a la puerta esmaltada en verde de la dirección de Bloomsbury Street que le habían dado apenas se fijó en la multitud que se había concentrado en la acera de enfrente ni en el lejano aullido de una sirena. Pulsó el timbre y esperó: la espalda recta, los pies juntos, la cabeza alta. Oyó pasos que bajaban por una escalera y la puerta se abrió.

Eunice se enamoró del hombre en cuanto lo vio. Sus rasgos físicos, tomados individualmente, eran poco llamativos: estatura media, complexión media, pelo castaño claro, cara agradable, dos ojos, dos orejas, una nariz y una boca. Pero combinados entre sí, parecían transformarse mágicamente en una obra maestra. El hombre le estrechó la mano como si fuera a salvarla de morir ahogada y tiró de ella mientras la precedía escalera arriba. Sin aliento por el ejercicio y el entusiasmo, la saludó por el camino diciendo:

–Usted debe de ser Eunice. Encantado de conocerla. Llámeme Bomber. Todos me llaman así.

La oficina en la que irrumpieron cuando llegaron al final de la escalera era grande y luminosa, y estaba bien organizada. Las paredes estaban forradas de estanterías y cajones y debajo de la ventana había tres archivadores. Le llamó la atención que cada uno tuviera una etiqueta con un nombre: «Tom», «Dick» y «Harry».

–Es por los túneles –explicó Bomber, que había advertido la mirada de Eunice y la extrañeza que se había dibujado en su cara. La extrañeza proseguía–. Los túneles de *La gran evasión*. Steve McQueen, Richard Attenborough, sacos de tierra, alambradas, la moto.

Eunice sonrió.

–La ha visto, ¿verdad? –añadió Bomber–. Es cojonuda. –Y se puso a silbar la música de la película.

Eunice estaba decidida. Definitivamente era el trabajo que le convenía. Si era necesario, se encadenaría a uno de los archivadores para asegurárselo. Por suerte no hizo falta. Al parecer bastó que hubiera visto *La gran evasión* y le hubiera gustado. Para celebrar su nombramiento, Bomber preparó té para los dos en la minicocina adjunta. Cuando volvió al despacho, lo seguía un extraño rumor rodante. El ruido lo producía un pequeño terrier blanco y pardo que tenía una oreja medio caída y un parche marrón en el ojo izquierdo. Iba sentado en un carrito de madera de dos ruedas que él mismo arrastraba caminando con las patas delanteras.

–Le presentó a Douglas, mi brazo derecho. Bueno, mi pata derecha.

–Buenas tardes, Douglas –saludó Eunice con solemnidad–. Bader, supongo –añadió, refiriéndose al célebre piloto mutilado.

Bomber golpeó la mesa con satisfacción.

–Comprendí inmediatamente que era usted la elegida. Pero primero ataquemos el té.

Mientras tomaban té y galletas (Douglas lamía su propio té en un platito), Eunice supo que Bomber había encontrado a Douglas abandonado cuando todavía era un cachorro, después de que lo atropellara un coche. El veterinario le había aconsejado que lo sacrificara, pero Bomber había optado por llevárselo a su casa.

–El carrito se lo construí yo. Se parece más a un Morris 1000 Traveller que a un Mercedes, pero cumple su función.

Convinieron en que empezara a trabajar la semana entrante con un sueldo más bien decente que «de pena» y que su cometido consistiría en hacer cualquier cosa que hubiera que hacer. Eunice se encontraba eufórica. Pero cuando ya estaba a punto de marcharse, se abrió la puerta bruscamente y entró la raspa a grandes zancadas. La nariz, los codos y las rodillas le daban el aspecto de un zigzag muy poco elegante, cuyas líneas no suavizaba la ausencia de carne. En cuanto a su cara, los años la habían convertido en una congelada expresión de desprecio.

–Veo que esa rata deforme que tienes sigue con vida –exclamó, señalando a Douglas con el cigarrillo, mientras dejaba el bolso en una silla. Al ver a Eunice, le cruzó el rostro una sonrisa torcida–. ¡Válgame Dios, hermano! No me digas que has encontrado una concubina. –Escupió la palabra como si fuera una pepita de uva.

Bomber se dirigió a ella con expresión cansada y paciente.

–Te presento a Eunice, mi nueva ayudante. Eunice, mi hermana Portia.

Portia repasó a Eunice de arriba abajo con sus fríos ojos grises, pero no le estrechó la mano.

–Debería decir que es un placer conocerla, pero probablemente mentiría.

–Lo mismo digo –respondió Eunice.

Sus palabras apenas se oyeron y Portia ya había vuelto a prestar atención a su hermano, pero Eunice habría jurado que Douglas estaba moviendo la cola. Dejó a Bomber a merced de su detestable hermana y regresó al brillante sol de la tarde. Lo último que oyó al cerrar la puerta fue la voz de Portia, que decía con acento zalamero pero todavía desagradable:

–Vamos, querido, ¿cuándo publicarás mi libro?

Al llegar al cruce con Great Russell Street se detuvo un momento. Recordaba al hombre al que había sonreído. Deseó que la persona a la que esperaba no le hubiera dado plantón. En aquel momento vio un destello de oro y cristal entre el polvo y la suciedad del suelo. Se agachó, recogió de la acera un objeto pequeño y redondo, y se lo guardó en el bolsillo.

4

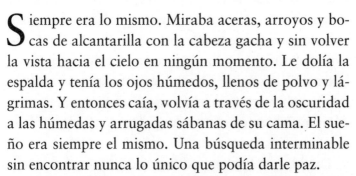

Siempre era lo mismo. Miraba aceras, arroyos y bocas de alcantarilla con la cabeza gacha y sin volver la vista hacia el cielo en ningún momento. Le dolía la espalda y tenía los ojos húmedos, llenos de polvo y lágrimas. Y entonces caía, volvía a través de la oscuridad a las húmedas y arrugadas sábanas de su cama. El sueño era siempre el mismo. Una búsqueda interminable sin encontrar nunca lo único que podía darle paz.

La profunda y suave oscuridad de las noches estivales se había adueñado de la casa. Anthony sacó de la cama las cansadas piernas y se sentó expulsando de su cabeza los tozudos jirones del sueño. Tendría que levantarse. No volvería a conciliar el sueño aquella noche. Bajó la escalera tentando con los pies, produciendo en la madera crujidos que le repercutían en los doloridos huesos. No necesitó luz hasta que llegó a la cocina. Se preparó un té, encontrando más consuelo en prepararlo que en tomarlo, y se lo llevó al estudio. La pálida luz de la luna acariciaba los bordes de las estanterías y formaba un charco en el centro de la mesa de caoba. Cuando cruzó la estancia, la tapa dorada de la caja de galletas le hizo un guiño desde lo alto de la estantería del rincón. La bajó con delicadeza y la depositó en la mesa, en el rutilante círculo de luz. Entre todas las cosas que había encontrado en el curso de su vida, esta era la que más lo turbaba. Porque no era una «cosa» exactamente, sino un «ser»; de eso estaba razonablemente convencido. Quitó la tapa una vez más y volvió a inspeccionar el contenido, como venía haciendo diariamente desde la semana anterior, desde que la había llevado a su casa. Había colocado la caja en distintos sitios, unas veces muy arriba y otras oculta a la vista, pero seguía atrayéndolo de manera irresistible. No podía dejarla en paz. Introdujo las manos y frotó los ásperos granos grises con la yema de los dedos. El recuerdo le traspasó el alma, le cortó el aliento y lo dejó sin respiración con la firmeza de un puñetazo en el estómago. Una vez más, tenía la muerte en sus manos.

La vida que habían podido vivir juntos era una fantasía casi dolorosa en la que Anthony se permitía sumergirse muy pocas veces. A aquellas alturas ya habrían sido abuelos. Therese nunca había hablado de tener hijos, aunque los dos habían supuesto que tenían mucho tiempo por delante. Resultó ser una complacencia trágica. Therese siempre había querido un perro. Anthony se había resistido todo lo que había podido, aduciendo el daño que representaba para la rosaleda y la posibilidad de que hiciera agujeros en el césped. Pero la mujer había vencido al final, como siempre, con una mezcla fatal de encanto y obstinación en llevarle la contraria. Habían quedado en ir a Battersea para recoger al perro la semana después de que muriera Therese. Pero Anthony pasó aquel día recorriendo la casa vacía, recordando con ansia todos los rastros de la presencia femenina: la huella de su cabeza en una almohada; hebras de color naranja oscuro en su cepillo del pelo y una mancha de pintalabios escarlata en un vaso. Míseras pero preciosas pruebas de una vida extinguida ya. Durante los desdichados meses que siguieron, Padua se esforzó por conservar entre sus paredes los ecos de la existencia de Therese. Cada vez que Anthony entraba en una habitación, tenía la sensación de que ella la había abandonado momentos antes. Día tras día jugaba al escondite con la sombra de ella. Oía su música en la habitación del jardín, percibía su risa en el jardín y, en la oscuridad, sentía sus besos en la boca. Pero poco a poco, de manera imperceptible y milimétrica, ella lo fue abandonando. Dejó que él siguiera su vida. El rastro que permanecía, que aún seguía presente, era el perfume de las rosas donde no las había.

Se limpió el polvo gris de los dedos y volvió a tapar la lata. Algún día se convertiría en algo así. Puede que esa fuera la razón por la que las cenizas lo turbaban tanto. No quería perderse como aquel desdichado que yacía en la lata. Quería estar con Therese.

Laura estaba acostada, pero despierta, con los ojos apretados, tratando inútilmente de conciliar el sueño. Las preocupaciones y las dudas que la actividad diurna conseguía arrinconar reaparecían ahora al abrigo de la oscuridad, devorando los hilos de su cómoda vida como la polilla en un jersey de lana. El portazo, el vocerío y las risas que se oyeron en el piso de al lado destruyeron las pocas esperanzas de dormir que aún conservaba. La pareja que se había instalado en la vivienda contigua llevaba una vida social animada y ruidosa, a costa de los demás vecinos. A los pocos minutos de llegar con una docena de juerguistas, las delgadas paredes del piso de Laura empezaron a vibrar con las incesantes pulsaciones de tambores y guitarras.

–¡Por el amor de Dios, otra vez no!

Sacó las piernas de la cama y totalmente indignada golpeó el respaldo del sofá con los talones. Era la tercera vez aquella semana. Había tratado de razonar con ellos. Los había amenazado con avisar a la policía. Al final, y más bien para su propia vergüenza, había recurrido a los gritos y a los insultos. La reacción de los vecinos siempre era la misma: disculpas adornadas con promesas falsas y seguidas por una vuelta a la conducta del principio. La verdad era que no le hacían el menor caso. ¿Y si les pinchaba las ruedas de su Golf GTI o les llenaba el buzón de bosta de caballo? Sonrió a pesar de su furia. ¿De dónde iba a sacar bosta de caballo?

Ya en la cocina, puso al fuego un cazo con leche para prepararse chocolate caliente y con otro golpeó insistentemente en la pared de los vecinos jaraneros. Una lasca de yeso del tamaño de un plato se desprendió de la pared y cayó al suelo.

–¡Mierda!

Laura frunció el ceño y lanzó una mirada acusadora al cazo cuyo mango todavía empuñaba con fuerza. Oyó el silbido de la leche que subía y se salía del cazo que tenía en el fuego.

–¡Mierda, mierda, mierda!

Arreglado el desorden y tras preparar más leche, se

sentó a la mesa con el tazón caliente entre las manos. Sentía la acumulación de las nubes sobre la cabeza y la inestabilidad del suelo bajo los pies. Se avecinaba una tormenta, de eso estaba segura. No solo estaba preocupada por los vecinos, sino que también lo estaba por Anthony. Algo había cambiado en el curso de las últimas semanas. Se notaba su decadencia física; a su edad era inevitable, pero había algo más. Una modificación indefinible. Le daba la impresión de que se estaba alejando de ella, como un amante desilusionado que hace la maleta en secreto y se prepara para marcharse. Si perdía a Anthony, perdería también Padua y los dos representaban para ella un refugio alejado de la locura que era el mundo real.

Desde su divorcio, las escogidas y preciosas directrices que habían fijado su rumbo en la vida se habían dispersado. Tras renunciar a la universidad y a ganarse la vida escribiendo para casarse con Vince, había puesto sus esperanzas en tener hijos y en todo lo que la maternidad podía aportarle, y más tarde, quizá, en conseguir un título en la universidad a distancia. Pero ninguna de estas ilusiones se había materializado. Solo en una ocasión se había quedado embarazada. La perspectiva de tener descendencia había fortalecido temporalmente la ya ruinosa relación con Vince, quien no había reparado en gastos y había arreglado el cuarto de los niños en un fin de semana. La semana siguiente Laura había tenido un aborto. Durante unos años trataron de reemplazar con obstinación al niño que no habían tenido. Sus relaciones sexuales se volvieron penosas y obligatorias. Se sometieron a todas las indignas e invasivas pruebas médicas que les indicaron para averiguar dónde estaba el problema, pero todos los resultados fueron normales. La tristeza de Vince dio paso a una ira alimentada por la imposibilidad de tener lo que creía desear. Con el tiempo, y ya para tranquilidad de Laura, dejaron de tener intimidad sexual.

Fue entonces cuando Laura empezó a planear su fuga. Cuando se casaron, Vince había insistido en que ella no tenía por qué trabajar, pero cuando quedó claro que no iba a ser madre y decidió buscar empleo, su falta de experiencia y de aptitudes se convirtió en un grave problema. Y necesitaba un empleo porque necesitaba dinero. Necesitaba el dinero para dejar a Vince. Solo quería lo imprescindible para alquilar un piso y vivir por su cuenta; para desaparecer un día, mientras Vince estuviera en el trabajo, y luego pedir el divorcio desde una distancia segura. Pero los únicos empleos que le salían al paso eran de media jornada y estaban mal pagados. No le bastaban y por eso se puso a escribir, pensando en un libro que se vendiera mucho. Todos los días dedicaba varias horas a la novela y ocultaba a Vince todo indicio de lo que estaba haciendo. La terminó en seis meses y, llena de esperanza, la envió a varias agencias. Al cabo de seis meses, las cartas y los correos electrónicos negativos abultaban casi tanto como la novela. Todas las respuestas eran deprimentemente parecidas. Lo que Laura escribía tenía más estilo que sustancia. Escribía «muy bien», pero la trama estaba demasiado «trillada». Desesperada, respondió a un anuncio que vio en una revista femenina. Garantizaba ingresos para autores capaces de escribir cuentos de una extensión y temática predeterminadas para una revista especializada que contaba con un público en rápida expansión. Prácticamente pagó el depósito del piso con la larga y vergonzosa colección de empalagosas historias eróticas que escribió para *Plumas, encaje y fantasía*, «revista para mujeres ardientes con deseos abrasadores».

Cuando empezó a trabajar en Padua, dejó de escribir. Gracias al cielo, ya no necesitaba escribir cuentos para tener ingresos y la novela acabó en el contenedor de basuras reciclables. Había perdido toda la confianza para empezar otra. En sus momentos más lúgubres se preguntaba hasta qué punto había articulado ella sus propios fracasos. ¿Se había vuelto adicta a la cobardía y le daba miedo caer si llegaba demasiado alto? En Padua, con Anthony, no tenía que pensar en esas cosas. La casa era su fortaleza emocional y física, y Anthony su caballero de brillante armadura.

Hundió la yema del dedo en la capa que se había formado sobre el chocolate caliente al enfriarse. Sin Anthony y sin Padua estaría perdida.

5

Anthony removió la ginebra y la lima y escuchó el tintineo de los cubitos de hielo al chocar con el cristal del vaso. Apenas era mediodía, pero la fría bebida alcohólica despertaba el poco fuego que le quedaba en las venas, y la necesitaba en aquel momento. Bebió un sorbo y dejó el vaso en la mesa, entre los objetos etiquetados que había sacado de un cajón. Se estaba despidiendo de las cosas. Se sentía pequeño en el sillón de nudosa madera de roble, como un muchacho que se ha puesto el abrigo de su padre. Sin embargo, y por mucho que fuera consciente de su pequeñez, no estaba asustado. Porque ahora tenía un plan.

Cuando había empezado a coleccionar objetos perdidos, hacía ya muchos años, no formaba parte de ningún plan. Solo quería guardarlos por si algún día se encontraba con las personas que los habían perdido. Por lo general ignoraba si lo encontrado era basura o un tesoro. Pero otras personas, en algún otro lugar, lo sabían. Por eso había empezado a escribir de nuevo: cuentos interrelacionados sobre las cosas que encontraba. Con los años había llenado sus cajones y estanterías con fragmentos de vidas ajenas y, en cierto modo, había conseguido que la suya, tan cruelmente despedazada, volviera a ser una vida unitaria. No una imagen perfecta, naturalmente que no, después de lo que había ocurrido: una vida todavía con cicatrices, fracturada y deforme, pero digna de vivirse a pesar de todo. Una vida con fragmentos de cielo azul en medio del gris, como el fragmento de cielo que tenía ahora en la mano. Lo había encontrado hacía doce años junto al bordillo de la acera en Copper Street, según decía la etiqueta. Era una pieza de un puzle, de color azul brillante con una mancha blanca en un borde. Solo era un trozo de cartón coloreado. La mayoría de la gente ni siquiera se habría fijado en él y quienes se fijaran no le habrían hecho el menor caso por considerarlo basura. Pero Anthony sabía que su pérdida podía haber sido muy importante para alguien. Le dio la vuelta en la palma. ¿A qué juego pertenecería?

Pieza de puzle, azul con manchita blanca.
Encontrada junto al bordillo, Copper Street,
4 de septiembre...

No tenían el nombre que les correspondía. Maud era un nombrecito insignificante, todo lo contrario que la mujer a la que designaba. Haberla llamado escandalosa habría sido un elogio. Gladys, en cambio, era un nombre radiante y animado, que recordaba a los alegres gladiolos. Pero la pobre mujer que lo llevaba tenía ya pocos motivos para sentirse alegre. Las dos hermanas vivían infelizmente juntas en una bonita casa adosada de Copper Street. Había sido la casa de sus padres y el lugar donde habían nacido y crecido. Maud había llegado a este mundo como con ganas de buscar gresca en él: vociferante, desagradable y siempre llamando la atención. Primogénita de la familia, había sido una niña consentida hasta que fue demasiado tarde para rescatar alguna muestra de sensibilidad o altruismo en su carácter. Pasó a ser y, siguió siéndolo siempre, la única persona que tenía algún valor en su mundo. Gladys había sido una niña callada que se contentaba con cualquier cosa, lo cual venía muy bien a una madre que a duras penas podía satisfacer sus necesidades básicas mientras hacía frente a las interminables exigencias de la otra hija.

A los dieciocho años, Maud tuvo un pretendiente casi tan horrible como ella, y la familia, al saberlo, lanzó un suspiro de alivio colectivo y un poco culpable. Los animaron a comprometerse y a casarse con el mayor entusiasmo, sobre todo cuando supieron que el novio iba a mudarse a Escocia por motivos laborales. Tras una boda cara y ostentosa, elegida y luego criticada por la propia Maud y totalmente costeada por los padres de ella, se fue para sentar sus reales en una confiada población del lejano oeste de Escocia, y la vida en Copper Street se convirtió en un remanso de paz. Gladys y sus padres vivían tranquilos y felices. Los viernes cenaban pescado frito con patatas y para el té del domingo tomaban emparedados de salmón y ensalada de frutas con nata envasada. Iban al cine todos los jueves por la noche y en verano pasaban una semana en Frinton. A veces Gladys iba a bailar con sus amigas a la Cooperativa. Se compró un periquito, *le puso de nombre Cyril y no se casó nunca. No porque ella lo eligiera, sino porque nunca se le presentó la oportunidad de elegir. Había encontrado al hombre ideal, pero por desgracia, la mujer ideal de él era una amiga de Gladys. Gladys le confeccionó el vestido de novia y brindó por la felicidad de ambos con champán y lágrimas abrasadoras. Siguió siendo amiga de los dos y fue madrina de sus dos hijos.*

Maud y su consorte no tuvieron descendencia. «Otra cosa que hacen bien», observaba el padre, dirigiéndose a Cyril, cada vez que salía a relucir el tema.

Gladys se hizo cargo de sus padres cuando envejecieron y se pusieron achacosos. Los cuidaba, los alimentaba, los lavaba, les daba comodidades y seguridad. Maud se quedó en Escocia y de vez en cuando enviaba algún regalo que no servía para nada. Pero cuando los ancianos fallecieron, el entierro la afectó mucho. Las dos hermanas se repartieron equitativamente el contenido de su cuenta de ahorros, pero Gladys heredó la casa, como recompensa por la devoción que había demostrado a los difuntos. Pero el testamento tenía un codicilo catastrófico: disponía que, si Maud se quedaba alguna vez sin hogar, podría vivir en la casa de Copper Street hasta que mejorase su situación. Se había dispuesto así con toda la bondad del mundo, en previsión de una circunstancia que los padres habían creído muy improbable y por eso mismo se había incluido esta cláusula en el testamento. Pero «muy improbable» no significaba imposible y cuando el marido de Maud falleció, dejó a su viuda sin casa, sin un centavo y más cabreada que una mona. El ma-

rido había perdido en el juego todos los bienes que poseían y, para no tener que enfrentarse con Maud, había preferido morir.

Maud volvió a Copper Street hecha una vieja bruja que rezumaba vitriolo. La vida apacible y feliz que había tenido Gladys quedó hecha añicos en el instante en que Maud apareció en la puerta y le exigió dinero para pagar el taxi. Incapaz de sentir la menor gratitud, Maud instaló la desdicha en la casa como un huésped perpetuo. Con su experto repertorio de pequeñas crueldades, torturaba a su hermana cada dos por tres. Le echaba azúcar en el té, sabiendo perfectamente que a Gladys no le gustaba, ahogaba las plantas de la casa y dejaba un reguero de confusión y desorden allí donde iba. Se negaba a mover un dedo para ayudar en las faenas domésticas y se pasaba todo el día criando barriga, expulsando gases, comiendo caramelos, resolviendo puzles y poniendo la radio a todo volumen. Las amistades de Gladys dejaron de aparecer por la casa y ella se ausentaba tan a menudo como se atrevía. Pero siempre recibía algún castigo cuando volvía: unas veces era un bonito adorno que se había roto «sin querer», otras un vestido favorito quemado con la plancha. Maud incluso esparcía sobras por el jardín para que acudiera el gato de los vecinos y espantara a los pájaros que Gladys alimentaba cariñosamente. Gladys era incapaz de contrariar los deseos de sus padres y Maud rechazaba con desdén o violencia sus quejas o sus intentos de dialogar. Para Gladys su hermana era como la carcoma que llaman «escarabajo del reloj de la muerte»: un parásito inde-

seado que había invadido su casa y convertido su felicidad en humo.

Y tamborileaba. Así como el mencionado escarabajo producía un curioso golpeteo, ella siempre estaba tamborileando con aquellos dedos que parecían morcillas: en la mesa, en el brazo del sillón, en el borde del fregadero. El tamborileo pasó a ser la peor tortura de todas: incesante y omnipresente, perseguía a Gladys día y noche. Puede que Macbeth asesinara el sueño, pero Maud asesinaba la paz. Aquel día estaba sentada a la mesa del comedor, tamborileando mientras observaba el complejo puzle medio terminado que tenía delante. Era una gigantesca reproducción de La carreta de heno *de* Constable: *tenía mil piezas y era el mayor que Maud había intentado en su vida. Iba a ser su obra maestra. Estaba despatarrada como un sapo delante del puzle, con aquella sobreabundancia de glúteos derramándose por los bordes de la silla que gruñía bajo su peso. Y tamborileaba.*

Gladys cerró suavemente la puerta de la calle y echó a andar por Copper Street, sonriendo mientras el viento agitaba y arremolinaba junto al bordillo de la acera las hojas secas del otoño. Dentro del bolsillo, palpó con los dedos los bordes del pequeño trozo de cartón, cortado a máquina, de color azul y con una manchita blanca.

Anthony recorrió con los dedos los bordes de la pieza de puzle que tenía en la palma y se preguntó de la vida de quién habría sido una pequeña parte alguna vez. O quizá no tan pequeña. Puede que la pérdida hubiera sido desastrosa y desproporcionada con respecto a su tamaño, que hubiera hecho derramar lágrimas, que hubiera provocado estallidos de cólera, que hubiera roto corazones. Era lo que le había sucedido a Anthony cuando él también había perdido algo, tanto tiempo atrás. A los ojos del mundo era una baratija, pequeña e insignificante; pero para Anthony tenía un valor que no podía calcularse. Su pérdida era un sufrimiento diario que le daba golpecitos en el hombro; un despiadado recuerdo de la promesa que había roto. La única promesa que Therese le había arrancado y la única que había incumplido. Por eso se había puesto a recoger las cosas que otras personas perdían. Era su única posibilidad de expiación. Le había preocupado mucho no haber encontrado la forma de que los objetos volvieran a reunirse con sus propietarios. Lo había intentado durante años: anuncios en la prensa local y en folletos informativos, incluso avisos en las páginas de anuncios por palabras de los grandes periódicos. Pero nunca le había respondido nadie. Y ahora quedaba ya muy poco tiempo. Esperaba, sin embargo, haber encontrado por fin a alguien que lo sustituyera: alguien suficientemente joven e inteligente para aportar ideas nuevas; alguien que encontrase el medio de devolver los objetos perdidos a su lugar de origen. Había hablado con su abogado y había hecho las modificaciones necesarias en su testamento. Se retrepó en el sillón y se desperezó, sintiendo contra la columna el duro respaldo de madera. La lata de galletas emitió un destello en su alto estante, alcanzada por el sol de primera hora de la tarde. Estaba muy cansado. Había abusado de su tiempo, pero... ¿lo había aprovechado? Puede que hubiera llegado el momento de hablar con Laura, de decirle que se iba. Dejó la pieza de puzle encima de la mesa y cogió el vaso de ginebra con lima. Tenía que decírselo pronto, antes de que fuera demasiado tarde.

6

Eunice

Junio de 1974

Eunice dejó en su sitio las llaves de la cajita del dinero y cerró el cajón. Su cajón. El de su escritorio. Ya llevaba un mes entero trabajando para Bomber, que la había mandado a comprar bollos azucarados para los tres con el fin de celebrarlo. El mes había pasado volando. Eunice llegaba siempre temprano y se iba después de terminar la jornada, que ella misma prolongaba, dado que estaba en un lugar y con una compañía que la llenaban de emocionantes expectativas. En aquellas cuatro breves semanas se había dado cuenta de que Bomber era un patrón justo y generoso, entusiasta de su trabajo, de su perro y del cine. Además, era el galán de sus sueños. Tenía por costumbre repetir frases de sus películas favoritas y Eunice empezaba a hacer lo mismo. Sus gustos eran más modernos, pero el jefe le estaba enseñando a apreciar las mejores producciones de los estudios Ealing y ella ya había despertado lo bastante la curiosidad de Bomber como para que este accediera a ver un par de estrenos recientes en el cine local. Ambos estaban de acuerdo en que *Ocho sentencias de muerte*, con Alec Guinness, era una maravilla, y *Breve encuentro*, con Trevor Howard y Celia Johnson, una historia trágica; *El exorcista* era impresionante, pero la cabeza que daba vueltas resultaba un poco ridícula; *El hombre de mimbre*, con Christopher Lee, daba escalofríos; *El optimista*, con Peter Sellers, era mágica, y *Amenaza en la sombra*, con Donald Sutherland y Julie Christie, tenía un ambiente siniestro y opresivo, aunque Sutherland quizá mostraba demasiado las nalgas. Eunice incluso acarició la idea de comprarse un impermeable rojo con capucha como el que llevaba el enano en la película y hacer también algunas apariciones inquietantes. Y huelga decir que *La gran evasión* era perfecta. Bomber decía que lo maravilloso de los libros es que eran como películas que el lector proyectaba en su cabeza. Eunice también descubrió que a Douglas le gustaba dar un paseo a las once de la mañana, sobre todo por delante de la panadería que vendía aquellos deliciosos bollos azucarados, y que siempre se comía primero la cobertura dulce y luego el bollo. Por último, supo que la venenosa Portia siempre se mostraba tan detestable como un tazón de tripas podridas.

Bomber estaba en la cocina preparando el té y Douglas, que ya pensaba en el bollo azucarado, le metía prisa babeándole los zapatos marrones de Loake. Eunice se encontraba en la ventana mirando la calle, que aquel día estaba muy animada aunque recientemente hubiera quedado paralizada a causa de una muerte repentina: vehículos y viandantes se habían detenido en seco por un corazón que se había parado para siempre ante los ojos de todos. Según la señora Doyle, la de la panadería, Eunice había estado allí. Pero ella no había visto nada. La señora Doyle recordaba el día y la hora exactos, y todos los detalles de lo sucedido. Como ferviente seguidora de las series policíacas que ponían en televisión, se enorgullecía de ser una excelente testigo ocular, si alguna vez se presentaba la ocasión. Observaba con mucha atención a los clientes no habituales, confiando a la memoria los ojos perezosos, los bigotes finos, los dientes de oro y las rayas del pelo a la izquierda, que ella creía indicios de un carácter moral cuestionable. Tampoco había que confiar nunca en las mujeres que llevaban zapatos rojos y bolso de mano verde. La joven fallecida no llevaba ni una cosa ni otra. Vestida con un chaquetón de entretiempo de color azul, con zapatos y bolso a juego, se había desplomado y había muerto de repente delante de la panadería, con los mejores pasteles de la señora Doyle como telón de fondo. Había sucedido el día de la entrevista de Eunice, a las doce menos cinco exactamente. La señora Doyle estaba segura de la hora porque tenía en el horno unos bollos de Bath que debía sacar a las doce en punto.

–Se me quemaron como el mismísimo infierno –explicó a Eunice–. Estaba demasiado ocupada llamando a la ambulancia para acordarme de los bollos, pero no voy a echarle la culpa a la pobre mujer. ¿Qué culpa tuvo ella de caer redonda al suelo? La ambulancia llegó en seguida, pero para entonces ya estaba muerta. No tenía señales en el cuerpo, ¿sabe? Supongo que fue el corazón. Mi Bert dice que pudo ser un *anurisma*, pero para mí que fue el corazón. O un derrame.

Eunice recordaba haber visto una multitud y haber oído una sirena a lo lejos, pero nada más. Se entristeció al pensar que el mejor día de su vida había sido el último de otra persona y que entre las dos solo habían mediado unos metros de acera.

–¡El té! –Bomber dejó la bandeja en la mesa–. ¿Sirvo yo?

Bomber vertió la infusión y repartió los bollos azucarados. Douglas se instaló con el bollo entre las patas y se puso a lamer la cobertura.

–Bueno, mi querida amiga, dígame qué piensa de la última creación del viejo Pontpool. ¿Tiene algo bueno o la tiramos por la pendiente del adiós?

Así llamaba Bomber al creciente montón de manuscritos rechazados. La caja se llenaba tanto y tan rápido que el contenido desbordaba y alfombraba el suelo antes de ser transportada al contenedor de basuras. Percy Pontpool era un aspirante a autor de literatura infantil y Bomber le había pedido a Eunice que echase un vistazo a su último manuscrito. Eunice masticaba el bollo azucarado con actitud pensativa. No le hacía falta meditar la opinión que tenía, sino decidir hasta qué punto debía ser sincera. Por muy amable que fuera, Bomber seguía siendo su jefe y ella la nueva contratada que tenía que ganarse el puesto. Percy había escrito un libro para niñas titulado *Tracey se divierte en la cocina*. Las aventuras de Tracey consistían en lavar los platos con Daphne la bayeta, barrer el suelo con Betty la escoba, limpiar las ventanas con Sparkle la gamuza y rascar el horno con Wendy la esponja metálica. Por desgracia, el autor había pasado por alto la posibilidad de que Tracey desatascara el fregadero con Portia la ventosa, lo cual le habría hecho ganar algunos puntos. Tracey se divertía tanto como un poni en una mina de carbón. Eunice tenía el espantoso presentimiento de que Percy estaba ya trabajando en una secuela titulada *Howard se divierte en el cobertizo*, con Charlie el cincel, Freddy el serrucho y Dick el taladro. Una sarta de imbecilidades sexistas. Eunice puso sus pensamientos en palabras.

–Me esfuerzo por imaginar qué público podría tener.

Bomber casi se atragantó con el bollo. Bebió un sorbo de té y cambió a una expresión más seria y más acorde con el momento.

–Ahora dígame qué piensa en realidad.

Eunice suspiró.

–Es una sarta de imbecilidades sexistas.

–¡Muy bien! –exclamó Bomber.

Cogió el ofensivo manuscrito del escritorio de Eunice y lo lanzó por el aire hacia el rincón donde acechaba la pendiente del adiós. Cayó encima del montón con un golpe sordo. Douglas había terminado el bollo azucarado y olisqueaba el aire con la esperanza de que quedaran algunas migas en el plato de sus amigos.

–¿De qué va el libro de su hermana? –dijo Eunice.

Se moría por preguntarlo desde el primer día, pero antes de que Bomber tuviera tiempo de responder sonó el portero automático.

Bomber se puso en pie.

–Deben de ser mis padres. Dijeron que, ya que estaban en la ciudad, pasarían a saludarme.

Eunice estaba deseosa de conocer a la pareja que había traído al mundo a unos retoños tan diametralmente opuestos. Godfrey y Grace resultaron ser un placer doble. Bomber combinaba a la perfección las características físicas de ambos: la nariz aquilina y la boca generosa del padre, y los astutos ojos grises y la tez de la madre. Godfrey estaba espléndido con los anchos pantalones de pana rosa salmón, el chaleco amarillo, la pajarita del mismo color y el vapuleado pero todavía presentable panamá. Grace llevaba un acertado vestido de algodón con un estampado que habría quedado mejor en la funda de un sofá, un sombrero de paja con grandes flores amarillas en el ala y unos bonitos zapatos de medio tacón, cómodos para pasear. El bolso de piel marrón que le colgaba del brazo tenía un tamaño y una dureza suficientes para defenderse de los rateros que, en su opinión, acechaban en todos los callejones y soportales de la capital, a la espera de abalanzarse sobre los pueblerinos como ella y Godfrey.

–Esta debe de ser la nueva empleada –dijo Grace–. ¿Qué tal está usted, señorita?

–Es un placer conocerla.

Eunice estrechó la mano que le ofrecían; blanda, pero firme.

Godfrey cabeceó.

–Por Dios, mujer. Esas cosas no se estilan con los jóvenes de hoy.

Rodeó a Eunice con ambos brazos y apretó tanto que casi la levantó del suelo. Acto seguido, la besó en ambas mejillas. Los pelillos que se le habían olvidado al afeitarse le rasparon la piel a la muchacha, que también percibió un vago olor a colonia. Bomber hizo un gesto de impaciencia y sonrió.

–Papá, eres un descarado. Cualquier pretexto te sirve para besar a las mujeres.

Godfrey le guiñó un ojo a Eunice.

–Bueno, a mi edad hay que aprovechar lo que sale. Pero no he querido ofenderla.

–Ni yo me he sentido ofendida –respondió Eunice, devolviéndole el guiño.

Grace besó a su hijo con afecto y tomó asiento con manifiesta intención de hablar con él. Rechazó con la mano las invitaciones para tomar té con bollos azucarados.

–Mira, prometí que te lo preguntaría, pero no quisiera entrometerme...

Bomber suspiró. Sabía muy bien lo que iba a oír.

–Creo que tu hermana ha escrito un libro que le gustaría que publicaras tú. No lo he leído, ni siquiera lo he visto, si quieres que te sea sincera, pero dice que te estás haciendo el remolón y no le dedicas la atención que merece. ¿Qué tienes que decir a eso?

Eunice estaba intrigadísima. No sabía qué pensar de la media sonrisa que asomaba entre los labios de Grace mientras esta hablaba con total seriedad. Bomber se acercó a la ventana, con el aire de un abogado defensor que se prepara para dirigirse al jurado.

–Lo primero que has dicho es verdad. Portia ha escrito algo que ella llama libro y quiere que lo publique yo. Lo segundo es una mentira retorcida que niego con todas las fibras de mi ser. –Bomber descargó la palma abierta sobre su mesa para subrayar su retórica indignación. Acto seguido se echó a reír y se desplomó en su silla–. Mira, mamá, lo he leído y es caca de la vaca. En realidad, ese libro ya lo había escrito antes otra persona y tengo que decir que era mucho mejor que el de Portia.

55

Godfrey arrugó el entrecejo y chasqueó la lengua en señal de reprobación.

–¿Quieres decir que lo ha copiado?

–Bueno, ella lo llama homenaje.

Godfrey se volvió a su mujer y sacudió la cabeza.

–¿Estás segura de que volviste del hospital con la niña verdadera? No sé a quién habrá salido esta hija mía.

Grace se lanzó un poco a la desesperada a defender la difícil situación de su hija.

–Puede que no se diera cuenta de que su historia se parecía a la de otra persona. Puede que todo haya sido una desdichada coincidencia.

Lanzamiento nulo.

–Buen intento, mamá, pero da la casualidad de que se titula *El chófer de lady Clatterly* y va sobre una mujer llamada Bonnie y su marido, Gifford, que se ha quedado paralítico jugando al *rugby*. Bonnie acaba liándose con su chófer, que se llama Mellons, un tipo del norte bastante rudo pero extrañamente tierno, con dificultades para hablar, que se dedica a cuidar peces tropicales.

Godfrey sacudió la cabeza en un gesto de incredulidad.

–Estoy seguro de que la pobre se cayó de cabeza cuando era pequeña.

Grace no hizo caso del comentario de su marido, pero tampoco lo desmintió. Se volvió hacia Bomber.

–Ahora lo entiendo. Por lo que dices es un libro espantoso. Yo en tu lugar, lo tiraría a la basura. No soporto a los gandules y si no es capaz de molestarse inventando una historia propia, no sé qué espera.

Bomber le hizo un agradecido guiño de complicidad.

–Como dijo Norman Bates, el mejor amigo de un muchacho es su madre.

Grace se levantó y volvió a armarse con el bolso.

–Vámonos, Godfrey. Es hora de volver al Claridge.

Dio a Bomber un beso de despedida. Godfrey le estrechó la mano.

–Siempre tomamos el té allí cuando venimos a la capital –explicó la madre a Eunice–. Tiene los mejores emparedados de pepino del mundo.

Godfrey se tocó el sombrero para despedirse de la joven.

–La ginebra con lima tampoco está mal –dijo.

7

L a gota de color rojo rubí destelló en la punta de su dedo antes de caer sobre la falda limón de su nuevo vestido. Laura lanzó un exabrupto, se chupó el dedo con irritación y lamentó no haberse puesto los tejanos. Le gustaba llenar la casa de flores recién cortadas, pero la belleza de las rosas se pagaba cara y seguía teniendo la punta de la espina clavada en el dedo. Ya en la cocina, podó las hojas inferiores de los tallos que había cortado y llenó dos búcaros con agua tibia. Un ramo era para la habitación del jardín y el otro para el vestíbulo. Mientras arreglaba los ramos, pensó con inquietud en la conversación que iba a tener con Anthony. La había llamado para «charlar» con él en la habitación del jardín antes de dar por concluida la jornada e irse a casa. Consultó la hora en su reloj. Se sentía como si la hubieran emplazado en el despacho del director del colegio. Era ridículo; aquel hombre era su amigo. Pero... ¿cuál era el «pero» que seguía escociéndole? El cielo estaba despejado, pero se olía la tormenta en el aire. Cogió un búcaro, respiró hondo y lo llevó al vestíbulo.

Todo era quietud y silencio en la rosaleda. Pero el aire se notaba cargado a causa de la inminente tormenta. Nada se movía ni hacía el menor ruido en el estudio de Anthony. Pero el aire estaba lleno de historias. Un rayo de sol se abrió paso entre las nubes, se coló por la estrecha abertura de las cortinas y despertó un destello rojo sangre en una abarrotada estantería, al lado mismo de la lata de galletas.

Gema roja
Encontrada en el cementerio de la iglesia
de St Peter, 6 de julio, última hora de la tarde...

El olor de las gardenias siempre evocaba en Lilia el recuerdo de su madre con su vestido lila de Schiaparelli. La iglesia de St Peter estaba rebosante de flores blancas, cuyo perfume inundaba el aire fresco que acogía a los amigos y conocidos que entraban para protegerse del despiadado sol vespertino. Por lo menos había sido Eliza quien había elegido las flores. Lilia se alegró de poder sentarse. Los zapatos nuevos le hacían daño en los dedos, pero su vanidad no hacía concesiones a la artritis ni a la vejez. La mujer del sombrero ridículo tenía que ser la madre de él. La mitad de los ocupantes del banco que estaba justo detrás de aquella mujer se iban a perder la ceremonia. Tras una indicación del párroco, la susurrante congregación se puso en pie justo cuando llegaba la novia con aquella birria de vestido y colgada desesperadamente del brazo del padre. A Lilia le dio un vuelco el corazón.

Había ofrecido el Schiaparelli a Eliza. A ella le había encantado, pero al novio no le había hecho gracia.

–¡Por Dios, Lizzie! No puedes casarte con el vestido de una muerta.

A Lilia nunca le había gustado Henry, el prometido de Eliza. Jamás se habría fiado de un hombre que se llamaba igual que una aspiradora. Cuando se conocieron, Henry la había mirado por encima de su grasienta y bulbosa nariz de un modo que daba a entender claramente que las mujeres de más de sesenta y cinco años no tenían ninguna importancia. Le hablaba con la exagerada paciencia de quien enseña a un animal doméstico obstinado. En realidad, en aquella primera comida familiar, preparada con tanto cariño y organizada con tan buena intención, Lilia tuvo la clara impresión de que ninguno de la familia aprobaba el examen, exceptuando a Eliza, naturalmente. Lo que el novio valoraba más en la novia era su belleza y su docilidad. Bueno, elogió la comida. El pollo asado estaba casi tan delicioso como el que hacía su madre y el vino era «realmente muy bueno». Pero Lilia lo vio detectar con desprecio una pequeña muesca en su tenedor y una mancha imaginaria en su vaso de vino. Eliza se dedicaba ya por entonces a explicar y excusar amablemente el comportamiento de él, como hace una madre asustada con un niño ingobernable. Lilia pensaba que lo que necesitaba aquel hombre era un buen azote en el gordo pompis. Pero en el fondo no estaba preocupada, porque en ningún momento imaginó que duraría. Henry era un fastidioso agregado a la familia, pero lo soportaba porque era un fenómeno temporal. ¿O no?

Eliza había sido una niña llena de vida; decidida a seguir su propio camino. Llevaba el vestido de fiesta con botas de agua para ir a pescar salamandras acuáticas en el arroyo que discurría al final del jardín. Le gustaban los bocadillos de atún con plátano, y una vez se pasó el día entero yendo a todas partes de espaldas, «solo para saber lo que se siente». Pero todo cambió cuando tenía quince años porque entonces murió su madre, la hija de Lilia. Su padre volvió a casarse y le dio una madrastra realmente útil. Pero nunca estrecharon lazos.

Lilia había aprendido dos cosas de su madre: que había que vestirse para una misma y que había que casarse por amor. Su madre había triunfado en lo primero, pero no en lo segundo, y lo lamentó toda la vida. Lilia aprendió la lección. La ropa había sido siempre su pasión; había sido una relación amorosa que nunca la había decepcionado. Y lo mismo había sucedido con su matrimonio. James era el jardinero que tenían sus padres en su casa de campo. Cultivaba anémonas con colores de piedras preciosas, dalias pompón y rosas de terciopelo que olían a verano. Lilia se sintió fascinada por aquel hombre vigoroso y fuerte, con las manos dos veces más grandes que las suyas, que era capaz de dar vida a flores tan delicadas. Se enamoró. Eliza había adorado a su abuelo, pero Lilia había enviudado cuando ella era todavía una niña. Años después, en cierta ocasión, Eliza le preguntó a Lilia cómo había sabido que aquel era el hombre con el que debía casarse y Lilia le había respondido que porque él la amaba pese a todo. Su no-

viazgo había sido largo y difícil. El padre de ella estaba en contra, pero ella tenía voluntad de hierro y poca paciencia. Y a pesar de su mal carácter, de su cara requemada por el sol y de su pésima habilidad para cocinar, James la amaba. Estuvieron felizmente casados cuarenta y cinco años y ella todavía lo echaba de menos a diario.

Cuando falleció su madre, se esfumaron los objetivos de Eliza y se sintió perdida, como una bolsa de papel vacía a la que el viento arrastra de aquí para allá. Y así siguió, hasta que un día la bolsa fue a parar a una cerca de alambre de espino: Henry. Henry era administrador de un fondo de cobertura y todo el mundo sabía que eso no era un empleo. Era un plantador de dinero; cultivaba dinero. En Navidad regaló a Eliza un cursillo de cocina en Le Cordon Bleu y la llevó a la peluquería de su madre. Lilia esperó a que todo aquello acabase. Cuando llegó el cumpleaños de Eliza, en marzo, Henry le compró vestidos caros que cambiaron totalmente su aspecto y reemplazó el querido y viejo MINI de ella por un descapotable nuevo de dos plazas que la muchacha temía conducir por miedo a rayarlo. Lilia seguía esperando que todo aquello acabase. En junio, Henry se la llevó a Dubái y le propuso matrimonio. Ella quería el anillo de su madre, pero él dijo que los diamantes estaban «pasados de moda». Y le compró otro con un rubí rojo sangre. Lilia siempre pensó que era un anillo de mal agüero.

Eliza no tardaría en llegar. Lilia decidió que se sentarían al pie del manzano. Allí se estaba a la sombra y a ella le gustaba escuchar el soñoliento zumbido de las abejas y oler el perfume de la hierba caliente, como el heno. Eliza siempre tomaba el té con Lilia los sábados por la tarde. Emparedados de salmón con pepino y tartaletas de crema de limón. Afortunadamente, los bocadillos de atún con plátano habían acabado por no apetecerle con el tiempo. Era sábado por la tarde cuando Eliza le entregó a Lilia la invitación para la boda y le preguntó qué habría pensado su madre de Henry. ¿Le habría gustado, habría aprobado la boda? Eliza parecía muy joven a pesar del exagerado peinado que le habían hecho y de su nuevo vestido almidonado, muy necesitada de aprobación y muy deseosa de que le confirmaran que aquello iba a ser el «felices para siempre» por el que tanto suspiraba. Lilia se había sentido cobarde. Y le había mentido.

Henry se volvió, vio que Eliza avanzaba nerviosamente por la nave central y sonrió. Pero no había ternura que dulcificara su expresión. Era la sonrisa del hombre que recibe un coche nuevo y elegante, no la de un novio que se derrite al ver a su amada. Cuando la novia llegó a su altura y el padre puso la mano de ella en la de él, Henry parecía pagado de sí mismo; aceptaba. El párroco anunció el himno. Mientras los reunidos acometían como podían «Guíame, oh tú, gran redentor», Lilia sintió burbujear el pánico en sus entrañas como si fuera mermelada a punto de hervir en un cazo.

Los sábados, Lilia usaba su mejor porcelana y las tartaletas de crema de limón siempre se presentaban en una bandeja con tapa de cristal. Los emparedados

estaban listos, el agua ya había hervido y estaba preparada para echarla en la tetera. Era su pequeña reu-
nión para tomar el té y venían celebrando este ritual
desde la muerte de la madre de Eliza. Aquel día, Lilia
tenía un regalo para ella.

La calma repentina es algo peligroso. El silencio es
sólido y digno de confianza, pero un momento de
calma despierta la expectación, como una pausa elo-
cuente; invita a la travesura, igual que un hilo suelto
que pide ser estirado. El responsable fue el párroco,
pobre diablo. Se lo buscó. Cuando Lilia era pequeña,
durante la guerra, tenían una casa en Londres. En
el jardín había uno de aquellos pequeños refugios an-
tiaéreos llamados Anderson, pero no siempre lo usa-
ban. A veces se limitaban a esconderse debajo
de la mesa; una locura, pero había que haber
estado allí para entenderlo. Cuando caían las bombas
volantes, lo que más temían no era el estrépito,
ni los estropicios ni las explosiones ensordecedoras,
sino los momentos de calma repentina. La calma
repentina significaba que aquella bomba era
para ti.
    –Si alguno de los presentes conoce alguna razón
para...
    El párroco lanzó la bomba. Se produjo una calma
repentina. Y Lilia la detonó.
    Cuando la novia regresó sola por la nave central,
una luminosa sonrisa de alivio resplandecía en su rostro. Estaba radiante de verdad.

Eliza le había devuelto el anillo al novio. Pero el rubí se había caído el día de la boda y nadie lo encontró. Henry estaba furioso. Lilia imaginaba su cara del color de la piedra perdida. Deberían haber estado en Dubái por entonces. Eliza habría preferido Sorrento, pero no era suficientemente pijo para Henry. Al final se fue solo con su madre. Y Eliza fue a tomar el té a casa de Lilia. El regalo estaba en la silla de Eliza. Era el vestido de Schiaparelli, envuelto en finísimo papel plateado y atado con cinta lila. De todos modos, Henry no la había querido nunca.

Anthony cogió la foto enmarcada del tocador de Therese y observó los rasgos de la mujer. Se la había hecho el día de su compromiso. Fuera, los rayos resquebrajaban el cielo ennegrecido. Desde la ventana del dormitorio de Therese contempló la rosaleda, donde las primeras gotas de lluvia se estrellaban contra los pétalos aterciopelados. Nunca había visto a Therese con el vestido puesto, pero con los años se había acostumbrado a imaginarse con ella el día de la boda. Ella estaba muy emocionada. Había elegido las flores de la iglesia y la música de la ceremonia. Y, obviamente, había comprado el vestido. Se habían enviado las invitaciones. Se imaginó esperándola con nerviosismo en el altar. Se habría sentido muy feliz y muy orgulloso de tener una novia tan hermosa. Habría llegado tarde, eso seguro. Habría hecho una entrada triunfal con su vestido de gasa de color azul claro; una opción inusual para una novia, pero es que ella era una mujer inusual. Extraordinaria. Ella misma había dicho que armonizaba con el color del anillo de compromiso. Ahora el vestido estaba envuelto en papel de seda y sepultado en una caja en el desván. No podía verlo; tampoco podía separarse de él. Se sentó en el borde de la cama y enterró la cara entre las manos. Pese a todo, había estado en la iglesia el día que debería haber sido el de su boda. Fue el día del entierro de Therese. Y a pesar de todo el tiempo transcurrido, casi la oía decir que por lo menos el traje de boda había servido para algo.

Laura dejó las llaves en la consola y se quitó los zapatos sacudiendo los pies. El piso estaba abarrotado, hacía calor y abrió la ventana de la diminuta sala de estar antes de servirse un vaso grande de la botella de vino blanco que tenía en el frigorífico. Esperaba que el vino aplacara su ánimo alborotado. Anthony le había contado muchas cosas que no sabía y este conocimiento había entrado en su cabeza como un huracán que azota un campo de cebada y lo deja revuelto y en desorden. Se lo imaginaba esperando allí tantos años atrás, mirando el reloj y buscando la cara de Therese en la multitud, un asomo de su chaquetón azul. Intuía el horrible pánico que se extendía en su estómago, como una gota de tinta en un vaso de agua, a medida que iban pasando los minutos y ella seguía sin aparecer. Pero nunca conocería la angustia desgarradora, la angustia que helaba la sangre y dejaba sin respiración que debió de sentir Anthony cuando siguió a la ululante ambulancia y vio a Therese encogida y muerta en la acera. Anthony recordaba todos los detalles: la muchacha de sombrero azul claro que le había sonreído en la esquina de Great

Russell Street; su reloj marcaba las doce menos cinco cuando oyó la sirena; el olor a quemado que salía de la panadería y las filas de pastas y pasteles que llenaban el escaparate. Recordaba el rugido del tráfico, las voces apagadas, la manta blanca que cubría la cara de la muerta y, también, que el sol inmisericorde seguía luciendo a pesar de que sobre él había caído la más negra de las tinieblas. Los detalles de la muerte de Therese, una vez compartidos, establecieron entre Anthony y Laura una intimidad que los dos respetaban y que a ella le despertaba inquietud. Pero ¿por qué ahora? ¿Por qué se lo contaba después de casi seis años? Y había algo más, Laura estaba convencida de ello. Algo que Anthony no había acabado de decir. Se había detenido antes de terminar.

Anthony apoyó las piernas en la cama y se quedó echado boca arriba, mirando el techo, recordando las felices noches que había pasado allí con Therese. Se puso de costado y rodeó con los brazos el vacío, deseando recordar en qué tiempo había estado allí, llenando aquel espacio, el cuerpo cálido y vivo de ella. Fuera estallaban y rugían los truenos mientras por sus mejillas rodaban las lágrimas silenciosas que raras veces dejaba fluir. Estaba definitivamente cansado de una vida de culpa y pesar. Pero no podía arrepentirse de su vida sin Therese. Habría preferido un millón de veces pasarla con ella, pero rendirse por haber muerto ella habría sido la mayor de las equivocaciones; tirar el regalo del que se había despojado ella habría sido un acto de intolerable ingratitud y cobardía. Por eso había encontrado una forma de seguir viviendo y escribiendo. El sordo dolor de la terrible pérdida no lo había abandonado nunca, pero de este modo, al menos se había impuesto en su vida un objetivo que le permitía esperar –esperanza preciosa aunque precaria– lo que llegara después. La muerte era segura. Reunirse con Therese, no. Pero ahora, por fin, se atrevía a tener esperanza.

Había hablado con Laura aquella tarde, pero aún no le había dicho que se iba. Había querido decírselo, pero un vistazo al preocupado rostro de la mujer había bastado para que las palabras se le deshicieran en la boca. De todos modos, le había hablado de Therese y Laura había llorado por los dos. Era la primera vez que la veía llorar. No era, en absoluto, lo que se había propuesto. No buscaba comprensión ni, Dios no lo permitiera, compasión. Solo había querido darle una razón por lo que estaba a punto de hacer. Pero, por lo menos, las lágrimas de Laura daban fe de que su decisión era acertada. Laura era capaz de sentir el dolor y la alegría de los demás, y comprender su valor. En contra de la impresión que solía dar, no era una simple espectadora de vidas ajenas; se implicaba en ellas. Su capacidad de preocuparse era instintiva. Era su mayor virtud y su punto más vulnerable; la habían herido y él se daba cuenta de que le habían dejado una marca. Ella nunca le había contado nada, pero él lo sabía de todos modos. Había cambiado de vida, se había puesto otra piel, pero en algún lugar tenía una cicatriz secreta, todavía en carne viva, todavía tirante y arrugada, una cicatriz que aún escocía si la tocaban.

Miró la foto que yacía junto a él, en la almohada. No había manchas en el cristal ni en el marco. Laura se encargaba de eso. Cuidaba de todas las partes y rincones de la casa con un orgullo y una ternura que solo podían surgir del amor. Anthony veía todas estas cosas en Laura y sabía que había elegido bien. Laura comprendía que todo tenía un valor muy superior al dinero; tenía una historia, un recuerdo y algo más importante, un lugar único en la vida de Padua. Porque Padua era algo más que una casa; era un lugar seguro en el que curarse. Un refugio para lamerse las heridas, secarse las lágrimas y reconstruir sueños, por mucho tiempo que se tardara. Por mucho tiempo que tardara una persona herida en recuperar fuerzas suficientes para volver a afrontar el mundo. Y esperaba que, al haberla elegido a ella para terminar su misión, Laura se liberase. Porque sabía que Laura estaba allí exiliada, en un destierro cómodo y voluntario, pero destierro a fin de cuentas.

La tormenta había pasado y el jardín estaba mojado y limpio. Se desvistió y, por última vez, se metió bajo las mantas frescas y acogedoras de la cama que había compartido con Therese. Aquella noche la pesadilla se mantuvo alejada y durmió profundamente hasta el amanecer.

8

Eunice

1975

Bomber le cogió la mano a Eunice y se la apretó con fuerza mientras Pam retrocedía con horror a la vista de aquel insólito mobiliario. Parecía hecho con huesos humanos. Se volvió con ánimo de huir, pero el hosco Leatherface la atrapó y cuando ya iba a colgarla en un gancho de la carne, Eunice despertó.

La noche anterior habían visto *La matanza de Texas* en un cineclub local y los dos habían salido horrorizados. Pero lo que había despertado a Eunice no había sido una pesadilla. Había sido un sueño hecho realidad. Bajó de la cama, corrió al cuarto de baño y sonrió alegremente a su algo arrugado reflejo. Bomber le había cogido la mano. Solo un momento, pero se la había cogido de verdad.

Más tarde, mientras se dirigía a la oficina, Eunice se dijo que había que tener cuidado. Sí, Bomber era su amigo, pero también era su jefe y ella tenía un trabajo que hacer. Al llegar a la puerta verde de Bloomsbury Street se detuvo un instante y respiró hondo antes de subir trotando por la escalera. Douglas se acercó traqueteando para saludarla, con su entusiasmo de costumbre, y Bomber le habló desde la cocina.

–¿Té?

–Sí, por favor.

Eunice se sentó a su mesa y se puso a clasificar concienzudamente la correspondencia.

–¿Has dormido bien?

Bomber dejó una taza humeante delante de ella y Eunice notó horrorizada que se le subían los colores.

–Es la última vez que te dejo elegir la película –añadió el jefe, sin darse cuenta de su rubor o quizá pasándolo amablemente por alto–. Yo anoche no pegué ojo y aunque tenía a Douglas para protegerme, dejé encendida la lámpara de la mesita de noche.

Eunice se echó a reír mientras su tez recuperaba el color habitual. Bomber sabía siempre qué decir o hacer para que ella se sintiera cómoda. El resto de la mañana discurrió con la normalidad de todos los días y, a la hora del almuerzo, Eunice bajó a la panadería de la señora Doyle a comprar unos bocadillos. Mientras comían queso y ensalada con pan integral y miraban por la ventana, Bomber recordó algo.

–¿No habías dicho que el domingo que viene es tu cumpleaños?

Eunice volvió a sonrojarse de manera inesperada.

–Sí.

Bomber le ofreció un trozo de queso a Douglas, que babeaba ansiosamente a sus pies.

–¿Piensas hacer algo especial?

Esa había sido la idea inicial. Eunice y Susan, su mejor amiga de los tiempos del instituto, siempre habían dicho que cuando cumplieran veintiún años, cosa que sucedería con pocos días de diferencia, se irían a Brighton a celebrarlo. A Eunice nunca le habían gustado las fiestas y sus padres se ofrecían a pagarle el viaje con mucho gusto para no costear el alquiler de un local con barra libre y pinchadiscos melenudo. Pero Susan se había echado un novio, un doble de David Cassidy que trabajaba en Woolworths y que, por lo visto, le había preparado una sorpresa para su cumpleaños. Susan le había pedido mil perdones, pero de todas formas prefería estar con su nuevo amor a pasar el día con su amiga más antigua. Los padres de Eunice se habían ofrecido a acompañarla a Brighton, pero eso no era exactamente lo que ella tenía planeado. Bomber se enfadó para solidarizarse.

–Yo te acompañaré –dijo espontáneamente–. Es decir, si no te importa que te vean con tu anciano jefe.

Eunice saltó de alegría por dentro, pero hizo todo lo posible para que no se le notara.

–De acuerdo. Supongo que podré soportarlo. –Sonrió–. Espero que puedas seguirme el ritmo.

El sábado por la mañana fue a la peluquería para un corte y secado a mano, y luego una manicura. Por la tarde, tras informarse del tiempo que iba a hacer, se probó con la imaginación todos y cada uno de los artículos que tenía en el armario, con todas las combinaciones posibles. Al final se decidió por unos pantalones acampanados de color morado y cintura alta, una blusa con flores estampadas y un sombrero morado de ala ancha y flexible que hacía juego con el color de sus uñas.

–¿Qué tal estoy? –preguntó a sus padres, desfilando delante de ellos por la sala de estar e impidiéndoles ver

Los dos Ronnies, un programa cómico que daban por televisión.

–Encantadora, querida –respondió la madre.

El padre movió la cabeza para manifestar su conformidad, pero no dijo nada. Con los años había aprendido que era más prudente dejar a las mujeres de la casa las opiniones sobre la moda.

Aquella noche apenas pudo dormir, pero cuando por fin lo consiguió, soñó con Bomber. ¡Iba a ser un día maravilloso!

9

E n principio pareció un día completamente normal. Pero en el curso de las semanas que siguieron, Laura se estrujó la memoria en busca de claves y presagios que pudieran haber pasado inadvertidos. ¿En serio debería haber sabido que iba a suceder algo terrible? A menudo, pensaba que debería haber sido católica. Se le daba muy bien sentirse culpable.

Anthony salió aquella mañana para dar el paseo de costumbre. La única diferencia era que no se había llevado la bolsa. Era una mañana preciosa y cuando regresó, Laura pensó que parecía muy contento; no lo veía tan relajado desde hacía mucho tiempo. En vez de encerrarse en el estudio, le pidió a Laura que le llevara el café al jardín y allí lo encontró, charlando con Freddy a propósito de las rosas. Cuando dejó la bandeja en la mesa, evitó adrede mirar a Freddy a los ojos. Si se sentía incómoda en su presencia, tal vez era porque lo consideraba atractivo. El hombre tenía una seguridad natural, estaba dotado de encanto y belleza, y las dos cosas la inquietaban. Se dijo que de todos modos era demasiado joven para ella, y nada más pensarlo se burló de sí misma por el simple hecho de plantearse aquella posibilidad.

–Buenos días, Laura. Un día magnífico.

Tuvo que mirarlo. Vio que le sonreía y que la observaba fijamente. Su turbación acortó su respuesta e hizo que pareciera hostil.

–Sí, magnífico.

Y encima se ruborizó. No con un favorecedor tinte de rosicler, sino con un rojo vivo y desigual, como si hubiera metido la cabeza dentro del horno. Volvió corriendo a la casa. La fresca calma de Padua le devolvió en seguida el equilibrio y subió para cambiar las flores del descansillo. La puerta del dormitorio principal estaba abierta y entró para ver si todo estaba en orden. El olor a rosas era muy fuerte aquel día, aunque las ventanas estaban cerradas. El reloj del vestíbulo empezó a dar las doce del mediodía y Laura consultó el suyo. El de abajo adelantaba. Ya se había dado cuenta y había tomado nota para que fueran a arreglarlo. Su reloj marcaba las 11:54. Entonces recordó algo. Cogió el reloj de esmalte azul del tocador de Therese y observó la marcha rítmica del segundero alrededor de la esfera. Cuando llegó a las doce se detuvo. En seco.

Anthony almorzaba en la habitación del jardín y cuando Laura fue a recoger la bandeja, vio con placer que el hombre se lo había comido casi todo. Puede que se hubiera resuelto lo que lo había inquietado durante los últimos meses, aunque también cabía la posibilidad de que su salud hubiera mejorado tras su última visita al médico. No dejó de preguntarse si habría contribuido en algo el que le hubiera contado la historia de Therese. Fuera lo que fuese, se alegró. Y se sintió aliviada. Era maravilloso verlo con tan buen aspecto.

76

Pasó la tarde poniendo en orden las cuentas de Anthony. Aún cobraba derechos por sus escritos y, de tarde en tarde, le pedían que diera una conferencia en algún club del libro o en alguna biblioteca local. Tras pasar un par de horas leyendo documentos, se retrepó en la silla. Le dolía la espalda y tenía el cuello agarrotado. Se frotó los ojos y por enésima vez se hizo el firme propósito de ir al oculista.

La atracción del estudio acabó por ser irresistible para Anthony y Laura lo oyó entrar y cerrar la puerta. Guardó los documentos en sus respectivas carpetas y salió al jardín para estirar las piernas y sentir el sol en la cara. Caía ya la tarde, pero el sol seguía calentando y el zumbido de las abejas entre las matas de madreselva vibraba en el aire sofocante. Las rosas tenían un aspecto esplendoroso. Flores de todos los tamaños, formas y matices se combinaban para crear un mar reluciente de aroma y color. El césped era un cuadrado perfecto de verdor lujuriante y los árboles frutales y arbustos del fondo resplandecían con la esperada magnificencia de finales de verano. Era evidente que Freddy tenía un don para plantar cosas. Cuando Laura había llegado a aquella casa para trabajar para Anthony, la única parte del jardín cariñosamente cuidada era la rosaleda. El césped presentaba un aspecto desigual, había malas hierbas por doquier, los árboles crecían a su aire y las ramas no soportaban el peso de los frutos. Pero en los dos años que llevaba Freddy en Padua, el jardín había vuelto a la vida. Laura se sentó en la cálida hierba y se abrazó las rodillas. Siempre le costaba irse de Padua cuando caía la tarde, pero en los días como aquel le costaba mucho más. Su casa, en comparación, carecía de atractivo. En Padua nunca se sentía sola, aunque no hubiera nadie más. En su casa se sentía sola siempre.

Desde su historia con Vince no había tenido ninguna otra relación larga. El fracaso matrimonial había minado su confianza y había neutralizado su soberbia juvenil. La boda se había organizado con tantas prisas que su madre le había preguntado si estaba embarazada. No lo estaba. Lo que ocurría era que estaba subyugada por un apuesto príncipe azul que le prometía la luna. Pero el hombre con el que se casó resultó ser un sinvergüenza y un fanfarrón que en vez de la luna le había ofrecido una vivienda insípida en las afueras. Sus padres habían hecho todo lo posible para convencerla de que esperase; hasta tener más años y conocerse mejor a sí misma. Pero era joven e impaciente, incluso testaruda, y casarse con Vince le había parecido un atajo hacia la madurez. Todavía recordaba la sonrisa triste, nerviosa y crispada que esbozaba su madre mientras ella avanzaba por la nave central de la iglesia. Su padre disimuló peor su contrariedad, pero casi todos los invitados, por suerte, supusieron que sus lágrimas eran de alegría y orgullo. Lo peor de todo fue que el mismo día de la boda también ella temió, por primera vez, haber cometido un error. Sus dudas quedaron sepultadas por un diluvio de confeti y champán, pero no le había faltado razón. Su amor por Vince había sido un sentimiento inmaduro y fantasioso, fabricado con la misma rapidez que las invitaciones de borde plateado, y tan insustancial como el vestido con que había recorrido la nave central.

Aquella noche Laura cenó delante del televisor. No tenía hambre ni estaba realmente atenta a la pantalla parpadeante. Tras renunciar a ambas cosas, salió al estrecho balcón para mirar el cielo impenetrable. ¿Cuántas personas estarían mirando aquel mismo cielo en aquel mismo momento? Se sintió pequeña y muy sola.

10

El cielo nocturno del verano era un lienzo negro acribillado por multitud de puntos luminosos. Todavía hacía calor cuando Anthony recorrió el sendero que conducía a la rosaleda, aspirando el cargado perfume de las preciadas flores que había plantado todos aquellos años para Therese desde que se habían instalado en la casa. Había ido andando hasta el buzón y sus pasos habían resonado suavemente en las vacías calles del pueblo. La carta que había enviado era el punto final de su historia. Su abogado se la entregaría a Laura cuando llegara el momento. Ya estaba preparado para marcharse.

Se habían mudado a la casa un miércoles. La había encontrado Therese.

–Es perfecta –había dicho.

Y lo era. Se habían conocido unos meses antes, pero no habían tenido necesidad de un tiempo de prueba para atarse el uno al otro. La atracción había sido instantánea; inabarcable como el cielo que lo cubría ahora a él. Al principio había sentido algún temor o más bien miedo a perder lo que tenía. Era sin duda demasiado potente, demasiado perfecto para durar. Pero la fe de Therese era absoluta. Se habían encontrado y eso era lo que importaba. Juntos eran sagrados. A ella le habían puesto el nombre de Therese por santa Teresa de Lisieux, llamada de las Rosas; y por eso había plantado él la rosaleda, como un regalo para ella. Pasó todo el mes de octubre con botas de agua, abriendo surcos y llenándolos de abono, mientras Therese le llevaba tazas de té y le insuflaba unos ánimos sin límites. Las rosas llegaron una húmeda y neblinosa mañana de noviembre y los dos se pasaron el día entero plantando y preparando el jardín para que quedara perfecto, tanto que se les helaron la nariz y los dedos de las manos y los pies. Pero la diluida paleta de colores que pintaba el paisaje de noviembre tenía los colores del arcoíris, según decía en las descripciones de las etiquetas de las rosas que Therese leyó en voz alta. Estaba la rosada y fragante «Albertina», que treparía por el arco enrejado que conducía al reloj de sol; la aterciopelada «Grand Prix», de color rojo sangre; la blanquísima «Marcia Stanhope»; la cobriza «Preciosa»; la rosada y plateada «Mrs. Henry Morse»; la «Étoile de Hollande», de color rojo cereza; «Melanie Soupert», de pétalos amarillo claro con una sombra de amatista, y la mezcla de bermellón y color crema de la «Reina Alejandra». En las cuatro esquinas de la parcela plantaron rosales llorones corrientes –«Albéric Barbier», «Hiawatha», «Lady Gay» y «Lluvia de Oro»–, y cuando terminaron y se quedaron de pie en la oscuridad espectral del ocaso invernal, Therese lo besó suavemente en los labios y le puso algo pequeño y redondo en la mano amoratada por el frío. Era una imagen de santa Teresa de las Rosas, un medallón enmarcado en metal dorado y cristal.

—Me lo regalaron el día de mi primera comunión —le dijo—. Es para ti, para darte las gracias por este hermoso jardín y recordarte que siempre te querré, pase lo que pase. Prométeme que lo conservarás siempre.

Anthony sonrió.

—Te lo prometo —afirmó solemnemente.

Las lágrimas volvieron a surcar las mejillas de Anthony mientras permanecía solo entre las rosas aquella hermosa noche de verano. Solo y abandonado mientras recordaba el beso de Therese, sus palabras y el tacto del medallón apretado en la palma de la mano.

El medallón que había perdido.

Lo tenía en el bolsillo mientras esperaba a Therese en la esquina de Great Russell Street. Pero Therese no había aparecido y cuando llegó a su casa aquel día, los había perdido a los dos. Volvió para buscar el medallón. Rastreó calles, aceras y bordillos, pero sabía que era una empresa sin esperanza. Fue como si hubiera perdido a Therese dos veces. Era el hilo invisible que lo habría unido a ella incluso después de su fallecimiento, pero el hilo se había roto, al igual que la promesa que le había hecho. Los objetos que llenaban su estudio daban fe de sus esfuerzos por reparar lo ocurrido. Pero... ¿había hecho todo lo que estaba en su mano? Pronto lo sabría.

La hierba aún estaba caliente y olía a heno. Se acostó en el suelo y estiró sus largos y doloridos miembros hacia los puntos cardinales de una brújula imaginaria, listo para emprender su paseo. El aroma de las rosas pasaba sobre él en oleadas. Alzó los ojos hacia el ilimitado océano del cielo y eligió una estrella.

11

Laura pensó que estaba dormido. Sabía que era absurdo, pero lo otro le resultaba inimaginable.

Había llegado a la hora de costumbre y al encontrar la casa vacía, supuso que Anthony había salido a dar un paseo. Pero una inquietud insistente le daba golpecitos en el hombro. Fue a la cocina, preparó café y procuró no darle importancia. Pero la velocidad de los golpecitos aumentó y también su fuerza. Como los latidos de su corazón. La puerta de la habitación que daba al jardín estaba abierta y salió como si obedeciera un impulso. Anthony yacía en la hierba empapada de rocío, con los brazos y las piernas abiertos, cubierto de pétalos de rosa. De lejos podía parecer dormido, pero de cerca era imposible equivocarse. Los ojos, azules hasta hacía poco y todavía abiertos, estaban velados por una capa blanquecina. Tenía la boca abierta y sin aliento, con los labios amoratados. Laura le rozó la mejilla con la temerosa punta de los dedos. La cérea piel estaba fría. Anthony se había ido y había dejado un cadáver.

Y ahora estaba sola en la casa. El médico y los de la funeraria habían llegado y se habían ido. Habían hablado entre susurros, se habían ocupado de la muerte con amabilidad y eficacia. Al fin y al cabo, era su medio de vida. Deseó que Freddy hubiera estado allí, pero no era uno de sus días de trabajo en Padua. Se sentó a la mesa de la cocina y se quedó mirando otra taza de café que se enfriaba, con la cara encendida y la piel tensa a causa de las lágrimas de cólera. Todo su mundo había estallado en pedazos aquella mañana, había volado como un puñado de plumas al viento. Anthony y Padua habían sido su vida. No sabía qué iba a hacer ahora. Por segunda vez se sintió completamente perdida.

El reloj del vestíbulo dio las seis y Laura seguía sin decidirse a volver a su casa. Entonces se dio cuenta de que ya estaba en ella. El piso que ocupaba era simplemente un lugar al que iba cuando no podía estar en Padua. Las lágrimas volvieron a correr por sus mejillas. Tenía que hacer algo; una actividad alternativa, una distracción, aunque fuera breve. Haría su trabajo. Todavía estaba al cuidado de la casa y de todo lo que contenía. Por el momento. Seguiría ocupando en ello su tiempo hasta que alguien le dijese que parara. Empezó a recorrer la casa: primero el piso superior, para comprobar que todo estuviera en orden. En el dormitorio principal estiró la colcha y ahuecó las almohadas, desestimando por ridícula la sospecha de que se había dormido recientemente en aquella cama. El perfume de las rosas lo invadía todo y la foto de Anthony y Therese yacía boca abajo en el suelo. La recogió y la puso otra vez en el tocador. El reloj azul se había parado, como siempre, a las doce menos cinco. Le dio cuerda hasta que el tictac volvió a sonar como el latido de un corazón diminuto. Pasó ante el mirador sin asomarse para ver el jardín. En el cuarto de Anthony se sintió torpe, algo que nunca le había ocurrido cuando estaba vivo. Le parecía demasiado íntimo, una intrusión fuera de lugar. La almohada seguía oliendo al jabón que siempre utilizaba el difunto. Alejó pensamientos desagradables sobre extraños que toqueteaban las cosas de Anthony. No sabía quién sería su pariente más cercano. Al volver abajo, cerró las ventanas de la habitación del jardín y echó el pestillo de la puerta que daba al exterior. La foto de Therese estaba en la mesa, en posición horizontal. La cogió y miró detenidamente a la mujer por la que Anthony había vivido y muerto.

–Quiera Dios que os encontréis –murmuró y volvió a dejarla en posición vertical, como de costumbre. Se preguntó si lo que acababa de decir equivaldría a una oración.

Al llegar al vestíbulo se detuvo junto a la puerta del estudio. La mano le tembló sobre el pomo, con temor, como si temiera quemarse si lo tocaba. Apartó la mano y bajó el brazo. Se moría por ver los secretos que contenía la habitación, pero el estudio era el reino privado de Anthony, un reino en el que nunca se la había invitado a entrar. Y no estaba segura de si la muerte del hombre había cambiado la situación.

Con un gesto de valor, salió al jardín por la puerta de la cocina. Finalizaba el verano y las rosas empezaban a perder pétalos como frágiles y raídos vestidos de baile cuyas costuras hubieran cedido. El terreno volvía a estar perfecto. El cadáver no había dejado ninguna huella. Bueno, ¿qué esperaba? Aquello no. Allí, de pie en la hierba, en medio del ir y venir del aire perfumado y caldeado por el sol, se sintió fortalecida; extrañamente tranquila.

Al volver a la casa vio el reflejo del sol poniente en un cristal ladeado. Era la ventana del estudio, que se había quedado abierta. No podía dejarla así. La casa no estaría segura. No iba a tener más remedio que entrar en el estudio. Cuando llegó a la puerta se dio cuenta de que no sabía dónde dejaba Anthony la llave cuando no la llevaba en el bolsillo. Mientras calculaba dónde podía estar, rodeó con los dedos el frío pomo de madera. Este giró sin dificultad al leve contacto de la mano femenina y la puerta se abrió suavemente.

12

Estanterías y cajones, cajones y estanterías, estanterías y cajones; tres paredes completamente ocupadas. Las cortinas de encaje que cubrían la cristalera se
elevaban y caían rítmicamente, movidas por el aire vespertino que entraba por la grieta del jambaje. Incluso
con aquella media luz se advertía que todo lo que había
en las estanterías estaba empaquetado. Laura supo, sin
necesidad de mirar, que todos los cajones estaban llenos. El trabajo de toda una vida.

Anduvo por la habitación mirando asombrada
el contenido. Así que aquel era el reino secreto de
Anthony: una colección de objetos extraviados, ateso-
rados con afecto y minuciosamente etiquetados. Porque Laura comprendía que eran mucho más que objetos, mucho más que artículos aleatorios ordenados en
estantes para hacer bonito. Tenían su interés. Impor-
taban realmente. Anthony había pasado muchas horas diarias en aquella habitación, rodeado de aquellos
trastos. Laura no sabía por qué, pero intuía que debía
de haber una excelente razón; y por él, de un modo u
otro, encontraría la manera de salvaguardarlos. Abrió

el cajón que tenía más cerca y sacó lo primero que vio. Era un botón grande, de color azul oscuro, que parecía de un abrigo de mujer. La etiqueta indicaba dónde y cuándo se había encontrado. En su conciencia empezaron a articularse recuerdos y explicaciones; tentáculos que buscaban conexiones que intuía, pero no podía confirmar.

Extendió una mano para apoyarse en el respaldo de una silla. A pesar de la ventana abierta y las corrientes de aire, la habitación estaba muy cargada. El ambiente rebosaba de historias. ¿Estaba allí la causa de todo? ¿Trataban sobre aquellos objetos las historias de Anthony? Las había leído todas y recordaba una sobre un botón azul. Pero... ¿de dónde habían salido todas aquellas cosas? Acarició el pelo suave de un osito de peluche, tristemente apoyado en el lateral de una lata de galletas, en uno de los estantes. ¿Era un museo de objetos perdidos de personas de verdad o el mobiliario de la literatura que había escrito Anthony? Puede que las dos cosas. Cogió un coletero, de color verde lima, que estaba junto al osito. Nuevo habría costado unos peniques, y una de las flores de plástico estaba rota, a pesar de lo cual se había conservado y etiquetado debidamente como los demás objetos de la habitación. Sonrió al recordar su época de colegiala, cuando se adornaba las trenzas con coleteros muy parecidos a aquel.

Coletero verde lima con flores de plástico.
Encontrado en campo de juegos, Derrywood Park,
el 2 de septiembre...

Era el último día de las vacaciones de verano y la madre de Daisy le había prometido una sorpresa. Irían a merendar al campo.

Al día siguiente empezaban las clases en su nueva escuela; una escuela grande, un instituto. Tenía ya once años. La escuela anterior no había sido precisamente un éxito. Bueno, al menos para ella. Era guapa, con un bonito pelo largo y negro; inteligente, aunque no demasiado; no llevaba gafas ni aparatos en la boca. Pero aquello no bastaba para adaptarse. Veía el mundo de un modo algo diferente al de las demás niñas; nada que llamara la atención, solo una mínima grieta en su carácter. Pero Ashlyanne Johnson y su grupito de gamberras no habían tardado en descubrirlo. Le tiraban de las trenzas, le escupían en la comida, se meaban en su mochila y le rompían la chaqueta. Lo que más le molestaba no era lo que hacían, sino cómo la hacían sentir a ella. Inútil, débil, atemorizada, patética. Insignificante.

Su madre se había enfadado mucho al enterarse. Daisy había guardado silencio durante mucho tiempo, pero cuando empezó a mojar la cama había tenido que contarlo. Aunque aquello únicamente demostraba lo patética que era: una niña ya mayor, con once años, y mojando la cama. La madre fue a hablar con la directora del colegio y la puso de vuelta y media. A partir de ahí, el personal del colegio hizo lo que pudo, que fue más bien poco, y Daisy –con los dientes apretados y el pelo muy corto– solo pensaba en que llegaran las vacaciones. Ella misma se había cortado las trenzas con las tijeras de la cocina.

Su madre se había echado a llorar al verla, pero al acabar el verano tenía el pelo largo otra vez; no lo bastante como para hacerse trenzas, pero sí para recogérselo en dos coletas. Y aquel día estrenaba un par de gomas, de color verde fosforito con adornos de flores. «Flores para mi flor», había dicho la madre. Cuando se miró en el espejo, notó una sacudida en el estómago, como cuando se sale la cadena de una bici. ¿Y si al día siguiente las nuevas compañeras de clase miraban la cara de la chica del espejo y no les gustaba lo que veían?

Annie cerró la cremallera de la nevera portátil, convencida de haber metido todo lo que a su hija le gustaba llevar en una excursión: bocadillos de queso y piña (pan integral con semillas), patatas fritas con sal y vinagre, dónuts de crema, galletas japonesas de arroz y refrescos de jengibre. Todavía sentía en su interior la necesidad de cierta violencia física, avivada más que apaciguada por la reacción de la maripedorra de la directora del colegio, que apenas era capaz de dominar una cesta de gatitos dormidos, y no digamos una escuela llena de niñatas hartas de patatas fritas y educadas con toda clase de ventajas, casi todas las cuales creían ya que el mundo les debía un piso de protección oficial, un hijo y unas Nike a la última moda. Después de que el padre de Daisy se largara, Annie se había partido la espalda traba-

jando para criar a Daisy como madre soltera. Tenía
dos empleos de media jornada y el piso en el que vivían tal vez no estuviera en el mejor de los barrios,
pero estaba limpio, era acogedor y era suyo. Y Daisy
era una buena chica. Pero ser buena era malo. En el
mundo escolar en el que Daisy tenía que sobrevivir
no bastaba lo que le había enseñado Annie: la hon-
radez, los buenos modales, la amabilidad y el esfuerzo se consideraban rarezas en el mejor de los casos,
y en la bondadosa Daisy se veían como debilidades;
defectos por los que se la castigaba con crueldad. Así
pues, Annie tenía que enseñar a su hija una lección
más.

Cuando llegaron al parque, el sol ya estaba alto y
calentaba, y por todas partes había grupos de mujeres jóvenes con cochecitos de bebé, niños quejumbro-
sos, teléfonos móviles y cajetillas de tabaco Benson
& Hedges. Cogió a Daisy de la mano y cruzaron el
campo de juegos hacia la arboleda situada al fondo
del parque. No se limitaban a pasear: avanzaban con
paso decidido en dirección a un lugar concreto. Daisy
no sabía adónde, pero se daba cuenta de que su madre sí lo sabía. La arboleda era otro mundo: un lugar
fresco, tranquilo y vacío, habitado solo por pájaros y
ardillas.

–Solía venir aquí con tu padre.

Daisy miró a su madre con ojos inocentes.

–¿Por qué?

La madre sonrió con actitud evocadora. Dejó en el
suelo la nevera portátil y miró el cielo.

–Veníamos aquí –dijo.

Estaban al pie de un grueso roble, doblado y torcido como un anciano atormentado por la artritis. Daisy alzó la cabeza para mirar entre las ramas y vio retazos de azul entre los resquicios del tembloroso dosel de hojas.

Veinte minutos después estaba sentada en aquel dosel, contemplando desde lo alto la nevera.

Cuando su madre le dijo que iban a trepar por el árbol, al principio pensó que estaba de broma. Pero como no dijo nada más ni se rio, Daisy se refugió en el miedo.

—Yo no puedo —dijo.

—¿No puedes o no quieres?

A la niña se le llenaron los ojos de lágrimas, pero la madre estaba decidida.

—No sabrás que no puedes a menos que lo intentes.

El silencio y la inmovilidad que siguieron le parecieron eternos. Al final habló la madre.

—En este mundo, Daisy, somos poca cosa. No siempre ganamos y no siempre podemos ser felices. Pero hay algo que podemos hacer siempre y es intentarlo. Siempre habrá la típica Mierdecitas Johnson —dijo, y en el rostro de Daisy apareció una sonrisa involuntaria— y eso no puedes cambiarlo. Pero puedes cambiar tu forma de reaccionar.

Daisy no estaba convencida.

—¿Cómo?

—Subiendo al árbol conmigo.

Fue lo más arriesgado que había hecho Daisy en toda su vida. Pero antes de llegar a la copa ocurrió algo extraño. El miedo se alejó de ella como un puña-

*do de plumas al viento. Al pie del árbol era pequeñita
y el árbol, un gigante invencible. En la copa, el árbol
seguía siendo grande, pero ella, a pesar de su pequeño
tamaño, había trepado por él.*

*Fue el mejor día de las vacaciones estivales. Cuan-
do volvieron a casa por el campo de juegos, el parque
estaba casi vacío. Un hombre se disponía a pasar un
cortacésped por la hierba. A Daisy se le había soltado
el pelo al subir al árbol, se había quitado las gomas y
las había guardado en un bolsillo, pero cuando llegó a
casa se fijó en que había perdido una. Dado el triunfo de aquella tarde, no se preocupó mucho. Cuando
se preparó para dormir aquella noche, con el nuevo
uniforme escolar colgado en la puerta del armario, se
dio cuenta de que la cara que veía en el espejo era distinta; contenta y emocionada. Ese día, Daisy había
aprendido a conquistar a un gigante y por la mañana
iría a una escuela grande.*

Laura dejó el coletero en el estante y salió del estudio,
cerrando la puerta tras de sí. El reflejo que vio en el espejo del vestíbulo era el de la cara de la Laura anterior
a Anthony y a Padua: demacrada, derrotada. El reloj
dio las nueve. Debía irse. Recogió las llaves del pequeño tazón Maling que se encontraba sobre el mueble del
recibidor, donde siempre las dejaba. Pero esta vez había una más. Debajo de las de su casa y el coche había
otra llave suelta y ancha, de una puerta del interior de
la casa. De pronto lo comprendió y la cara del espejo se transformó al esbozar Laura una ligera sonrisa.
Anthony le había dejado abierta la puerta de su reino

secreto. Su confianza en ella reavivó la determinación que la muerte del hombre había disipado. Ese día le habían legado un reino y por la mañana empezaría a desenterrar sus secretos.

13

Eunice

1976

Arrogantemente despatarrada en el escritorio de Eunice, Portia sacudió el cigarrillo para echar la ceniza en un bote de clips. Eunice había cruzado la calle con Douglas para comprar unos dónuts a la señora Doyle y Bomber estaba fuera visitando a un cliente. Portia bostezó y dio una ávida chupada al cigarrillo. Estaba cansada, aburrida y resacosa. Demasiados cócteles Harvey Wallbanger con Trixie y Myles la noche anterior. O más bien de madrugada. No se había acostado hasta las tres. Cogió un manuscrito del montón que había derribado descuidadamente al hacerse sitio en la mesa para colocar el escuálido cuerpo en una postura de mantis religiosa.

–«*Perdidos y encontrados*, cuentos de Anthony Peardew» –leyó en voz alta con sonsonete de burla.

Al pasar la portada, se soltó el cordón que encuadernaba el manuscrito.

–¡Jope! –exclamó con desdén, lanzándolo al otro lado de la habitación.

Observó la primera página como si olisqueara leche para comprobar si estaba pasada.

–¡Válgame Dios! Qué montón de estupideces. ¿Quién querría leer un cuento sobre *un botón azul grande* que se le cae del abrigo a una camarera que se llama Marjory? Y pensar que no quiere publicarme a mí, su propia hermana.

Tiró el manuscrito sobre la mesa con tanta brusquedad que derribó una taza medio vacía, manchando las páginas de un desdeñoso color café.

—¡Jódete, patrón! —dijo mientras recogía las páginas mojadas y las escondía a toda prisa entre el inestable montón de la «pendiente del adiós», segundos antes de que Bomber irrumpiera en el despacho.

—Menudo chaparrón está cayendo, hermanita. Te vas a poner como una sopa. ¿Quieres que te preste un paraguas?

Portia levantó la cabeza y echó un vistazo a su alrededor, como si buscara una mosca inoportuna, y habló dirigiéndose a la habitación en general.

—En primer lugar, no me llames «hermanita». En segundo lugar, yo voy en taxi y no uso paraguas. Y, en tercer lugar, ¿me estás echando a la calle?

—Sí —dijo Eunice, subiendo por la escalera con el impermeable doblado, el perro empapado y los dónuts. Dejó a Douglas en el suelo, los dónuts en el escritorio de Bomber y el goteante impermeable en el perchero—. Puede que necesitemos un barco más grande —murmuró, ladeando la cabeza ligeramente para señalar a Portia.

Bomber tuvo que contenerse para no reír. Eunice vio que empezaba a balancearse y se puso a imitar la música de la película *Tiburón*.

—¿De qué habla esta ridícula muchacha? —graznó Portia, todavía encaramada en la mesa.

—Era solo una referencia cinematográfica a la inestabilidad atmosférica —respondió Eunice con jovialidad.

Portia no las tenía todas consigo, pero estaba más preocupada por el hecho de que Douglas se hubiera acercado a ella y estuviera a punto de sacudirse la lluvia apuntando en su dirección.

–Alejad de mí esa maldita rata –susurró con vehemencia.

Se echó hacia atrás, cayó de espaldas sobre la mesa de Eunice y arrojó al suelo bolígrafos, botes y clips. Eunice se llevó a Douglas a la cocina y aplacó sus sentimientos heridos con un dónut. Pero la grosería de Portia había acabado incluso con la extraordinaria ecuanimidad de Bomber. La habitual expresión de cordialidad de su rostro desapareció como la tierra que se desprende después de una inundación. Realmente enfadado, cogió a su hermana por las muñecas y la obligó a levantarse de la mesa de Eunice.

–Ponlo todo como estaba –ordenó, señalando el estropicio que había organizado.

–No seas tonto, querido –respondió Portia, echando mano de su bolso y buscando el lápiz de labios para disimular su sorpresa y su confusión–. Tengo gente que hace esas cosas.

–Pero no están aquí, ¿no crees? –dijo Bomber, furioso.

–No, querido, pero tú sí –dijo su hermana, aplicándose una capa de rojo escarlata–. Sé bueno y llámame un taxi.

Con las mejillas enrojecidas, dejó caer el lápiz de labios en el bolso y bajó la escalera taconeando con sus ridículos zapatos para esperar el taxi que sabía que su hermano iba a llamar. Portia detestaba que su hermano se enfadara con ella, aunque sabía que lo merecía, y que él tuviera razón hacía que ella se sintiera peor. Era como una niña empeñada en una pataleta interminable. Sabía que su conducta era reprobable, pero parecía incapaz de contenerse. A veces deseaba volver a la infancia, a la época en que él era el hermano mayor que la adoraba.

Cuando Bomber vio que se iba, se esforzó sin éxito por reconocer en aquella mujer egoísta alguna traza de la niña cariñosa a la que había querido tanto en otro tiempo. Llevaba años añorando a la hermana que había perdido hacía mucho, la hermana que siempre estaba pendiente de cada una de sus palabras, que montaba en la barra de su bicicleta y llevaba sus gusanos cuando iba de pesca. A cambio, él se comía las coles de Bruselas del plato de ella, le enseñaba a silbar y la empujaba «hasta el cielo» en el columpio. Pero esa hermana pertenecía a un pasado muy lejano; la del presente era la venenosa Portia. Oyó el portazo del taxi y supo que también esta última se había ido.

—¿Se puede entrar ya? —dijo Eunice, asomando la cabeza por la puerta de la cocina.

Bomber levantó los ojos y sonrió para disculparse.

—Siento mucho todo esto —dijo, señalando el suelo en torno a la mesa de Eunice.

Eunice sonrió.

—No es culpa tuya, jefe. De todos modos, no ha pasado nada irreparable.

Recogieron los objetos del suelo y los dejaron en su sitio.

—Creo que he hablado demasiado pronto —dijo la

muchacha, enseñándole el pequeño objeto que tenía en la mano.

Era una fotografía de una mujer con unas flores en la mano. El marco del retrato era dorado, pero el cristal del interior se había roto. Eunice había encontrado aquel retrato al volver a casa el día de la entrevista y, desde su primer día de trabajo, lo había tenido en su mesa. Era su amuleto de la suerte. Bomber inspeccionó los daños.

–Haré que lo arreglen –dijo, cogiendo el retrato y metiéndolo cuidadosamente en un sobre.

Sin decir nada más, desapareció escaleras abajo. Eunice terminó de recoger sus cosas del suelo y limpió la ceniza de tabaco. Bomber reapareció en cuerpo y espíritu cuando ya hervía el agua del cazo. Estaba otra vez empapado, pero sonreía de oreja a oreja y parecía nuevamente de buen humor.

–El relojero de Great Russell Street me ha prometido que mañana por la tarde tendrá listo el retrato.

Se sentaron, ya con algún retraso, para tomar el té con dónuts, y Douglas, tras comprobar que Portia se había ido, llegó arrastrando el carrito para esperar otra ración.

–No siempre fue así –dijo Bomber con actitud pensativa mientras removía el té–. Puede que te cueste creerlo, pero de pequeña era muy dócil; y aunque era la hermana pequeña, era muy divertida.

–Si tú lo dices… –El escepticismo de Eunice era comprensible–. ¿Qué pasó?

–El fideicomiso de la tía abuela Gertrude.

Eunice arqueó las cejas para expresar su curiosidad.

–Era tía de mi madre: rica, consentida y con un mal

genio que daba miedo. No se casó, pero siempre quiso tener una hija. Por desgracia, mi madre no encajaba en la idea que ella tenía de una hija: no la podía sobornar con muñecas caras y vestidos bonitos. Puede que hubiera tenido más suerte si le hubiera comprado un poni o un tren, pero de todos modos... –Bomber dio un mordisco al dónut y se manchó la barbilla de mermelada–. Con Portia fue diferente. Nuestra madre quiso intervenir: ocultaba los regalos más generosos, se enfrentaba con la autoritaria Gertrude y se lo reprochaba en su fea cara. Pero conforme crecía Portia, la influencia de nuestra madre disminuyó inevitablemente. La tía abuela Gertie se enfureció por lo que según ella eran celos de nuestra madre y se vengó cuando le llegó la muerte: se lo legó todo a Portia. Y al decir todo quiero decir mucho. Como es natural, Portia no podría tocar nada hasta que cumpliera veintiún años, pero no importaba. Ella sabía que estaba ahí. Perdió todo interés en ganarse la vida por sí misma y se puso a esperar que la vida le lloviera del cielo. Como verás, la herencia de la tía abuela era un arma de doble filo, el peor regalo imaginable: hizo rica a Portia, pero la dejó sin objetivos en la vida.

–Si las chicas se vuelven así cuando son asquerosamente ricas, doy gracias al cielo por no serlo –dijo Eunice bromeando–. ¿Cómo de asquerosamente, por cierto?

–Vomitivamente.

Eunice despejó la mesa y volvió al trabajo.

Se notaba que Bomber seguía preocupado por los efectos de la rabieta de Portia.

–Espero que no lamentes trabajar aquí.

La muchacha sonrió enseñando los dientes y abriendo mucho los ojos.

–Si estoy en este manicomio de oficina es que estoy loca –dijo imitando la voz de Jack Nicholson.

Bomber se desahogó riendo mientras recogía un papel del suelo y lo estrujaba para formar una bola. Eunice se puso en pie con los brazos en alto.

–¡Pásamelo, jefe, estoy en posición!

Aquella semana habían visto por tercera vez *Alguien voló sobre el nido del cuco*. Últimamente pasaban tanto tiempo juntos, dentro y fuera de la oficina, que Bomber ya no podía imaginar la vida sin ella. La película les había causado una fuerte impresión y al final los dos se deshacían en lágrimas. Eunice se sabía el guion casi de memoria.

–Entonces ¿no vas a presentar tu dimisión para dejarme a merced de mi hermana?

A Bomber casi se le volvieron a llenar los ojos de lágrimas cuando Eunice le respondió con las últimas frases de la película.

–No me iré sin ti, Bomber. No podría dejarte en este estado… Te vienes conmigo. –Le guiñó el ojo–. Y hablando de un aumento de sueldo…

14

La muchacha observó la bolita roja que avanzaba por el dorso de su mano en dirección al doblado meñique, moviendo las patitas negras.

–Mariquita, mariquita, huye lejos de aquí. Tu casa está en llamas y tus hijas ya no están. Todas menos una, que se llama Ann. Lo siento pero ha muerto.

La mariquita abrió las alas.

–No es verdad. –La muchacha hablaba despacio, como si estuviera recitando un poema y le costara recordarlo–. Solo es una canción inventada.

La mariquita se fue volando de todos modos. Hacía calor; corría septiembre. La muchacha estaba sentada, balanceando las piernas, en el banco de madera que había en un pequeño parque, delante de Padua. Había visto los coches negros que se habían detenido en la puerta de la casa. El primero tenía ventanillas grandes en los laterales y dentro se veía una caja de muertos, con flores encima de la tapa. De la casa salió una señora con semblante triste y un hombre mayor que no era el que vivía allí. La muchacha no sabía quién era el hombre mayor, pero había visto muchas veces a la señora antes de que se pusiera triste. El hombre de la chistera los acompañó a otro coche. Fue otra vez al coche de la caja y echó a andar. Llevaba bastón, pero no cojeaba. En cualquier caso, andaba despacio, así que a lo mejor era verdad que tenía una pierna mal. Se preguntó quién estaría en la caja. Pensar era algo que hacía despacio. Era más rápida a la hora de sentir. Se sentía contenta o triste, enfadada o emocionada en un abrir y cerrar de ojos. Y también podía sentir muchas otras cosas que le costaba más explicar. Pensar, en cambio, le llevaba más tiempo. Tenía que poner los pensamientos en orden y verlos bien para que el cerebro pudiera pensar. Al final llegó a la conclusión de que el hombre de la caja debía de ser el que vivía en la casa, y se puso triste. Siempre había sido simpático con ella. Y no todo el mundo lo era. Al cabo de un rato largo (tenía un bonito reloj que hacía tictac, tictac, pero aún no sabía leer la hora) la señora entristecida volvió sola. La muchacha se rascó el dorso de la mano, donde la mariquita le había hecho cosquillas. Si el hombre había muerto, la señora necesitaría otro amigo.

Laura cerró la puerta de la calle y se quitó los zapatos negros de salón. Las frías baldosas del vestíbulo le besaron los doloridos pies y una vez más se sintió abrazada por la paz de la casa. Se dirigió descalza a la cocina y se sirvió un vaso de vino de la botella que guardaba en el frigorífico. Su frigorífico. Su cocina. Su casa. Aún no podía creerlo. Un día después de morir Anthony había llamado al abogado para preguntarle si conocía a algún pariente del difunto al que avisar: algún primo lejano del que no hubiera oído hablar o al pariente que se considerase más próximo. Tuvo la sensación de que el abogado estaba esperando su llamada. Le explicó que Anthony le había ordenado que inmediatamente después de su muerte la informara de que ella era su única heredera; todo lo que había sido del difunto era suyo ahora. Había un testamento y una carta para ella, cuyos detalles se harían públicos después del entierro. Pero la principal preocupación de Anthony había sido que ella no se angustiara. Padua seguiría siendo su casa. La bondad de aquel hombre volvió su muerte aún más insoportable. Laura había sido incapaz de terminar la conversación telefónica. Las lágrimas le embargaban la voz. Ya no la dominaba únicamente el dolor, sino también la tranquilidad de saber que su futuro estaba asegurado, un sentimiento atenazado por la culpa que le provocaba pensar de aquel modo en aquellos momentos.

Fue con el vaso de vino al estudio y se sentó a la mesa. Sentía un extraño consuelo rodeada por los tesoros de Anthony. Ahora era ella su guardiana y este conocimiento le planteaba una especie de objetivo, aunque aún no sabía exactamente cuál. Puede que la carta de Anthony lo explicara y entonces tal vez encontrase un medio para merecer la extraordinaria generosidad que había tenido con ella. El entierro había sido una revelación. Había esperado ver solo a un puñado de personas: ella, el abogado y poco más, pero la iglesia estaba casi llena. Personas del mundo editorial que habían conocido a Anthony como escritor y otras que solo lo conocían por haber cambiado saludos con él, pero era como si aquel hombre hubiera sabido entrar en la vida de todas las personas a las que había conocido, dejando en ellas una huella indeleble. También estaban, desde luego, los entrometidos y curiosos: los miembros de la asociación local de vecinos, los del Instituto de la Mujer, los de la Sociedad de Actores Aficionados y los abastecedores generales del terreno de la alta moralidad, capitaneados por Marjory Wadscallop y su fiel segunda de a bordo, Winnie Cripp. Cuando Laura salió de la iglesia le dieron el «sentido pésame» quizá con un entusiasmo poco oportuno, con sonrisas tristes y bien ensayadas, y con molestos abrazos que la impregnaron de un olor a perro mojado y a laca del pelo.

El botón azul que Laura había cogido del cajón la primera vez que había entrado en el estudio seguía en la mesa, encima de la etiqueta.

Botón grande azul, tal vez de abrigo de mujer.
Encontrado en la acera de Graydown Street,
el 11 de noviembre...

Margaret se había puesto las peligrosas bragas que acababa de comprar. «Seda rubí con elegante puntilla de color crema», había dicho la vendedora, preguntándose claramente con qué finalidad las compraba Margaret. La verdad es que se parecían muy poco a las prendas utilitarias que vendían en Marks & Spencer. Su marido esperaba abajo con expectación. Llevaban casados veintiséis años y el marido había hecho todo lo humanamente posible para que Margaret supiera todos y cada uno de aquellos años lo mucho que la quería. La amaba con los puños y los pies. Su amor

era el color de los cardenales. El crujido de los hue-
sos rotos. El sabor de la sangre. Nadie más lo sabía,
evidentemente. Nadie en el banco del que él era sub-
director, nadie en el club de golf del que era tesorero
y desde luego nadie en la iglesia en la que, durante su
primer año de casado, había renacido en calidad de
baptista vesánico. Moler a su mujer a palos era vo-
luntad de Dios. Por lo visto. Pero nadie más lo sabía;
solo él, Dios y Margaret. Su respetabilidad era como
un traje recién planchado, un uniforme que se ponía
para engañar al mundo exterior. Pero en casa, cuan-
do se calzaba las zapatillas, reaparecía el monstruo.
No habían tenido hijos. Probablemente era lo mejor.
También habría podido amarlos. Pero... ¿por qué no
se había ido Margaret? Al principio por amor. Lo ha-
bía amado en el fondo. Luego por miedo, por debili-
dad, por... ¿tristeza? Por todo. Cuerpo y espíritu tri-
turados por Dios y por Gordon.

–¿Dónde coño está la cena? –bramó una voz en la
salita.

Margaret se lo imaginó, cariharto y rubicundo, con
las lorzas de grasa que le sobresalían del cinturón,
viendo el partido de rugby *en la tele y tomando el té.*
El té preparado por Margaret; con leche y dos terro-
nes de azúcar. Y seis tramadoles. Insuficientes para
matarlo; para matarlo del todo, al menos. Dios sabía
lo harta que estaba. La última vez que había «trope-
zado» y se había roto la muñeca, el amable médico
de urgencias le había dado una caja entera. No es que
no hubiera sentido la tentación. Homicidio con ate-
nuante de responsabilidad disminuida le parecía un

trato justo. Pero Margaret quería que él se enterase. Por culpa de la hinchazón tenía el ojo izquierdo casi cerrado y del color del tinto italiano con que Gordon esperaba regar su cena. Al tocárselo, tuvo que parpadear, pero entonces sintió el suave roce de la seda en la piel y esbozó una sonrisa. Gordon, en la planta baja, no se sentía muy a gusto.

Cuando entró en la salita, lo miró a los ojos. Hacía muchos años que no lo miraba así.

—Voy a dejarte.

Esperó hasta convencerse de que Gordon la había entendido. Para darse cuenta le bastó ver la ira que se reflejaba en sus ojos.

—¡Ven aquí, so imbécil!

Fue a levantarse de la silla, pero Margaret había salido ya de la habitación. Lo oyó caer al suelo. Recogió la maleta en el vestíbulo, cerró la puerta de la calle y recorrió el sendero del garaje sin mirar atrás. No sabía adónde iba, pero le importaba poco con tal de ir lejos. El crudo viento de noviembre le quemó la magullada cara. Dejó la maleta un momento para abrocharse el botón superior del viejo abrigo azul. El hilo, que ya estaba flojo, se soltó y el botón se le escurrió entre los dedos y fue a parar a la acera. Recogió la maleta y se alejó sin molestarse en buscar el botón.

«A tomar por saco —pensó—. Me compraré otro abrigo. Feliz cumpleaños, Margaret».

Laura despertó al oír los golpes. Se había dormido apoyada en la mesa, con la mejilla contra el botón azul cuya huella se le había quedado grabada. Todavía aturdida, acabó por darse cuenta de que los golpes procedían de la puerta de la calle. En el vestíbulo se cruzó con su maleta, aún sin deshacer. Había tomado la decisión de dormir allí aquella noche, la primera que iba a pasar en Padua. En cierto modo le había parecido decente esperar hasta el entierro. Los golpes se reanudaron, insistentes pero sin urgencia. Pacientes. Como si la persona que llamaba estuviera dispuesta a esperar el tiempo que hiciera falta. Al abrir vio a una muchacha muy seria, con una bonita cara redonda y unos ojos almendrados de color castaño. La había visto muchas veces en el banco de madera del parque de enfrente, pero nunca tan de cerca. La muchacha estiró su metro y medio de estatura y dijo:

–Me llamo Sunshine y puedo ser tu nueva amiga, si quieres.

15

—Cuando venga el *abuelado*, ¿podré preparar yo las buenas tazas de té?

Laura sonrió.

—¿Sabes cómo se hace?

—No.

Habían transcurrido dos semanas desde el entierro de Anthony, y Sunshine había ido de visita todos los días menos los domingos. Fue entonces cuando su madre intervino.

—Dale un día de respiro a la pobre mujer, Sunshine. Seguro que le molesta que vayas a perturbar su paz y su tranquilidad todos los días.

Sunshine no se inmutó.

—Yo no perturbo su paz. Soy su nueva amiga.

—Ya… tanto si le gusta como si no —murmuró la madre mientras pelaba las patatas de la comida del domingo.

Trabajaba muchas horas al día cuidando ancianos y paraba poco por casa los días laborables. El padre era ferroviario. En teoría era el hermano mayor el que tenía que cuidar de Sunshine, pero el joven apenas prestaba atención a lo que no sucediera en alta definición en la pantalla del tamaño de una mesa de cocina que ocupaba casi toda la pared de su dormitorio. Además, Sunshine tenía ya diecinueve años. No podían tenerla encerrada como si fuera una niña. Hablando con sinceridad, a la madre le habría gustado que Sunshine tuviera una actividad que no fuera pasarse el día sentada en un banco. Pero siempre le preocupaba la reacción que pudieran tener los desconocidos ante los apegos repentinos y entusiastas de su hija. Sunshine era temeraria y confiada, pero su valor y buena fe la hacían vulnerable. Sus virtudes solían ser sus peores desventajas. La madre se había asomado para ver a la mujer –se llamaba Laura– que ahora era dueña de la mansión, para comprobar si la molestaban las visitas de Sunshine. También quiso asegurarse de que su hija no se exponía a ningún peligro. La mujer parecía cordial y simpática, quizá un poco reservada, y le dijo que Sunshine siempre sería bien recibida. Pero lo que más la tranquilizó fue la casa en sí misma. Era preciosa y, más que eso, en ella se respiraba una atmósfera encantadora que se esforzó por describir a su marido, Bert.

–Da sensación de *seguridad* –fue lo mejor que se le ocurrió para explicar por qué le parecía bien que su hija fuera de visita a Padua.

Para Sunshine era el mejor momento del día y, precisamente entonces, se encontraba sentada a la mesa de la cocina, esperando pacientemente la respuesta de Laura. Esta se detuvo, cazo en mano, y miró la cara seria de la joven.

–Supongo que podría enseñarte.

Algunos días la muchacha se le antojaba una entrometida que venía a importunar su nueva y todavía incierta existencia; una intrusa descarada. Como es lógico, jamás lo habría afirmado en voz alta. Incluso le había dicho a la madre de Sunshine que la muchacha era bien recibida. Pero otros días Laura fingía no estar en casa y Sunshine se quedaba en la puerta, llamando al timbre con tanta paciencia como insistencia. Cierta vez, Laura había llegado incluso a esconderse en el jardín, detrás del cobertizo. Pero Sunshine se las había apañado para localizarla y había sonreído con tanta espontaneidad que Laura se había sentido como la reina de las idiotas, como una arpía sin escrúpulos.

El abogado de Anthony iba a presentarse aquel día con el testamento y la carta. Laura se lo había explicado a Sunshine, pero nunca estaba segura de hasta dónde alcanzaban las entendederas de la muchacha. En aquel momento observaba con mucha atención a Laura, que había puesto el cazo en el fuego y sacaba del cajón un paño de bandeja limpio. Estaba previsto que el señor Quinlan llegara a las dos y media de la tarde. Sunshine, previamente, había hecho cinco ensayos, incluido el lavado de cacharros, y Laura, que hacía el papel del señor Quinlan, se había visto obligada a derramar las tres últimas tazas en la maceta de la aspidistra, por el bien de su vejiga.

El señor Quinlan llegó a la hora indicada. Sunshine lo reconoció: era el hombre que había salido de la casa con Laura el día del entierro de Anthony. Llevaba un traje gris de rayas, una camisa rosa claro y un chaleco en cuyo bolsillo se perdía la cadena de oro de un reloj. Parecía importante. Puesto que no sabía cómo debía saludar a una persona de aquella posición, Sunshine le hizo una ligera reverencia y le tendió la mano.

–Mucho gusto en conocerla, señorita. Soy Robert Quinlan. ¿Quién es usted?

–Soy Sunshine, la nueva amiga de Laura. La gente me llama a veces Sunny, para abreviar.

El hombre sonrió.

–¿Cómo prefiere que la llamen?

–Sunshine. Robert suena casi igual que «robar».

–Me temo que son gajes del oficio.

Laura los condujo a la habitación del jardín y Sunshine se encargó de que el *abuelado* ocupara el mejor asiento. Le dirigió a Laura una mirada significativa.

–¿Preparo ya la buena taza de té?

–Te lo agradecería –respondió Laura, deseando haber ido al lavabo por enésima vez antes de la llegada del señor Quinlan.

El señor Quinlan leyó el testamento a Laura mientras Sunshine estaba en la cocina. Era claro y sencillo. Anthony agradecía a Laura su trabajo y su amistad, pero sobre todo el cariño con que había cuidado de la casa y de todo lo que había en ella. Deseaba que Laura heredase todas sus posesiones, a condición de que viviera en la casa y conservara la rosaleda en su estado actual. Sabía que Laura amaba la casa casi tanto como él y había muerto feliz al saber que ella seguiría cuidándola y «aprovecharía del mejor modo posible la felicidad y paz que albergaba».

–Así pues, estimada señora, todo es suyo. Además de la casa y su contenido, hay una considerable cantidad de dinero en el banco y los derechos de sus escritos, que a partir de ahora también serán de usted.

El señor Quinlan la miró por encima de las gafas de montura de concha y sonrió.

–Aquí está la buena taza de té.

Sunshine abrió la puerta con el codo y entró en la habitación como una funámbula. Los nudillos se le habían puesto blancos por el peso de la bandeja que llevaba y la punta de la lengua le sobresalía de la pequeña boca rosada, en un gesto de sufrida concentración. El señor Quinlan se puso en pie para liberarla de la carga y dejó la bandeja en la mesa auxiliar.

–¿Hago de madre y sirvo el té? –preguntó.

Sunshine negó con la cabeza.

–Ya tengo una madre. Está en el trabajo.

–Excelente, señorita. Quiero decir si sirvo yo el té.

Sunshine meditó unos momentos.

–¿Sabe cómo se hace?

El abogado sonrió otra vez.

–Si prefiere enseñarme usted...

Tras consumir tres tazas expertamente servidas y dos galletas rellenas, todo ello bajo la implacable observación de Sunshine, el señor Quinlan dio por terminada su visita.

–Una cosa más –le dijo a Laura–. La tercera condición del testamento. –Le entregó un sobre blanco sellado en el que figuraba su nombre, escrito con la caligrafía de Anthony–. Creo que aquí se explica más detalladamente, pero era deseo de Anthony que usted, en la medida de sus posibilidades, devolviera a sus legítimos propietarios los objetos almacenados en su estudio.

Laura recordó los abarrotados estantes y los cajones llenos y palideció ante la enormidad de aquella tarea.

–¿Y cómo?

–Ni siquiera me atrevo a imaginarlo. Pero es evidente que Anthony tenía fe en usted, así que es posible que solo necesite tener un poco de fe en sí misma. Estoy seguro de que encontrará la forma.

Laura tenía más esperanza que seguridad. Pero la esperanza era una buena aliada de la fe, ¿no?

–Tenía un pelo rojo precioso –dijo el señor Quinlan, que había cogido el retrato de Therese.

–¿La conoció? –preguntó Laura.

Con un gesto nostálgico, el abogado dejó resbalar el dedo por el perfil de la cara retratada.

–La vi en varias ocasiones. Era una mujer extraordinaria. Bueno, tenía una vena salvaje y un genio de cuidado cuando se enfadaba. Sin embargo, creo que todos los hombres que la conocían sucumbían en mayor o menor medida al influjo de su encanto. –Claramente reacio a soltarlo, acabó dejando el retrato en la mesa–. Pero para ella no había más hombre que Anthony. Fue un amigo, además de un cliente, durante muchos años y nunca vi a un hombre más enamorado. Cuando ella falleció, se le rompió el alma en pedazos. Fue de lo más triste...

Sunshine permanecía callada, escuchando todo lo que se decía y juntando las frases para reconstruir después el episodio sin equivocarse.

–Permítame adivinarlo –dijo el señor Quinlan levantándose y acercándose al gramófono–. *¿Solo con pensar en ti*, Al Bowlly?

Laura sonrió.

–Era la canción de los dos.

–Desde luego. Anthony me contó la historia.

–Me gustaría oírla.

Desde la muerte de Anthony había aumentado la tristeza de Laura al darse cuenta de que sabía muy poco sobre él y, en concreto, sobre su pasado. La relación entre ambos había estado firmemente anclada en el presente; se había forjado a través de acontecimientos y rutinas cotidianos, y no por compartir un pasado ni por planear un futuro. Por eso estaba Laura deseosa de oír cualquier clase de información. Quería conocer mejor al hombre que había confiado en ella y que la había tratado con tanta bondad y generosidad. El señor Quinlan volvió a instalarse en el mejor asiento.

–Uno de los recuerdos más antiguos y preciados de Anthony era haber bailado al son de esa canción cuando era pequeño. Fue durante la Segunda Guerra Mundial, una vez en que su padre estaba en casa de permiso. Era oficial de la RAF. Aquella noche sus padres iban a un baile. Era una ocasión especial y la última velada de su padre, así que su madre había pedido prestado a una amiga un precioso vestido de color lila. Era un Schiaparelli, creo. Anthony tenía una foto que... Bueno, estaban tomando unos cócteles en el salón cuando entró Anthony para desearles buenas noches. Estaban bailando la canción de Al Bowlly, su deslumbrante padre y su elegante madre, y lo cogieron en brazos y bailaron con él en medio. Decía que aún recordaba el perfume de su madre y la sarga del uniforme de su padre. Fue la última vez que estuvieron juntos y la última vez que él vio a su padre. Este volvió a la base aérea por la mañana temprano, antes de que Anthony despertara. Tres meses después lo capturaron detrás de las líneas enemigas y murió cuando trataba de escapar del Stalag Luft III. Muchos años después, al poco de conocerse, Anthony y Therese fueron a comer a un bar de Covent Garden, un bar especializado en vinos con muchas fotos de Donny Osmond y David Cassidy. Tanto Anthony como Therese daban siempre la sensación de pertenecer a otra época. Entonces se oyó la canción de Al Bowlly y Anthony le contó la anécdota a Therese. Ella le cogió la mano, se levantó y bailó con él allí mismo, como si fueran los únicos clientes del establecimiento.

Laura empezaba a comprender.

–Debía de ser una mujer extraordinaria.

La respuesta del señor Quinlan estuvo cargada de emoción.

–Vaya si lo era.

Cuando se puso a guardar los papeles en su cartera, la silenciosa Sunshine volvió a la vida.

–¿Le apetecería otra buena taza de té?

El abogado sonrió con gratitud, pero negó con la cabeza.

–Si no me voy ya, me temo que perderé el tren. –Pero en el vestíbulo se detuvo y se volvió hacia Laura–. ¿Me permitiría ir al lavabo?

16

El abrecartas era de plata sólida y el mango tenía la forma de un faraón egipcio. Laura introdujo la hoja entre la solapa y el sobre de grueso papel blanco. Mientras lo abría imaginó que los secretos de Anthony salían volando como una nube de susurros. Había esperado a que Sunshine volviera a su casa para entrar en el estudio con el sobre. La habitación del jardín era más cómoda, pero le parecía más apropiado leer la carta rodeada por los objetos a los que se refería. Los atardeceres de mediados de verano se habían ido transformando imperceptiblemente en fríos crepúsculos otoñales y Laura estaba medio tentada de encender la chimenea, pero optó por bajarse las mangas de la chaquetilla de punto para cubrirse los nudillos y sacar la carta del sobre. Desdobló las rígidas páginas de papel y las alisó sobre la mesa, delante de ella.

«Mi querida Laura:»

La voz profunda y amable de Anthony sonó en sus oídos y la negra caligrafía se volvió borrosa, regada por las lágrimas que brotaban de los ojos de Laura.

Se sorbió ruidosamente la nariz y se secó los ojos con la manga.

–Por el amor de Dios, Laura, domínate –se reprendió, advirtiendo con sorpresa que una sonrisa le estiraba los labios.

Mi querida Laura:

Seguramente sabrá ya que Padua y todo lo que contiene es de su propiedad. Espero que sea muy feliz viviendo aquí y que perdone mi estúpida sensiblería relacionada con la rosaleda. Ya sabe que la planté para Therese, a quien bautizaron así por santa Teresa de las Rosas. Cuando falleció esparcí sus cenizas entre los rosales para estar siempre cerca de ella, y si está en su mano hacerlo, me gustaría que las mías se esparcieran también allí. Si le parece un gesto truculento, pídale a Freddy que lo haga. Estoy seguro de que no pondrá objeciones; ese buen hombre tiene la complexión de una cucaracha de cemento.

Y ahora debo hablarle de los objetos del estudio. También ellos empezaron en la rosaleda. El día que la planté, Therese me hizo un regalo. Era la medalla de su primera comunión. Me dijo que era para agradecerme la rosaleda y para que recordara que siempre me querría, pasara lo que pasase. Me hizo prometer que la conservaría hasta el final de los tiempos. Era el objeto más preciado que había tenido en mi vida. Y lo perdí. El día que Therese murió. Llevaba la medalla en el bolsillo por la mañana, cuando salí de Padua, y cuando volví ya no la tenía. Para mí fue como si se rompiera el último hilo que nos unía. Me paré como un reloj cuando se le agota la cuerda. Dejé de vivir y empecé a vegetar. Respiraba, comía, bebía y dormía. Pero únicamente lo imprescindible, nada más.

Volví a entrar en razón gracias a Robert. «¿Qué pensaría Therese?», dijo. Y tenía razón. Ella estaba rebosante de vida y se la habían quitado toda. Yo aún tenía vida y, en cambio, había elegido sobrellevar una especie de muerte. Therese se habría puesto furiosa. «Y le habrías roto el corazón», dijo Robert. Así que empecé a pasear; a visitar el mundo otra vez. Un día encontré un guante en la calle: era un guante de señora, de piel azul marino, de la mano derecha. Me lo llevé a casa y lo etiqueté: qué era y cuándo y dónde lo había encontrado. Y así empezó mi colección de objetos perdidos. Pensaba que si rescataba todas las cosas que encontraba, quizá alguien rescatara un día el único objeto que quedaba en el mundo que realmente me importaba. Que quizá yo lo recuperaría y de ese modo repararía mi promesa rota. Pero no ha sido así, aunque nunca he abandonado la esperanza; nunca he dejado de recoger cosas que otras personas han perdido. Y esos fragmentos de vidas ajenas sirvieron de inspiración para mis historias y me animaron a escribir nuevamente.

Sé que casi todo lo que he atesorado probablemente es insignificante y que nadie querrá recuperarlo. Pero si usted puede hacer feliz, aunque sea a una sola persona, si puede consolar un corazón roto devolviéndole lo que perdió…, entonces todo habrá valido la pena. Tal vez se pregunte por qué he mantenido todo esto en secreto; por qué he tenido cerrada la puerta del estudio todos estos años. Ni siquiera yo lo sé y lo único que se me ocurre es que quizá tenía miedo de que se me considerase un necio o un pobre loco. Y esta es la misión que le cedo a usted, Laura. Lo único que le pido es que lo intente.

Espero que su nueva vida satisfaga todos sus deseos y que encuentre a otros con quien compartirla. Recuerde, Laura, que hay un mundo fuera de Padua y que vale la pena visitarlo de vez en cuando.

Para finalizar: hay una muchacha que suele sentarse en un banco del parque que está enfrente de la casa. Parece tener algo de alma perdida. A menudo, he deseado hacer algo más que dirigirle unas palabras amables, pero, por desgracia, para un anciano es difícil ayudar hoy a una joven sin que se produzcan malentendidos desagradables. Tal vez pueda usted «acogerla» y ofrecerle un poco de amistad. Proceda como crea más conveniente.

Con profundo afecto y la más sincera gratitud,

Dios la bendiga,

Anthony

Cuando Laura se levantó de la silla del estudio, notó que el frío le había entumecido los miembros. Fuera, en el cielo negro, la luna centelleaba con un brillo perlado. Buscó el calor de la cocina y puso el hervidor en el fuego mientras meditaba las peticiones de Anthony. Cumpliría con mucho gusto el deseo de esparcir sus cenizas, pero devolver los objetos perdidos no era tan sencillo. Volvió a sentir las piedras simbólicas en los bolsillos que le recordaron quién era en realidad. Sus padres habían muerto hacía ya unos años, pero nunca había conseguido librarse de la impresión de que les había fallado. No es que se lo hubieran dicho con esas palabras, pero afrontando las cosas con absoluta sinceridad, ¿qué había hecho para pagar su amor y lealtad incondicionales y hacer que se sintieran orgullosos de ella? Había eludido la universidad, su matrimonio había sido un desastre y no había sido capaz de darles un solo nieto. Y ella estaba comiendo *fish and chips* en Cornualles cuando murió su madre. Que hubieran sido sus primeras vacaciones desde la ruptura con Vince no era una excusa. Cuando murió su padre, seis meses después, Anthony vino a llenar parte del vacío creado; la misión que le había encomendado tal vez fuera una buena ocasión para reparar los daños. Puede que hubiera llegado su oportunidad para hacer por fin algo positivo.

Y además estaba Sunshine. En esto al menos se había adelantado a Anthony, aunque no creía que tuviera ningún mérito. Sunshine le había ofrecido antes su amistad y, aun así, Laura seguía siendo reacia a corresponder a los deseos de la muchacha. Pensaba en todas las ocasiones en que había visto a Sunshine antes de que Anthony muriera y no había hecho nada. Ni dicho nada. Ni siquiera «hola». Pero Anthony había hecho lo poco que podía incluso después de muerto. Estaba descontenta de sí misma, pero también decidida a cambiar. Subió con el té al dormitorio que olía a rosas y que había hecho suyo. O que había decidido compartir con Therese. Porque Therese seguía allí. Sus enseres seguían allí. No su ropa, naturalmente, pero sí su tocador, la foto en que estaba con Anthony, una vez más inexplicablemente boca abajo, y el pequeño reloj esmaltado de color azul. Las doce menos cinco. Parado otra vez. Dejó la taza y dio cuerda al reloj hasta que volvió a ponerse en marcha. Se acostó dejando las cortinas totalmente abiertas. Fuera, la luna llena proyectaba sobre la rosaleda un espectral velo damasquino de luz y sombra.

17

Eunice

1984

En Navidad, la, la, la, la, prohibimos la sombra…
La señora Doyle cantaba con su magnífica voz
mientras atendía al hombre que estaba delante de Eunice y le envolvía dos brazos de hojaldre relleno de salchicha y dos pedazos del bizcocho cubierto de azúcar conocido como pastel de Tottenham. Hizo una pausa para respirar y saludar a Eunice.

–Ese Bob Gelding es un gran hombre. Ha reunido a un montón de cantantes pop para grabar un disco dedicado a los pobres habitantes de Etio… –dijo, pero carecía de los suficientes conocimientos léxicos para completar el nombre–… del desierto. –Eunice sonrió para darle la razón–. Es casi un santo.

La señora Doyle se puso a llenar una bolsa con dónuts.

–Las cosas como son –prosiguió–, como si Boy George, Midget Ure y otros como ellos no pudieran permitirse un poco de caridad. Y esas Bananas, unas chicas muy simpáticas, pero por lo visto entre todas no tienen ni para un cepillo del pelo.

Douglas siguió imperturbable cuando oyó los pasos de Eunice en la escalera. El hocico gris y canoso le tembló y las patas delanteras se le movieron ligeramente mientras soñaba con nadie sabía qué. Pero debía de ser un sueño satisfactorio, pensó Eunice, porque tenía las comisuras de la boca estiradas, como si sonriera. Bomber lo observaba desde su mesa, igual que un niño preocupado mira desde la ventana cómo se derrite inevitablemente el muñeco de nieve que ha construido. Eunice quiso tranquilizarlo con algunas palabras, pero no se le ocurrió ninguna. Douglas estaba envejeciendo. Sus días se reducían en duración y cantidad. Moriría y su muerte rompería corazones. Pero por el momento estaba confortable y contento, y cuando despertara le estaría esperando un dónut con crema. Sustituir la mermelada por la crema (en realidad por mermelada y crema) era un esfuerzo para devolver a los viejos huesos del perro un poco de la carne que parecía desaparecer misteriosamente cada año que pasaba.

A Bomber, sin embargo, le ocurría exactamente lo contrario. En los diez años que hacía que Eunice lo conocía, había ido echando una ligera barriga que le había dado cierta consistencia mullida a su todavía esbelta figura. Se la acariciaba con respeto mientras decía por enésima vez: «Debemos dejar de comer tantos dónuts». Un comentario que nunca iba acompañado de ninguna tentativa sincera y del que Eunice no hacía caso.

–¿Van a venir tus padres esta semana?

Eunice había acabado por sentir mucho afecto por Grace y Godfrey y esperaba con impaciencia sus visitas, que por desgracia eran cada vez menos frecuentes. Por otra parte, era obvio que la edad no perdonaba.

Godfrey en concreto se estaba debilitando en cuerpo y mente; su capacidad mental y su vigor desaparecían inexorablemente.

–No, esta semana no. No se encuentran bien. Pertrechados con la AGA, bien surtidos de *whisky* de malta y con la verja protegida, seguro –dijo Bomber con el ceño fruncido, mientras leía un manuscrito abierto en su mesa.

–¿Por qué? ¿A qué viene eso? –Eunice estaba preocupada.

–Bueno, uno de sus amigos fue alcanzado por la bomba de Brighton, luego se declaró un incendio en el metro hace un par de semanas y ellos pasan por estos sitios habitualmente. Creen que es «más seguro quedarse en casa», como dice esa canción que tanto les gusta a los ositos de peluche. –Cerró el manuscrito de un golpe–. Y seguramente es mejor así, porque mi madre sin duda me habría preguntado por esto.

Empujó el manuscrito hacia Eunice como si fuera un pescado podrido. Douglas se removió por fin en su rincón. Observó a su alrededor con sus ojos viejos y opalescentes, y al ver que estaba en un medio seguro y conocido, reunió fuerzas para mover suavemente la cola. Eunice se acercó para estamparle un beso en la ardiente cabecita y tentarlo con un dónut, ya troceado como a él le gustaba. Pero no se había olvidado del pescado podrido.

–¿Qué es?

Bomber lanzó un suspiro exagerado.

–Se titula *Engreído y fanático*.

–Parece interesante.

–Pues así se llama el último *livre terrible* de mi querida hermana. Es sobre las cinco hijas de un entrenador de fútbol arruinado. La madre está decidida a casarlas con estrellas del rock, con futbolistas o con cualquiera que sea rico. Las pasea en el baile del club de cada local y a la mayor, Janet, se le pide que baile con el invitado especial, el joven y guapo señor Bingo, que es propietario de una mansión rural convertida en hotel. Su hermana, Izzy, prefiere a su enigmático amigo, el señor Arsey, un pianista mundialmente famoso, pero este piensa que las payasadas de los Jóvenes Agricultores que estaban presentes son una vulgaridad y se niega a participar con Izzy en un dúo de karaoke. Izzy dice que es un clasista y se marcha enfurruñada. Para abreviar una larga historia curiosamente conocida, la hija menor se fuga a Margate con un futbolista mediocre y allí se hacen tatuajes complementarios. Se queda embarazada, la echan de casa y termina en una habitación amueblada de Peckham. Tras una intervención bienintencionada pero un poco arrogante del señor Arsey, Janet se casa al final con el señor Bingo, y el señor Arsey, pese a las prohibiciones de su agente, acaba arrullado con Izzy al son de los violines.

Eunice ya no hacía nada por conservar la seriedad y se tronchaba de la risa mientras oía el resumen del último atentado literario de Portia. Bomber prosiguió a pesar de todo.

–El primo de las muchachas, el señor Coffins, un profesor de educación religiosa en un carísimo y muy incompetente colegio femenino independiente, se ofrece a contraer matrimonio con cualquiera de las hermanas que lo acepte, pero, ante la desesperación de la madre, ninguna lo acepta por su halitosis y porque tiene el ombligo sobresaliente, y entonces, por despecho, se casa con Charmaine, que es otra prima que tienen las chicas. Charmaine está contentísima, porque tiene veintiún años y medio y ya está para vestir santos, porque tiene un poco de bigote.

–Pobre Charmaine. Si tiene que aceptar el mal aliento y un ombligo sobresaliente con veintiún años y medio, ¿qué tendré que aceptar yo, que tengo ya treinta?

Bomber sonrió.

–Bueno, si realmente te interesa, podríamos encontrar un buen señor Ataúdes para ti sola.

Eunice le tiró un clip.

Aquella noche paseó por el jardín de la laberíntica casa de Bomber mientras este preparaba la cena, atentamente vigilado por Douglas. Nunca se casaría. Ahora se daba cuenta. Nunca podría casarse con Bomber y no quería a ningún otro, así que no había más que hablar. En el pasado había salido ocasionalmente con algún joven prometedor; a veces con varios. Pero Eunice siempre tenía la sensación de ser insincera. Todos parecían secundarios en comparación con Bomber y ninguno merecía quedar a perpetuidad en el segundo puesto. Todas sus relaciones se basaban únicamente en la amistad y el sexo, nunca en el amor, y aun así, ninguna amistad era para ella tan preciada como la que tenía con Bomber. Con el tiempo había renunciado a salir con hombres. Recordaba aquel viaje que habían hecho a Brighton hacía mucho tiempo, el día de su cumpleaños. Habían transcurrido ya casi diez años. Había sido un día maravilloso, pero acabó con el corazón destrozado. En el tren de vuelta, sentada junto al hombre que amaba, se había esforzado por no llorar porque sabía que nunca sería la mujer ideal de Bomber. Nunca habría para él una mujer ideal. Pero eran amigos; los mejores amigos. Y para ella, eso era infinitamente mejor que no tenerlo en su vida en absoluto.

Mientras removía la salsa boloñesa en la cocina, Bomber recordaba la conversación que habían mantenido antes. Eunice era una joven extraordinaria con mucha inteligencia, ingenio vivo y una asombrosa colección de sombreros. Le parecía incomprensible que nunca hubiera tenido novio ni hubiera encasquetado uno de sus espectaculares gorros a algún hombre que lo mereciera.

–¿Te preocupa?

En vez de hacer la pregunta directamente, pensaba en voz alta, aunque de un modo un tanto desenfadado. La pregunta, sin embargo, parecía muy franca.

–¿Si me preocupa qué?

Eunice estaba en la puerta agitando un palito de pan como si fuera la batuta de un director de orquesta y tomando un sorbo de un vaso de vino tinto.

–No tener un novio guapo con un deportivo rojo, agenda Filofax y un piso en Chelsea.

Eunice dio un rotundo bocado al palito.

–Si os tengo a ti y a Douglas, ¿para qué quiero más?

18

—La señora no querrá recuperarla —dijo Sunshine. Puso delante de Laura la taza y el plato—. Podrías guardarla para la buena taza de té.

La delicada porcelana de color hueso era casi transparente. Pintada a mano, con violetas moradas salpicadas de oro. Laura levantó la cabeza hacia Sunshine, que no había perdido la seriedad; la miró a los ojos de color melaza. Aquella mañana había llevado a la joven al estudio para explicarle en términos generales el contenido de la carta de Anthony.

—Dijo que cuidáramos la una de la otra —resumió.

Era la primera vez que la había visto sonreír. Curiosa e impaciente, se había puesto a tocar las cosas almacenadas sin pedir permiso, pero con una delicadeza y un respeto que habrían complacido a Anthony tanto como habían tranquilizado a Laura. Acunaba los objetos entre las manos como si fueran polluelos con un ala rota. Laura volvió a concentrar su atención en la taza y en la etiqueta de cartón. No era lógico extraviar un objeto así.

—Eso no lo sabemos, Sunshine. No sabemos de quién era.

Pero Sunshine estaba firmemente convencida.

—Yo sí. Era de la señora y no quiere recuperarla.

Lo había dicho sin el menor asomo de altanería o malhumor, como si se limitara a dejar constancia de un hecho.

—Pero ¿cómo lo sabes?

Sunshine volvió a coger la taza y se la puso en el pecho.

—Lo noto. No lo pienso con la cabeza, simplemente lo noto. —Dejó la taza en el platillo—. Y la señora tenía un pájaro —añadió, por si las moscas.

Laura suspiró. La suerte de los objetos perdidos pendía sobre su cabeza; con pesadez, como las ropas de un hombre ahogado. Anthony la había elegido para que fuera su sucesora y se sentía orgullosa y agradecida, pero también aterrorizada ante la posibilidad de decepcionarlo. Y, a juzgar por la taza y el platillo, las «intuiciones» de Sunshine podrían ser más un estorbo que una ayuda.

Taza y platillo de porcelana color hueso.
Encontrados en un banco
en los Jardines Públicos Riviera
el 31 de octubre...

Eulalia se removió por fin en el sillón y miró a su alrededor con ojos debilitados por la edad. Al reconocer el lugar y comprobar que estaba más viva y coleando que muerta, apareció en su faz oscura y arrugada una sonrisa que dejó a la vista una fila irregular de dientes todavía blancos.

«Alabado sea Dios por permitirme estar un día más a este lado de las puertas del Paraíso», pensó. «Y que su maldición caiga sobre él», añadió cuando quiso levantarse y sintió las dolorosas agujas de la artritis que se le clavaban en las piernas. Puede que estuviera viva, pero desde luego coleaba muy poco. Últimamente se había acostumbrado a dormir más en el sillón de la planta baja. El piso de arriba se estaba volviendo territorio prohibido a pasos agigantados. Para ella era como claudicar. Como enarbolar la pusilánime bandera de la derrota. Pero no podía impedirlo. Un dormitorio con salón común adjunto, cocina compartida y comidas preparadas. Colchón con forro de plástico por si la vejiga le jugaba malas pasadas. Eulalia se dirigió a la cocina arrastrando los pies, deslizando las zapatillas y apoyándose en los bastones como una anciana que esquía a campo traviesa. Con el hervidor en el fuego y la bolsita de té en la taza, abrió la puerta de atrás para que entrara el sol. En tiempos se había sentido orgullosa de su jardín. Lo había planeado y plantado, alimentado y mimado todos aquellos años. Pero había acabado por sobrepasarla, por crecer más que ella, como un adolescente ingobernable, y se había vuelto salvaje. Nada más abrir la puerta apareció la urraca a sus pies. Parecía tener un día de perros; un conato de tropiezo con el gato vecino, quizá. Pero le brillaban los ojos y le graznó débilmente a Eulalia mientras inclinaba la cabeza hacia un lado y otro.

—Buenos días, amiga Rossini —así bromeaba con el pájaro—, supongo que esperas el desayuno.

El pájaro entró dando saltos en la cocina, detrás

de la anciana, y esperó pacientemente a que sacara un puñado de pasas de una lata que había en el escurreplatos.

–¿Qué será de ti cuando yo falte? –preguntó, dejando caer un par en el suelo. El pájaro las cogió con el pico y levantó la cabeza pidiendo más–. Ahora fuera, amiga mía –dijo, esparciendo el resto en el escalón de la entrada.

Volvió con el té a la salita, avanzando peligrosamente con un solo bastón y tomando asiento con mucho cuidado. La habitación estaba llena de objetos hermosos, de chucherías y adornos extraños y asombrosos. Ella misma había sido una urraca toda su vida, se había rodeado de brillos y destellos, oropeles y terciopelos, de lo mágico y lo macabro. Pero había llegado el momento de abrir la mano. Eran sus tesoros y solo ella decidiría su suerte. No podía llevárselos, pero tampoco soportaba la idea de que los recogiera un camionero blanco llamado Dave: «Limpieza de casas: nada es demasiado pesado ni demasiado pequeño». Además, había cosas que podían crearle problemas. Poseía objetos que no eran exactamente... legítimos. Bueno, no allí al menos. Había trapos sucios en sus cajones. Como suena.

Era casi mediodía cuando terminó de llenar de trastos el carrito de la compra. Sus maltrechas articulaciones, lubricadas por la actividad, se movieron con más soltura cuando se dirigió a los jardines públicos situados junto al parque. Pensaba regalar sus posesiones. Las dejaría donde otros pudieran encontrarlas: todas las que había podido meter en el carrito de *lona de cuadros. En cuanto a las demás, no serían de nadie. Era día de colegio y en el parque y los jardines solo había un par de viandantes que paseaban al perro y un infeliz que seguía durmiendo en el quiosco de música. Nadie vio a Eulalia mientras dejaba cuatro pisapapeles de cristal con nieve, un cráneo de conejo y un reloj de bolsillo de oro en el murete que rodeaba la fuente ornamental. Tras adentrarse en el parque, introdujo dos candelabros de iglesia de plata, una comadreja disecada y una dentadura de oro en los entrantes del monumento a los caídos. Un pene momificado de cerdo y la dorada caja de música de París quedaron en los peldaños del estanque; la novia de porcelana sin ojos, en un columpio de niños. Volvió a los jardines. Dejó la bola de cristal en un bebedero de piedra y el bombín con escarapela de plumas de cuervo, encima del reloj de sol. El tazón de ébano de echar maldiciones acabó a los pies de un sicómoro cuyas hojas formaban un abanico de colores rojizos, anaranjados y amarillos. Y así con todo lo demás hasta que, ya casi vacío, el carrito de frágiles ruedas daba tumbos detrás de ella. Se sentó en el banco de madera que daba al parque y suspiró con satisfacción. Un trabajo bien hecho; o casi. Los últimos objetos que descansaban junto a ella, en los listones de madera, eran una taza y un platillo de porcelana con violetas pintadas y toques de oro. Vibró a causa del temblor producido por una explosión que tuvo lugar a dos calles de distancia y que mató a un cartero y dejó herido de gravedad a un viandante. Una espesa columna de humo negro se elevó en el cielo vesper-*

137

tino y Eulalia sonrió al recordar que había dejado el gas abierto.

–Encender el gas debajo del hervidor, poner té en la tetera y leche en la jarrita.

Al volver a la cocina, Laura sonrió al ver que Sunshine hablaba consigo misma mientras preparaba el té, como hacía siempre que una labor necesitaba concentración. Se oyó un golpe en la puerta trasera y, sin esperar a que abrieran, entró Freddy. Laura había hablado con él la noche anterior para decirle que podía seguir trabajando en la casa, si así lo deseaba, y para invitarlo a tomar el té en la cocina en vez de tomarlo solo en el jardín, como hasta entonces. Había estado ausente desde el entierro y cuando se había marchado aún no sabía cuál era su situación en Padua.

Laura lo había invitado casi sin pensar, pero lo justificó alegando que cuanto más contacto tuviera con él, menos se aturullaría cuando estuviese delante. Porque lo encontraba cada vez más atractivo y eso no podía evitarlo.

–Dos terrones, por favor –dijo el hombre, guiñando el ojo a Sunshine, que se puso como la grana y se quedó mirando la cucharilla que tenía en la mano como si viera en ella algo fascinante.

Laura comprendía cómo se sentía la muchacha. Había algo seductor en aquel lacónico mozo que cuidaba el jardín con tanto cariño y hacía toda clase de faenas con callada eficacia. Laura apenas sabía nada de la vida que llevaba fuera de Padua; él contaba muy poco y ella aún no se atrevía a hacer preguntas. Pero algún día reuniría el valor suficiente, se prometió. La única información que él parecía necesitar era qué hacía falta que hiciese, y si había galletas.

–Freddy, te presento a Sunshine, mi nueva amiga y ayudante. Sunshine, te presento a Freddy.

Sunshine levantó la vista de la cucharilla y se esforzó por mirar a Freddy a los ojos.

–Hola, Sunshine. ¿Qué tal va?

–¿Qué tal va el qué? Tengo diecinueve años y soy una *daunzarina*.

Freddy sonrió.

–Yo tengo treinta y cinco y tres cuartos y soy capricornio.

Sunshine puso una taza delante de Freddy, luego la jarrita de la leche y el azucarero. Luego una cucharilla y un plato de galletas. Y a continuación un tenedor, un bote de detergente líquido, una caja de palomitas de maíz y un batidor manual de huevos. Y una caja de cerillas. En el hermoso rostro de Freddy apareció una sonrisa, que dejó al descubierto una dentadura blanca y perfecta. La sonrisa dio paso a una risa profunda y gutural. Fuera cual fuese la prueba a que lo sometía Sunshine, la había superado. Se sentó junto a él.

–San Antonio ha dejado todas estas cosas a Laura y tenemos que devolvérselas a las personas legítimas. Menos la taza y el platillo.

–¿Es cierto eso?

–Lo es. ¿Te lo enseño?

–Hoy no. Primero terminaré el té y el detergente, y luego acabaré una faena que he dejado a medias. Será la siguiente vez que venga, como una cita.

Sunshine casi sonrió. Laura empezaba a sentirse un poco de más.

–Anthony era sin duda un hombre muy bueno, Sunshine, pero hablando con propiedad no era un santo.

Freddy terminó la taza.

–Pero habría podido serlo. ¿No has oído hablar nunca de san Antonio de Padua, el patrón de los objetos perdidos? –Laura negó con la cabeza–. No bromeo. Es verdad. Cinco años de clases religiosas dominicales –añadió Freddy a modo de explicación.

Sunshine sonrió con aire triunfal. Ahora tenía dos amigos.

19

Laura se estaba deshaciendo de su vida anterior, una empresa que iba a ser desagradable. Vació una caja llena de trastos en el contenedor y al cerrar la tapa le saltó a la cara una nube de polvo y suciedad. Había hecho la última selección entre las cosas que había llevado a la casa desde su piso, muchas de las cuales seguían empaquetadas desde que se había ido del domicilio que había compartido con Vince. Pensó que, si no las había necesitado en los últimos seis años, no era probable que las necesitara en el futuro. Algunos «trastos» habrían podido ir a parar a la tienda de ventas benéficas, pero para eso habría tenido que desplazarse a la ciudad y no se sentía con ánimos. «Estoy demasiado ocupada en estos momentos», se dijo con convicción. Pero antes de que se apagara el eco de la excusa, la culpa asomó la nariz al recordar la carta de Anthony: «Hay un mundo fuera de Padua y vale la pena visitarlo de vez en cuando». Otro día, prometió.

Se limpió la cara con las manos y a continuación se limpió las manos en los pantalones vaqueros. Se sentía sucia; ya era hora de ducharse.

–Hola. ¿Trabaja usted aquí?

La pregunta se la hacía una rubia zanquilarga que había llegado por el camino que bordeaba la casa. Llevaba pantalón ceñido y un suéter de cachemira que casaba perfectamente con los mocasines de ante rosa claro, en los cuales podían apreciarse los reveladores adornos en forma de bocado de caballo tan característicos de Gucci. La expresión aturdida de Laura hizo que la joven supusiera que era extranjera, idiota o sorda. Lo intentó otra vez, hablando despacio y en voz un poco alta.

–Busco a Freddo, el jardinero.

Por suerte apareció el mencionado en aquel momento, caminando por el jardín con una caja de madera llena de patatas recién cogidas que depositó a los pies de Laura.

–¡Freddo, cariño!

La joven le echó los brazos al cuello y lo besó en la boca con entusiasmo. Freddy se soltó con delicadeza y le cogió la mano.

–Felicity, ¿qué diantres haces aquí?

–He venido para llevarme a mi novio a comer.

Freddy sonrió enseñando los dientes. Parecía un poco incómodo.

–Felicity, te presento a Laura. Laura, esta es Felicity.

–Eso creo. –Laura la saludó con un movimiento de cabeza, pero no le dio la mano.

No tuvo importancia porque Felicity no tenía por costumbre estrechar la mano del «servicio». La feliz pareja se fue trotando, cogida del brazo, y Laura entró las patatas en la cocina y puso la caja encima de la mesa.

–¡Vaya insolencia! –exclamó–. ¿Es que tengo aspecto de criada?

Al mirarse en el espejo del vestíbulo se vio obligada a reconsiderarlo: con el pelo desordenado y aplastado bajo un pañuelo de lunares, la cara ojerosa y manchada, y el chándal dado de sí, parecía una fregona moderna.

–¡Tía guarra!

Subió al piso superior y se dio una larga ducha con agua caliente, aunque luego, mientras estaba sentada en la cama envuelta en una toalla, se dio cuenta de que el agua solo la había librado de la suciedad, pero no de la ira. Estaba celosa. Le fastidiaba admitirlo, pero lo estaba. Ver a aquella pedorra besar a Freddy le había molestado muchísimo. Arqueó las cejas a la imagen que veía en el espejo del tocador y sonrió con timidez.

–Puedo comer fuera si quiero.

Ahí estaba la cosa. Comería fuera. Anthony quería que saliera y saldría. Aquel día. En aquel momento.

The Moon is Missing era un bar de estilo informal, elegante con aspiraciones al traje de etiqueta. Que estuviera cerca de la iglesia de St Luke significaba que era el lugar ideal para reanimarse después de un entierro y estimularse poco antes de una boda. Pidió un *whisky* con soda, «bacalao frito con rebozado de hierbas servido con tacos de patata cortados a mano y salsa tártara ligeramente espumosa» y se sentó en uno de los reservados de enfrente de la barra. La desenvoltura la había abandonado nada más salir de la casa y lo que habría debido ser la satisfacción de un capricho se había convertido en algo que tenía que soportar, como una visita al dentista o un embotellamiento en hora punta. Se alegraba de haber llegado temprano para conseguir un reservado y de haberse llevado un libro, para esconderse tras él en el caso de que alguien quisiera entablar conversación con ella. Mientras se dirigía al bar se le había ocurrido de pronto, y con algo de preocupación, la posibilidad de que Freddy y la juguetona Felicity fueran a comer al mismo sitio; no obstante, aunque la idea la horrorizaba, era demasiado tozuda para dar media vuelta. Y allí estaba, bebiendo a mediodía, lo cual era insólito en ella, y fingiendo leer un libro por el que no sentía interés, mientras esperaba una comida que en el fondo no le apetecía. Todo para demostrarse a sí misma que tenía razón y para no defraudar a Anthony. Y pensar que podía haberse quedado en casa limpiando la cocina… No pudo contener una sonrisa irónica ante su propia ridiculez.

El bar se estaba llenando y en el momento en que la camarera le servía la pijada aquella con pescado rebozado y patatas, el reservado contiguo se llenó de voces, resoplidos y mucho revuelo de abrigos y bolsas de tiendas y comercios. Cuando las nuevas vecinas se pusieron a leer en voz alta los platos de la carta, Laura reconoció la imperiosa voz de contralto de Marjory Wadscallop y la vacilante voz de soprano de Winnie Cripp. Tras elegir y pedir dos «cremas de champiñones y pollo», las dos chocaron los vasos de *gin-tonic* y se pusieron a comentar la producción de *Un espíritu burlón*, que ensayaba por entonces su grupo de actores aficionados.

–Técnicamente, como es lógico, soy demasiado joven para hacer de Madame Arcati –afirmaba Marjory–, pero es que el papel necesita una actriz con mucha versatilidad y sutileza, así que imagino, teniendo en cuenta el elenco que Everard tiene a su disposición, que me elegirán a mí.

–Claro que sí, querida –convino Winnie–. Gillian es una profesional indiscutible en el vestuario y el maquillaje, y seguro que te envejece en un santiamén.

Marjory no supo muy bien cómo tomarse aquel comentario.

–Bueno, sí, parece una profesional de pies a cabeza, a juzgar por los kilos de maquillaje que lleva normalmente –replicó con mordacidad.

–¡Qué mala eres! –dijo Winnie riendo, aunque guardó un silencio culpable cuando llegó la camarera con la crema de champiñones y pollo, acompañada de «un surtido de panecillos artesanos».

Hubo un breve intervalo mientras las dos mujeres echaban sal a la crema y untaban el pan con mantequilla.

–Interpretar el papel de Edith me pone un poco nerviosa –confesó Winnie–. Es el más importante que he tenido hasta ahora y hay que memorizar mucho diálogo, y además todo ese trasiego de bebidas, y que entro, que salgo.

–Eso se llama «caracterización» y «*blocking*», Winnie. El *blocking* es la adaptación de las acotaciones del autor de la obra. Es muy importante utilizar la terminología correcta. –Marjory dio un mordisco al panecillo de semillas y masticó pensativamente antes de añadir–: Yo no me preocuparía tanto, querida. Al fin y al cabo, Edith es solo una criada, así que no tendrás muchos momentos de interpretación seria.

Laura había terminado de comer y pidió la cuenta. Mientras recogía sus cosas para irse, oyó un nombre conocido.

–Estoy segura de que Geoffrey será un Charles Condomine perfectamente eficaz, pero el intérprete ideal habría sido Anthony Peardew cuando era joven: alto, moreno, guapo y encantador. –La voz de Marjory había adquirido un matiz casi nostálgico.

–Y además era escritor en la vida real –añadió Winnie.

Marjory se hurgaba entre los dientes con la lengua para desalojar una semilla del panecillo. Tras conseguirlo, prosiguió:

–Encuentro un poco extraño que le dejara todo a esa quisquillosa ama de llaves que tenía, Laura.

–Mmmm. Sí, ha sido bastante rarito, eso está claro. –A Winnie le gustaba poner en su plato una guarnición de chismes difamatorios–. Lo que sí que me extrañaría es que no hubiera habido algo rarito entre ellos, ya me entiendes –añadió con retintín, satisfecha de su doble sentido.

Marjory apuró el *gin-tonic* e hizo una seña a la camarera para que le sirviera otro.

–Bueno, supongo que hacía por él algo más que limpiar el polvo y pasar la aspiradora.

La intención de Laura había sido escabullirse sin que la vieran, pero en aquel instante se volvió y se encaró con las dos mujeres luciendo una sonrisa desvergonzada.

–Le hacía una felación –proclamó–. Todos los viernes.

Y sin decir nada más, se marchó.

Winnie se volvió hacia Marjory con cara de desconcierto.

–¿Qué es eso que le hacía?

–Un plato italiano –dijo Marjory, limpiándose la boca con la servilleta–. Yo lo tomé una vez en un restaurante.

20

Sunshine apoyó la aguja en el disco de vinilo y recibió como premio las melifluas notas de Etta James, densas y cargadas como el pimentón ahumado.

Freddy estaba sentado a la mesa de la cocina y Laura preparaba emparedados para el almuerzo.

–Tiene buen gusto –dijo Freddy, inclinando la cabeza hacia el origen de la música.

Laura sonrió.

–Elige música para cuando vayamos a esparcir las cenizas de Anthony. Dice que es como la película en que el perro consigue un hueso y los relojes se paran porque san Antonio ha muerto, pero descansará para siempre con Therese. Ella la llama «la Virgen de las Flores». Pero quién sabe. –Cortó el pepino en rodajas finísimas y vació una lata de salmón–. Además, quiere pronunciar un discurso, aunque para mí esto no tiene el menor sentido.

–Seguro que se lo encontraremos en el momento oportuno. –Freddy dio vueltas a una cucharilla que había en la mesa–. La muchacha tiene su propia forma de decir las cosas, eso es todo. Conoce las palabras que usamos todos, pero creo que le gustan más las suyas.

Laura se chupeteó la mantequilla del dedo. No estaba acostumbrada a tener conversaciones reales con Freddy. La forma de expresarse de este solía consistir en una combinación de movimientos de cabeza, encogimientos de hombros y gruñidos. Pero con Sunshine no se expresaba así. Con su mirada solemne y su voz dulce y aflautada, la muchacha le sonsacaba palabras como si fuera una encantadora de serpientes.

–Pero... así se está complicando más la vida, se está alejando más...

La voz de Laura se apagó y dejó de seguir el paso de sus pensamientos, coartada por la sombra de lo «políticamente correcto». Freddy sopesó lo que acababa de oír, con prudencia y sin emitir juicios.

–¿Se está alejando más de la gente «normal»? ¿Quieres decir eso?

Esta vez fue Laura quien se encogió de hombros. La verdad es que no sabía qué había querido decir. Sabía que Sunshine había tenido pocas amistades en el colegio y que había sido hostigada sin piedad por los adolescentes salvajes que merodeaban por el parque local y se dedicaban a beber sidra barata, romper columpios y copular. ¿Ellos sí eran normales? Y aunque lo fueran, ¿por qué Sunshine tendría que querer ser como ellos? Freddy se puso la cucharilla en equilibrio en la punta del dedo índice. Laura volvió a los emparedados y procedió a cortarlos ferozmente en triángulos. Ahora Freddy pensaría que ella era... ¿Qué? ¿Intolerante? ¿Idiota? Es posible que lo fuera. Cuanto más veía a Freddy, más le importaba lo que pensara de ella. La idea de invitarlo a pasar sus momentos de descanso en la cocina para propiciar una relación más relajada aún no podía considerarse un éxito, pero el tiempo que pasaban juntos era la parte del día que ella esperaba con más interés.

Freddy dejó la cucharilla en la mesa con mucho cuidado y se echó atrás en la silla, meciéndose, levantando las patas delanteras. Laura reprimió el deseo de decirle que se portara en la mesa como Dios manda.

−Creo que es una especie de camuflaje. −Apoyó las cuatro patas de la silla en el suelo−. Su forma de hablar. Es como un cuadro de Jackson Pollock. Hay tantas manchas y salpicaduras que nadie se da cuenta de cuáles son deliberadas y cuáles, fruto de la casualidad. Si Sunshine emplea mal una palabra, nadie se da cuenta. −Movió la cabeza de un lado a otro, sonriendo para sí mismo−. Eso es genio.

El genio entró en la cocina en aquel momento, en busca del almuerzo. Laura seguía pensando en lo que Freddy acababa de decir. Que un jardinero utilizara la pintura de Jackson Pollock como metáfora lingüística era un poco inesperado, además de otro enigmático indicio de la clase de hombre que era en el fondo. Laura estaba deseosa de averiguar más y también decidida a ello.

−A propósito −dijo Freddy−. La película. Es *Cuatro bodas y un funeral.*

Sunshine sonrió y tomó asiento al lado de su más reciente amigo.

Cuando acabaron de comer se dirigieron al estudio. Sunshine se moría por enseñar a Freddy el museo antoniano de objetos perdidos y Laura jugaba con la idea de preguntarle si conocía alguna forma de facilitar las devoluciones. Cuanto más entraba en el estudio, más lleno le parecía. Veía menos espacio y más objetos. Se sentía empequeñecer; encogerse, hundirse. Los cajones se agrietaban, las junturas amenazaban con reventar y abrirse. Tenía miedo de quedar sepultada por una avalancha de cachivaches perdidos. Para Sunshine era como un tesoro escondido. Acariciaba, sostenía y abrazaba los objetos, hablando en voz baja consigo misma –o quizá con los objetos– y leía las etiquetas con una expresión embelesada. Freddy estaba comprensiblemente atónito.

–¿Quién lo habría dicho? –susurró, mirando a su alrededor sin parar–. ¿Por eso iba siempre con una bolsa?

La frágil luz diurna de octubre se esforzaba por traspasar las flores y hojas bordadas de las cortinas de encaje, que proyectaban sombras en la ya oscura habitación. Freddy abrió las cortinas y por el espacio se coló una lluvia meteórica de danzantes motas de polvo.

–Arrojemos un poco de luz sobre las cosas, ¿no?

Sunshine lo condujo por todos los rincones, como el conservador de un museo que enseña una colección de objetos artísticos. Botones y anillos, guantes, ositos de trapo, un ojo de cristal, artículos de bisutería, una pieza de puzle, llaves, monedas, juguetes de plástico, pinzas de depilar, dos dentaduras postizas y una cabeza de muñeca. Y eso era solo el contenido de un cajón. La taza y el platillo con violetas pintadas a mano seguían en la mesa. Sunshine cogió el juego y se lo alargó a Freddy.

–¿Verdad que es una preciosidad? La señora no quiere que se lo devuelvan, así que Laura lo guarda para la buena taza de té.

Laura iba a desmentir su afirmación, pero la cara de Sunshine reflejaba una convicción tan firme que las palabras se le quedaron entre los labios.

–Entonces esto es tuyo.

Cuando Laura recibió la taza y el platillo de manos de Freddy, él le rozó brevemente la palma con los dedos. La miró a los ojos durante unos segundos. Luego se volvió y fue a sentarse en el sillón de Anthony.

–¿Y vas a encargarte de devolver todo esto –dijo, al tiempo que abría los brazos para abarcar toda la habitación– a sus anteriores propietarios?

La tranquilidad de su tono no reflejaba ni mucho menos la enormidad de la misión.

–Esa es la idea –respondió Laura.

Sunshine estaba absorta, observando un objeto que había caído al abrir un cajón. Lo recogió del suelo, pero lo soltó inmediatamente con un grito de dolor.

Guante de señora, piel azul marino, mano derecha.
Encontrado en la hierba, al pie de Cow Bridge
el 23 de diciembre...

Hacía un frío que pelaba. Demasiado para nevar.
Rose contempló el cielo negro, sembrado de estre-
llas e iluminado por un definido gajo lunar. Llevaba
veinte minutos andando muy deprisa, pero seguía con
los pies entumecidos y los dedos helados. Demasia-
do triste para llorar. Ya casi había llegado. Por suerte
no pasaban coches; nadie que distrajera o se entro-
metiera. Demasiado tarde para pensar. Ya estaba allí.
Aquel era el lugar. El puente y un poco más allá el te-

rraplén cubierto de hierba. Se quitó un guante y sacó una fotografía del bolsillo. Besó la cara de la niña que le sonreía. Demasiado oscuro para ver, aunque sabía que estaba allí. «Mamá te quiere». Agachándose en la verde pendiente, aferró un puñado de hierba helada con la mano desnuda. Más abajo, un suelo de pizarra. «Mamá te quiere», repitió cuando las luces lejanas perforaron la oscuridad y los raíles empezaron a vibrar. Demasiado insoportable para vivir.

–Demasiado insoportable para vivir. La señora murió.
–Sunshine temblaba mientras se esforzaba por explicarlo.

Freddy la atrajo hacia sí y la estrechó con fuerza.

–Creo que necesitas la buena taza de té.

La preparó él bajo la estricta supervisión de la muchacha. Después de consumir dos tazas de té y una galleta de mermelada, quiso contarles un poco más.

–Quería a su hija, pero la señora estaba muy triste –fue lo único que pudo decir.

Laura se sentía extrañamente inquieta.

–Sunshine, quizá sea mejor que no vuelvas a entrar en el estudio.

–¿Por qué?

Laura vaciló. Hasta cierto punto no quería que Sunshine se implicara demasiado. Sabía que era una postura egoísta, pero tenía mucho empeño en encontrar la forma de que Anthony y quizá los padres de la muchacha se sintieran orgullosos de ella. A título póstumo, como es lógico. Era su oportunidad de hacer por fin algo bien y no quería distracciones.

–Es por si hay más cosas que puedan afectarte.

Sunshine, decidida, negó con la cabeza.

–Ahora estoy muy bien.

Laura no parecía convencida, pero Sunshine insistió con otro argumento.

–Si nunca te pones triste, ¿cómo sabrás lo que es la felicidad? –preguntó–. Además, todo el mundo se muere.

–Creo que te han dado jaque mate –murmuró Freddy.

Laura admitió la derrota con sonrisa forzada.

–Pero –añadió el hombre– creo que conozco la clave para animarte. Tengo un plan.

21

Sunshine esperaba junto al reloj de sol: con su trenca de color rosa y sus botas plateadas de baloncesto, cubiertas de lentejuelas; tenía un aire solemne. La fría y húmeda tarde de octubre tocaba a su fin y los extremos del cielo despejado aparecían teñidos por los rubores del ocaso inminente. A una señal de Sunshine, Freddy puso la música y ocupó su lugar junto a Laura para recorrer el «pasillo» de pequeñas velas titilantes hasta donde aguardaba la muchacha para empezar la ceremonia. Freddy llevaba las cenizas de Anthony en una urna sencilla de madera y Laura transportaba una caja de cartón decorado, llena de pétalos de rosa. Laura reprimió las ganas de reír mientras avanzaba con toda la lentitud que podía al son del inevitable acompañamiento musical de Al Bowlly.

Sunshine lo había preparado todo hasta el último detalle. El gramófono se hallaba a la distancia justa para que Freddy pudiera ponerlo en marcha introduciendo el brazo por la ventana y los pétalos y las velas con aroma de rosas se habían encargado expresamente. Sunshine, al principio, había querido esperar a que los rosales florecieran, pero Laura no había soportado la idea de tener las cenizas de Anthony languideciendo en un estante durante nueve meses. No quería alejarlo de Therese más tiempo. Las velas aromáticas y los pétalos eran fruto de una larga discusión y una solución de compromiso. Freddy y Laura llegaron a la altura de Sunshine cuando el señor Bowlly pasaba a la última estrofa y, por primera vez, Laura escuchó de verdad la letra. Habría podido escribirse para Anthony y Therese.

Sunshine hizo una pausa suficientemente larga para causar efecto y consultó el papel que tenía en la mano.

–Aburridos y queridos míos, nos hemos reunido aquí ante los ojos de Dios y por culpa de esta complicación para unir a este hombre, san Antonio –golpeó la tapa de la urna–, y a esta mujer, la Virgen de las Flores –señaló la foto con la palma de la mano hacia arriba–, en el santo macedonio que es la honorable condición. San Antonio toma a la Virgen de las Flores para que sea su legítima esposa nupcial, para tenerla y conservarla de aquí en adelante, para lo mejor y lo peor, en la riqueza y la pobreza, para amar y perecer con la muerte que ahora empieza. Y, además, rima –añadió, orgullosa de sí misma.

Hizo otra pausa, esta vez tan prolongada que resultó casi incómoda, aunque sin duda tenía el propósito de subrayar la solemnidad de la ocasión.

–Tierra a la tierra, ceniza a la ceniza, el buen rollo al chollo. Sabemos que el comandante Tom es un mono. Podemos ser héroes únicamente por hoy. –Se inclinó hacia delante y se dirigió a Freddy y a Laura en un aparte teatral–: Ahora tú tiras la ceniza y tú, los pétalos –y

como si fuera una ocurrencia de última hora, añadió–:
¡Seguidme!

Desfilaron por la rosaleda. Sunshine los guiaba entrando y saliendo de los decrépitos arbustos cuya lozanía estival se había reducido a un caos de hojas marchitas y empapadas que seguían adheridas con tenacidad. Freddy iba detrás de la muchacha, vaciando la urna con toda la delicadeza que podía, y Laura iba detrás de él, evitando pisar el rastro gris de los restos de Anthony mientras iba esparciendo los pétalos. Laura siempre había imaginado en lo de «esparcir las cenizas» como en un acto espiritual, pero ahora que lo pensaba se parecía más a vaciar el depósito de una aspiradora. Cuando la urna quedó vacía, Sunshine volvió a consultar el papel que tenía en la mano.

–Él era su norte, su sur, su este, su oeste; su semana laboral y su camiseta de los domingos. Era su luna, sus estrellas, su canción preferida; creían que el amor duraba eternamente; no se equivocaban, sigue tras la vida.

Freddy le guiñó el ojo sonriendo de oreja a oreja.

–Y, además, rima –murmuró.

No consiguió distraer a Sunshine.

–Yo os declaro marido y mujer. Aquellos a quienes Dios y Sunshine han unido, que nadie les robe el mérito.

Hizo una seña a Freddy con la cabeza y el hombre corrió hacia donde estaba el gramófono.

–Ha llegado el momento de que el novio y la novia ejecuten el primer baile.

Mientras el sol moribundo manchaba de escarlata el cielo azul y el canto de un mirlo resonaba en el espacio, avisando de la proximidad de un gato al acecho, Etta James anunció *por fin*.*

Cuando la última nota estalló en el aire frío, Laura miró a Freddy. Este la estaba mirando directamente y cuando los ojos de ambos se encontraron, Freddy sonrió. La mujer fue a recoger las velas perfumadas. Pero Sunshine no había terminado todavía. Agitó el papel y carraspeó.

–Yo soy la resurrección y la luz, dice el Señor: aquel que crea en mí, aunque esté muerto, vivirá. Y yo os doy las buenas noches y él también.

Cuando Laura se fue a dormir aquella noche, la habitación le pareció un poco distinta. Puede que estuviera más caliente. O quizá fuera solo el vino que había tomado con Freddy y Sunshine para celebrar el reencuentro de Therese y Anthony. Los objetos del tocador estaban en orden y el pequeño reloj azul, como siempre, se había detenido a las doce menos cinco. Le dio toda la cuerda para que se parase a la misma hora el día siguiente, corrió las cortinas y se volvió para meterse en la cama.

La colcha estaba cubierta de pétalos de rosa.

* La autora hace referencia a la canción *At last* escrita en 1940 por Mack Gordon y Harry Warren, e interpretada en 1960 por Etta James.

22

Eunice

1987

Bette trotaba delante de ellos, inspeccionando el parque por si hubiera indeseables. De vez en cuando volvía sobre sus pasos para comprobar, con la aterciopelada faz arrugada en un cómico gesto, que la seguían obedientemente. Le habían puesto aquel nombre por la actriz con la que guardaba un desconcertante parecido, aunque se habían acostumbrado a llamarla Baby Jane por uno de los más memorables personajes interpretados por su tocaya.

La muerte de Douglas había dejado a Bomber muy abatido. Había tenido en brazos al perro hasta mucho después de que este hubiera exhalado su último suspiro, hasta mucho después de que su suave pelaje se hubiera enfríado y se hubiera vuelto extraño al tacto. Eunice había llorado en un arrebato de dolor, pero Bomber se había mantenido impasible y con los ojos secos mientras una nube cenicienta de angustia caía sobre él y ahogaba sus lágrimas. Ver el espacio ocupado por el perro en la oficina era un sufrimiento diario. Había una boca menos y un dónut de más, pero Eunice siguió comprándolo; al principio con el piloto automático puesto, pero sin titubear. Bomber estaba completamente derrotado;

ahogaba las penas con alcohol y luego dormía la borrachera.

Solo un hombre pudo salvarlo al final. No estaba claro quién se había enamorado de Tom Cruise el duro, si Bomber o Eunice, cuando el actor se dirigía con aire arrogante de la moto al bar y luego al avión con las Ray-Ban caladas. Habían visto *Top Gun: ídolos del aire* tres noches seguidas cuando la habían estrenado el año anterior en el Odeon. Tres semanas después de la muerte de Douglas, Eunice cogió la llave de repuesto que tenía, entró en tromba en el piso de Bomber y lo echó de la cama de un puntapié en el lastimero culo. Cuando estuvo sentado a la mesa de la cocina, llorando por fin a moco tendido y enterrando la cara en la taza de café solo que le había preparado Eunice, esta le cogió la mano.

–Joder, le encantaba correr contigo, Bomber. Pero quieras o no quieras se ha ido corriendo... sin ti. Puede que no le haya gustado, pero ha ocurrido.

Al día siguiente llegó Bomber a la oficina, sobrio, y la semana siguiente llegó Baby Jane de la Perrera de Battersea; una espesa bola de pelo negro y rubio. A Baby Jane no le gustaban los dónuts. La primera vez que Eunice le ofreció uno, lo olisqueó desdeñosamente y apartó el hocico. Como si le hubieran puesto delante un pastel de mierda. A Baby Jane le gustaban las espirales vienesas. Para ser una perrita callejera tenía gustos caros.

Mientras la pequeña carlina olfateaba un arrugado paquete vacío que había en la hierba, Eunice miró a Bomber y casi lo identificó como el hombre que había sido. El dolor seguía hinchándole las ojeras y chupándole las mejillas, pero su sonrisa estaba resucitando y los hombros empezaban a abandonar el gesto de abatimiento. La perrita nunca podría llenar el vacío que había quedado, pero ya era una distracción, y si Baby Jane tenía personalidad propia, y ciertamente la tenía, a Eunice no le cabía la menor duda de que al final sería una superestrella por méritos propios.

Ya en la cocina, Eunice puso el hervidor al fuego mientras Bomber revisaba el correo. Baby Jane se instaló en su cojín y apoyó la cabeza en las patas delanteras, preparada para la esforzada misión de comerse el dulce que le tocaba. Cuando Eunice volvió con el té, Bomber agitaba en el aire un delgado volumen de cuentos que le acababa de enviar un editor rival.

–*Perdidos y encontrados*, de Anthony Peardew. Mmmm. Este título me suena. Se está vendiendo bien, pero no sé por qué el viejo Bruce me lo ha enviado a mí.

Eunice cogió la tarjeta que acompañaba el envío y la leyó.

–Para regodearse –dijo–. «Bomber, por favor, acepta con un cordial saludo un ejemplar de este libro que está teniendo un éxito sin precedentes. Tuviste la oportunidad, querido amigo, y la desaprovechaste».

Bomber negó con la cabeza.

–No sé de qué está hablando. Si este Peardew nos hubiera mandado el libro, no lo habríamos dejado escapar. Será por la cantidad de laca que Bruce se pone en el pelo. Eso lo ha vuelto loco.

Eunice cogió el libro y lo hojeó. Unir el nombre del autor y el título fue como golpear hierro y pedernal, y en su memoria brotó una chispa: ¿un manuscrito? Eunice se estrujó los sesos en busca de una pista, pero era como atrapar con los dientes una manzana flotando: cuando creía haberla inmovilizado de un bocado, se le volvía a escapar. Baby Jane suspiró con un gesto teatral. Su dulce se estaba *retrasando* y el hambre la debilitaba. Eunice se echó a reír y le sacudió los blandos pliegues aterciopelados de la cabeza.

–¡Estás hecha una diva, señorita! Pero si engordas, te quedarás sin dulces. Correteás por el parque y tendrás que contentarte con tallos de apio. Si tienes suerte.

Baby Jane la miró con expresión compungida. Sus ojos negros eran como botones rodeados de largas pestañas de azabache. Siempre le funcionaba el truco. Tuvo su ración de dulce. Por fin.

Cuando ya se relamía los belfos, en una optimista búsqueda de posibles restos de crema, sonó el teléfono. Cada dos timbrazos, Baby Jane soltaba un imperioso ladrido. Desde su llegada había adoptado rápidamente una actitud autoritaria y dirigía el cotarro con mano dura. Respondió Bomber.

–Mamá.

Escuchó un momento. Eunice observaba su cara y supo inmediatamente que las noticias no eran buenas. Bomber se había puesto en pie.

–¿Quieres que vaya? Ahora mismo, si es necesario. No seas tonta, mamá. No me cuesta nada.

Tenía que ser Godfrey. El amable, encantador, divertido y caballeroso Godfrey que navegaba a la deriva por culpa de la demencia senil. Antaño majestuoso galeón cuyas velas se habían gastado y llenado de agujeros, ya no era capaz de gobernar el timón y mantener el rumbo, y había quedado a merced de turbiones y tormentas. El mes anterior había inundado la casa y encima le había prendido fuego. Había abierto el grifo para darse un baño, pero se había olvidado, y luego había bajado a secarse la camisa poniéndola encima de las placas eléctricas de la cocina, pero también se había olvidado y se había ido al pueblo a comprar un periódico. Cuando llegó Grace del invernadero, el agua que chorreaba del techo de la cocina había apagado las llamas de la camisa. La buena mujer no sabía si reír o llorar. En cualquier caso, se negó a admitir que necesitaba ayuda. Godfrey era su marido y lo quería. Había prometido estar con él «en la salud y la enfermedad». Hasta que la muerte los separase. No soportaba la idea de tenerlo en una institución con butacas y cómodas empotradas. Sin embargo… Esta vez se había escapado. O se había perdido, que venía a ser lo mismo. Tras buscarlo con mucho nerviosismo por el pueblo, Grace había vuelto para avisar a la policía. En la puerta se había encontrado con el párroco local, que, al dirigirse a casa de un feligrés, había visto a Godfrey andando por el centro de la carretera, con una escoba al hombro como si fuera un fusil y el sombrero rojo de Grace encasquetado en la cabeza. Había dicho al reverendo Addlestrop que le habían dado permiso de fin de semana y que ahora volvía al cuartel.

Bomber colgó el teléfono con un suspiro de resignación.

–¿Quieres que te acompañe o me quedo para defender el castillo con Baby Jane?

Antes de que Bomber pudiera responder, sonó el portero automático.

Portia recibió la noticia de la última escapada de su padre con espeluznante tranquilidad. Se negó a ir con Bomber a ver a sus padres y más todavía a ofrecer ayuda o apoyo. Bomber se esforzó en vano por hacer mella en la superficie de su insensible actitud.

—Esto es grave, hermanita. No puedes esperar que mamá esté pendiente de él a todas horas, día y noche, y papá es un peligro para sí mismo. Y dentro de poco, Dios no lo quiera, podría serlo también para ella.

Portia se observó las uñas pintadas de rojo. Se las había pintado hacía poco y estaba muy satisfecha. Incluso le había dado una libra de propina a la manicura.

—Bueno, ¿y qué esperas que haga yo? Debería estar en una casa.

—Ya está en una casa —dijo Eunice con los dientes apretados—. En la suya.

—Venga, cierra el pico, Eunuca. No es asunto tuyo.

—Pero al menos se preocupa —replicó Bomber.

Dolida por el contragolpe de su hermano y secretamente aterrorizada por la enfermedad de su padre, Portia respondió del único modo que sabía: con insultos.

—¡Qué cabrón y qué cruel eres! Yo también me preocupo por él. Pero soy sincera. Si es peligroso, habrá que encerrarlo. Yo por lo menos tengo el valor de decirlo. Tú siempre has sido un pusilánime: siempre les has hecho la pelota a los dos, a papá y a mamá, y nunca te has atrevido a enfrentarte a ellos como yo.

Baby Jane se dio cuenta de que las cosas se estaban saliendo de madre y no toleraba que hablaran a sus amigos con tan malos modos. Se puso a dar gruñidos roncos para expresar su malestar. Portia buscó con la mirada el origen de la queja y vio que la belicosa y pequeña carlina se preparaba para la batalla.

–¿Todavía está aquí esa asquerosa meacojines? Creía que ya estabais hartos de chuchos cuando se murió el otro monstruo.

Eunice miró la caja de cenizas de Douglas, que descansaba sobre el escritorio de Bomber, y pronunció una disculpa silenciosa. Buscaba ya la forma de replicar como es debido para hacer daño a aquella abominación de mujer cuando se dio cuenta de que Baby Jane había tomado la delantera. Tras levantarse del cojín con la elasticidad amenazadora de un león al acecho que acaba de localizar a una nerviosa gacela, clavó en Portia su mirada más feroz y subió el volumen de sus gruñidos hasta que le vibró todo el cuerpo. Entreabrió la boca y dejó al descubierto una pequeña pero eficaz dentadura. Portia agitó la mano hacia la perra, pero Baby Jane siguió avanzando con los ojos fijos en su presa e introdujo una nota iracunda en sus gruñidos.

–¡Fuera! ¡Fuera! ¡Quieta! ¡Siéntate!

Baby Jane no hizo caso.

Situada en el centro del despacho, Portia capituló emprendiendo una cobarde retirada con una ráfaga de improperios muy poco dignos de una dama.

Bomber se puso a recoger sus cosas.

Eunice repitió su oferta de ayuda.

–Te acompaño si quieres.

Bomber sonrió con gratitud, pero negó con la cabeza.

–No, no. Estaré bien. Tú quédate y cuida de *mada-me* –dijo, alargando la mano para acariciar a la perra entre las orejas. Baby Jane levantó los ojos y le dedicó una mirada afectuosa–. Por lo menos sabemos que ahora es verdad –añadió con sonrisa maliciosa.

–¿Qué es verdad? ¿Que Portia es pura palabrería con tacones de aguja?

Bomber negó con la cabeza y levantó delicadamente con la mano una patita rubia.

–¡No permitiré que nadie te arrincone!

Eunice se echó a reír.

–¡Vete de una vez, Patrick Swayze!

23

P erdidos y encontrados, de Anthony Peardew. ¡Sabía que había un ejemplar en la casa!

Laura entró triunfalmente en la cocina agitando un delgado volumen de cuentos. Freddy, en la mesa, levantó la vista del portátil sobre el que estaba inclinado. Le quitó el libro de las manos y pasó las páginas aprisa.

–¿Es bueno?

–Depende de lo que entiendas por «bueno». –Laura tomó asiento enfrente de él–. Se vendió muy bien. Al parecer, el editor que lo publicó entonces estaba muy contento. Creo recordar que era un hombrecillo muy particular. Vino a la casa un par de veces. Llevaba demasiada laca en el pelo.

–¿Demasiada? –replicó Freddy–. Yo diría que cualquier cosa es demasiado si no eres Liberace. O un bailarín de salón.

–Es lo que se llama «acicalamiento masculino» –dijo Laura sonriendo–. Pero no creo que seas especialista en ese tema –añadió, mirando los rizos rebeldes de pelo negro que le caían sobre el cuello de la camisa y el rastrojo que le oscurecía las mejillas.

–Ni falta que me hace –respondió, guiñándole el ojo–. Soy guapo de manera natural.

Pues sí, admitió Laura, aunque en silencio. ¡Señor! Esperaba que no se le hubiera escapado. Aunque a lo mejor había afirmado con la cabeza. Lo que sí sentía era un calorcillo revelador que le subía por el cuello. ¡Maldición! A lo mejor él pensaba que eran cosas de su edad. La madurez. Condenada ya a las bragas grandes, los calores repentinos y los camisones de franela. Y no era así, en absoluto. Incluso salía con un hombre.

–Pero... ¿te pareció bueno? –dijo Freddy.

–Perdona. Estaba a kilómetros de aquí. ¿Qué has dicho?

Freddy agitó el libro delante de ella.

–*Perdidos y encontrados*. ¿Qué te pareció?

Laura suspiró y abrió las manos encima de la mesa.

–Me pareció que estaba bien. Estaba hermosamente escrito, como todos sus libros, pero el contenido había perdido parte de la efectividad que era habitual en él. En mi opinión había demasiados «vivieron felices para siempre». Era casi como si poniendo finales felices en la vida de los demás, buscara uno para la suya.

–¿Y lo encontró?

Laura sonrió con tristeza.

–De momento, no.

Dedos cruzados.

–¿Por eso dejó de escribir?

Laura negó con la cabeza.

–No. Escribió varios volúmenes de cuentos basados en las cosas que encontraba, según creo ahora. Al principio eran cuentos optimistas, simpáticos y comerciales. Bruce, el de la laca, estaba entusiasmado con ellos y, desde luego, con el dinero que ganaba. Pero con el tiempo los cuentos se volvieron sombríos, los personajes, más ambivalentes; imperfectos, incluso. Los finales felices cedieron el paso a misterios incómodos y a preguntas sin respuesta. Todo esto fue antes de que llegara yo, pero cuando los leí, me parecieron mucho mejores y más cercanos a sus primeros libros, que exigían imaginación e inteligencia a los lectores. Anthony me contó que Bruce se había puesto furioso. Él solo quería más cuentos «bonitos»; gaseosa literaria. Pero Anthony le había dado absenta. Bruce se negó a publicarlos y ahí acabó todo.

–¿No buscó Anthony otro editor?

–No lo sé. Cuando empecé a trabajar para él, parecía escribir más para sí mismo que para los demás. Al final dejó de pasarme material para que lo mecanografiara, excepto alguna carta de vez en cuando.

Cogió el libro de la mesa y acarició la cubierta con ternura. Echaba de menos a su viejo amigo.

–¿Por eso deberíamos llamar *Perdidos y encontrados* a la página web?

Lo de la página web había sido idea de Freddy. Laura no había estado segura al principio. Anthony se había negado durante muchos años a la intrusión de la tecnología en su tranquila casa y, estando aún caliente su cadáver como quien dice, a Laura le parecía una especie de transgresión abrir las puertas al monstruo de internet y a todos los duendes que arrastraba. Pero Freddy la convenció.

–Lo único que Anthony te pidió que no cambiaras era la rosaleda. Te legó la casa porque sabía que harías las cosas bien. Ahora es tu casa, pero había una condición sobre su contenido y Anthony confiaba en que utilizarías el método más oportuno para devolver esas cosas a las personas que las perdieron.

La página web sería un gigantesco departamento virtual de «objetos perdidos» en el que la gente podría ver todo lo recogido por Anthony y reclamar lo que le perteneciera. Aún estaban concretando los detalles, incluido el nombre.

–*Perdidos y encontrados*. Demasiado soso. –Sunshine había salido del estudio y había entrado en la cocina en busca de galletas.

–¿Preparo la buena taza de té?

Freddy se frotó las manos con exagerado deleite.

–Ya creía que no ibas a proponerlo nunca. Estoy más seco que un Martini de James Bond.

Sunshine llenó el hervidor y lo puso al fuego con delicadeza.

–¿Cómo puede ser seca una bebida, que es húmeda porque es líquida?

–Buena pregunta, criatura –dijo Freddy, pensando «que me aspen si lo sé».

Laura salió en su rescate.

–¿Qué te parece *El reino de los objetos perdidos*?

Sunshine arrugó la nariz en un gesto de disgusto.

–San Antonio guardaba los objetos perdidos. Era el guardián y ahora lo eres tú. Debería llamarse *El guardián de los objetos perdidos*.

–¡Brillante! –dijo Freddy.

–¿Dónde están las galletas? –preguntó Sunshine.

Laura volvió de la peluquería en el momento en que Freddy, terminado su trabajo, se marchaba a su casa.

–Pareces distinta –dijo, casi como una acusación–. ¿Te has comprado otra rebeca?

Le habría dado un buen puntapié, aunque en broma, claro. La verdad es que la chaquetilla de punto que llevaba tenía años de antigüedad y la capa de bolitas que la cubría lo demostraba. Pero había invertido casi dos horas y setenta libras en cortarse el pelo y ponerse lo que Elise, la peluquera, había llamado reflejos de cobre bruñido. Cuando salió del salón de belleza, sacudiendo la reluciente melena castaña como un travieso poni de exhibición, se había sentido de maravilla. Y ahora, sin saber por qué, tenía la impresión de haber tirado el dinero.

–He ido a la pelu –murmuró con los dientes apretados.

–Ah, caramba. Entonces debe de ser eso –dijo Freddy, buscando las llaves del coche en la mochila. Cuando las encontró, sonrió a la mujer y se dirigió a la puerta–. Me voy ya. Hasta mañana.

Cuando se cerró la puerta de la calle, Laura, irritada, dio un puntapié al paragüero de bambú, derribándolo con todo su contenido. Mientras recogía paraguas y bastones, se dijo que no había cambiado de *look* para Freddy, de modo que carecía de importancia que él ni siquiera se hubiera fijado.

Ya en el piso de arriba, admiró el nuevo vestido negro que colgaba de la puerta del armario. Era elegante y de buen gusto, aunque una pizca atrevido, ya que dejaba al descubierto la parte de pierna y escote que correspondía a una mujer de su edad, según le había comentado la vendedora que había aceptado su tarjeta de crédito. Laura pensó que era un poco ceñido y una barbaridad de caro. Tendría que comer muy poquito y, sobre todo, no derramarse nada encima.

El hombre con el que salía se llamaba Graham. Era director de zona de Vince y había coincidido con él en el aparcamiento de The Moon is Missing el día que había ido a almorzar allí. Lo había visto muchas veces en las cenas navideñas de la concesionaria y en muchos otros acontecimientos sociales, cuando ella aún estaba casada con Vince y él con Sandra. Pero ella estaba libre ahora y él, aunque algo más recientemente, también. Así que Graham le había propuesto quedar. Y como justo ese día Laura había conocido a Felicity, había pensado «¿por qué no?». Y había aceptado.

Pero ya no estaba tan segura. Mientras se introducía en el vestido con calzador y volvía a mirarse el pelo en el espejo, empezó a tener dudas. Según Elise, cuya peluquería funcionaba también como un confesionario para muchas clientas, Laura era últimamente el tema de conversación favorito de las marujas locales. Anthony había sido en vida una pequeña celebridad porque era un escritor que publicaba. Por lo tanto, cuando murió sus asuntos pasaron a ser de dominio público, como era de rigor, aunque de un rigor un poco discutible. En relación con el difunto, Laura era desde una «maquinadora cuidamomias» y una «puta buscatesoros» a «una amiga fiel y beneficiaria merecida» y una «antigua campeona nacional de bailes tradicionales irlandeses».

–Pero creo que la señora Morrissey te quiere enredar ahora con otra persona de allí –tuvo que admitir Elise–.

Bueno, tiene ya ochenta y nueve años y solo come coles de Bruselas los jueves.

Laura se dijo que quizá fuera preferible no salir. La gente podía pensar que salía a divertirse cuando aún no había transcurrido un tiempo de luto prudencial. Con el nuevo vestido y el nuevo peinado, podía dar la impresión de que hacía ostentación de su herencia; de que bailaba sobre la tumba del muerto antes de que la tierra se asentara. Solo que, técnicamente, no había tumba, porque el difunto había sido incinerado y las cenizas, esparcidas. Bueno, se le estaba haciendo tarde. Miró la hora. Graham ya estaría a punto de llegar. Siempre le había parecido un hombre muy formal. Un caballero.

«No pasará nada –se dijo–. Solo es una cena».

Pero cuando llegó con el taxi se le había quitado el hambre.

Graham era, efectivamente, un caballero. La estaba esperando en el restaurante con un cóctel de champán y una sonrisa algo nerviosa. Recogió su abrigo, la besó en la mejilla y le dijo que estaba preciosa. Cuando Laura tomó el primer sorbo de alcohol empezó a relajarse. Bueno, todo lo que le permitía la tortura del vestido. Puede que al final todo saliera bien. La comida era deliciosa y Laura comió todo lo que pudo con el estómago comprimido, mientras Graham le hablaba de la ruptura de su matrimonio; el fuego se había apagado; aún eran amigos, pero ya no eran amantes. También le habló de su interés, de reciente adquisición, por la marcha nórdica, según él, «una versión del paseo empleando todo el cuerpo, con ayuda de bastones de fibra de vidrio». Laura contuvo las ganas de bromear diciendo que él no tenía aspecto de necesitar un bastón, y menos dos, pero tuvo que admitir que parecía muy en forma. Graham estaba a punto de cumplir los cuarenta y seis años, pero su torso, por suerte, no había cedido aún al desplome muscular de la madurez. Era ancho de espaldas y debajo de la bien planchada camisa se le notaban los músculos de los hombros.

Mientras se repintaba los labios en el lavabo de señoras, Laura se felicitó. No hay nada malo en salir con este hombre, se dijo. Y en la mesa tenía unos modales exquisitos. Apretó los labios y dejó caer el lápiz en el bolso.

Graham quiso acompañarla a su casa en taxi. Relajada por el vino y la cómoda compañía, apoyó momentáneamente la cabeza en el hombro de Graham mientras daba al taxista la dirección de Padua. No tenía intención de invitarlo a un café, ya fuera la bebida o el eufemismo. Sabía que no debía permitir que los chismorreos la molestaran, pero no podía evitarlo. Y que la hubieran llamado «puta» era la bofetada que más le escocía. Solo se había acostado con tres hombres en toda su vida y uno era Vince, así que él no contaba. No se enorgullecía de ello; en realidad deseaba que hubiera habido más. Puede que si hubiera estado con más hombres, hubiera encontrado al definitivo. Pero no en una primera cita. Y Graham era un caballero. No lo habría esperado.

Diez minutos después, un Graham algo confundido volvía a su casa en taxi. No había llegado ni siquiera a la puerta de la calle y, menos aún, a la primera etapa. Laura estaba en el cuarto de baño haciendo enjuagues con un colutorio antiséptico. Al escupir el picante líquido en la pila, miró de reojo su expresión en el espejo, todavía sorprendida. El rímel, mezclado con las lágrimas, descargaba riachuelos negros por sus mejillas y el lápiz de labios se le había corrido hasta formar una grotesca boca de payaso. Parecía una puta. Se desnudó dándose furiosos tirones, se quitó el vestido por la cabeza y lo estrujó hasta formar una pelota arrugada. Fue a la cocina, lo tiró con saña en el cubo de la basura y abrió con violencia el frigorífico. El *prosecco* le supo a rayos después de los enjuagues, pero no quiso ceder y apuró el vaso. Se llevó la botella a la habitación del jardín y encendió la chimenea, derribando el vaso sin querer y rompiéndolo.

–¡Mierda! ¡Hostia! ¡Joder! ¡Vaso cabrón! –dijo a los cortantes fragmentos que reflejaban las llamas del hogar–. Pues ahí os quedáis, rotos y todo. ¡Que os recoja vuestra tía!

Volvió tambaleándose a la cocina y buscó otro vaso. Mientras apuraba el resto de la botella, miraba fijamente el fuego y se preguntaba a qué coño había estado jugando.

Borracha perdida, agotada por el llanto y los hipidos, se quedó dormida en el sofá, con la cara hinchada y hundida en la bonita melena de reflejos cobrizos.

24

Durmió alrededor de diez horas, pero cuando despertó se sentía como si hubiera dormido varias semanas. Los martillazos que oía dentro de su cabeza no tardaron en ser secundados por un rápido golpeteo en las puertas de cristales. Haciendo un esfuerzo sobrehumano, se incorporó lo mínimamente necesario para ver quién estaba acentuando su dolor de cabeza. Era Freddy. Cuando consiguió sentarse, el hombre ya estaba delante de ella con expresión imperturbable y un tazón de humeante café solo. Laura cubrió con una manta sus doloridos miembros mientras Freddy posaba los ojos en los dos vasos de vino, las botellas vacías y el pelo despeinado de la mujer.

—Ya veo que tu cita fue bien —dijo, en un tono un poco más incisivo de lo habitual.

Laura aceptó el tazón de café y murmuró algo ininteligible.

—Sunshine dijo que habías quedado con tu novio.

Laura dio un sorbo al café y se estremeció.

—No es mi novio —respondió con aspereza.

Freddy arqueó las cejas.

—Pues parece que aquí ha habido bastante intimidad.

A Laura se le llenaron los ojos de lágrimas, pero el vientre se le hinchó de ira.

–¿Y a ti qué coño te importa? –le espetó.

Freddy se encogió de hombros.

–Tienes razón. No es asunto mío. –Se volvió para irse–. Y gracias por el café, Fred –añadió.

–Ah, vete a la mierda –replicó Laura con voz apenas audible.

Dio otro sorbo al café. ¿Por qué se le habría ocurrido mencionar a Sunshine lo de la cita?

Sintió una alarmante afluencia de saliva caliente en la boca. Sabía que no iba a llegar al cuarto de baño, pero no intentarlo sería una grosería. Se sintió mal a mitad de camino. Muy mal. Se quedó allí, con las piernas embadurnadas de vómito y el café todavía en la mano, y se sintió una nulidad, pero al menos se alegró de no haber manchado la alfombra persa.

Una hora después, tras haber limpiado los charcos, haber vomitado otras dos veces, haber estado diez minutos bajo la ducha y haberse vestido de cualquier manera, se hallaba sentada a la mesa de la cocina, dando vueltas a una taza de té y mirando una tostada seca. La cita había terminado en desastre. El recuerdo de la lengua de Graham moviéndose apáticamente dentro de su boca como una babosa agonizante y empapada le producía un sudor frío. Bueno, eso y los efectos de dos botellas de vino espumoso. ¿Cómo había podido ser tan tonta? El timbre de la puerta traspasó su angustiante evocación. Sunshine. «Dios mío, no. Hoy no», pensó. Habría preguntas interminables sobre la noche anterior y no quería hablar de eso. Se escondió en la despensa. Si nadie le abría, Sunshine acabaría por dar la vuelta para ir a la puerta trasera, y si Laura se quedaba donde estaba, medio caída en la mesa, la muchacha la vería. Los timbrazos continuaron, pacientes e insistentes. La puerta trasera se abrió en aquel momento y entró Freddy.

–¿Qué diantres te pasa?

Laura le indicó con señas frenéticas que se callara y pasara a la despensa. Incluso aquella ligera actividad le martilleó las sienes. Para mantener el equilibrio, se aferró a un estante lleno de viejos frascos de encurtidos.

–Pareces estar en las últimas –dijo Freddy con su habitual delicadeza. Laura volvió a llevarse el dedo a los labios.

–¿Qué? –El hombre empezaba a impacientarse.

Laura suspiró.

–Sunshine está en la puerta de la calle y hoy no tengo humor para verla. Seguramente pensarás que estoy histérica, pero es que no quiero oír su bombardeo de preguntas. Hoy no.

Freddy movió la cabeza de un lado a otro, en un gesto burlón.

–No creo que estés histérica. Solo que te estás portando con mezquindad. Una mujer adulta que se esconde en una alacena para evitar a una muchacha que piensa que eres genial y disfruta de tu compañía, y todo porque estás con una resaca de campeonato, seguramente bien merecida. Por lo menos ten valor para salir y excusarte personalmente.

Las palabras de Freddy le escocieron en la piel como ortigas, pero antes de que Laura tuviera tiempo para replicar, los ánimos en la puerta de la calle se agriaron repentinamente.

Sunshine no tenía la menor idea de quién era la rubia que avanzaba por el sendero, pero parecía muy enfadada.

–Hola, soy Sunshine. Soy amiga de Laura. ¿Quién eres tú?

La mujer entrecerró los ojos mientras miraba a la muchacha de arriba abajo, sopesando si estaba obligada a responder o no.

–¿Está Freddo aquí? –preguntó.

–No –dijo Sunshine.

–¿Estás segura? Porque en el sendero del garaje he visto su puto Land Rover.

Sunshine observó con interés el progresivo enrojecimiento y acaloramiento de la rubia, que empezó a pulsar el timbre con un dedo pulcramente arreglado.

–Ese es el puto Land Rover de Freddy –dijo la muchacha.

–Luego ese cretino cabrón está aquí –vomitó la mujer.

Volvió a pulsar el timbre y aporreó la puerta con el puño.

–No quiere abrir –dijo Sunshine–. Seguramente estará escondida.

Felicity dejó de aporrear.

–¿Quién?

–Laura.

–Cómo, ¿aquella divertida ama de llaves? ¿De qué coño tendría que esconderse?

–De mí –respondió Sunshine con sonrisa melancólica.

–¡Pues será mejor que ese hijo de puta cabrón y mal nacido de Freddo no se esconda de mí!

Sunshine decidió mostrarse servicial. La rubia estaba ya realmente furiosa y la muchacha temía que pudiera romper el timbre.

–A lo mejor está escondido con Laura –sugirió–. Ella le gusta en serio –añadió.

Las palabras de Sunshine no surtieron el buen efecto que esperaba.

–¿Quieres decir que ese cabrón podría estar follando con la criada? –La mujer se agachó y se puso a dar gritos por la ranura del buzón.

Freddy se hizo un sitio en la despensa, al lado de Laura, y cerró la puerta. Ahora fue Laura quien enarcó las cejas.

–Es Felicity –susurró el hombre.

El tono burlón había desaparecido de su voz, para dejar paso a un asomo de desesperación.

–¿Y...?

Ahora fue Freddy quien suspiró.

–Habíamos quedado anoche, pero no pude ir y solo tuve ocasión de explicárselo cuando ya era tarde, por eso imagino que estará un poco enfadada... –dijo, pero su voz se fue apagando entre titubeos.

A pesar de tener frío, náuseas y la cabeza a punto de estallar, Laura no pudo reprimir una sonrisa. Pronunció lo siguiente con todo el placer revanchista que le permitían los estantes que se le clavaban en la espalda:

–Por lo menos has tenido valor para salir y excusarte personalmente.

Freddy la miró estupefacto y, entonces, una sonrisa pícara se abrió paso en su hermoso rostro.

–¡Sé que estás aquí, cabrón! –gritaba Felicity por la ranura del buzón–. ¡Tú y la puta del ama de llaves! Si te gusta esa vieja desaliñada y mustia, entonces está claro que no estás a mi altura. De todos modos, eres un zurullo capullo. ¡Que te aproveche la criada!

Sunshine estaba al lado de la encolerizada Felicity sin saber qué hacer. Había meditado todas las palabras que se habían dicho, o más bien gritado, y esperaba encontrarles un sentido más tarde. Puede que Laura la ayudara cuando dejara de esconderse. Felicity parecía haberse quedado sin fuerzas. Propinó a la puerta una patada de despedida y se fue por donde había llegado. Poco después Sunshine oyó cerrarse la portezuela de un coche, ponerse en marcha un motor y chirriar unos neumáticos. Felicity emprendía la huida con un humor de perros y dejándose medio centímetro de caucho en el asfalto. Justo cuando Sunshine también se disponía a marcharse apareció otra visita. Era una mujer mayor, sonriente, que vestía con elegancia.

–Hola –dijo–. ¿Laura vive aquí?

Sunshine se preguntó por las intenciones de la recién llegada.

–Sí. Pero seguramente se ha escondido.

La mujer no pareció sorprendida.

–Soy Sarah –dijo para presentarse–. Una antigua amiga de Laura.

Sunshine le tendió la mano.

–Yo soy Sunshine. Y soy la más reciente amiga de Laura.

–Seguro que es muy afortunada de tenerte como amiga –respondió la mujer.

A Sunshine le gustó la desconocida.

–¿Va a gritar también por el buzón de la puerta? –preguntó.

Sarah meditó unos segundos.

–Bueno, pensaba que bastaría con llamar al timbre.

Sunshine tenía hambre. Y no parecía que aquel día fuese a comer en Padua.

–Buena suerte –le deseó a Sarah, antes de emprender el camino de su casa.

Freddy y Laura seguían en la despensa, sin saber qué hacer. Aguzaban el oído para saber si aún quedaba alguien en la puerta de la calle. El timbre volvió a sonar. Un solo timbrazo, seguido por una pausa educada. Laura se aplastó contra los encurtidos.

–Ve tú –rogó a Freddy–. Por favor.

Freddy transigió, porque los insultos que Felicity había lanzado a Laura le habían causado remordimientos.

Abrió la puerta de la calle y vio a una señora madura, morena y atractiva, que le sonrió con confianza y le estrechó la mano con firmeza.

–Hola. Soy Sarah. ¿Puedo ver a Laura?

Freddy retrocedió para dejarla pasar.

–Desde luego, cuando deje de esconderse en la despensa.

Al oír la voz de Sarah, Laura apareció corriendo en el vestíbulo para recibirla.

–¡Tú también estabas escondido ahí dentro! –le recordó a Freddy.

Sarah los miró a los dos y le guiñó el ojo a su amiga.

–¿*Escondidos en la despensa?* Eso tiene que ser un eufemismo.

–¡De eso, nada! –El comentario de Freddy fue una reacción instintiva, pero a Laura le sentó como una patada en el estómago.

Sarah, como de costumbre, se dio cuenta de lo que hacía falta allí. Cogió a Laura por el brazo.

–¿Por qué no me preparas una buena taza de té? Por cierto, llevas un peinado divino.

25

Sarah Trouvay era una abogada de primera categoría con una trayectoria profesional llena de éxitos, dos hijos sanos y bulliciosos y un marido arquitecto de constitución robusta. También tenía un inesperado talento para el canto tirolés, por el que había recibido elogios cuando había interpretado el papel de María en la producción escolar de *Sonrisas y lágrimas*. Ella y Laura se habían conocido en el instituto y desde entonces habían sido amigas íntimas. No vivían cerca la una de la otra ni se veían con frecuencia; en realidad se veían o hablaban solo dos o tres veces al año. Pero el lazo que las unía, forjado cuando aún eran jóvenes y templado en el discurrir del tiempo por triunfos y tragedias, seguía teniendo tanta fuerza como vigencia. Sarah había visto a la joven, brillante, chispeante e intrépida Laura derrumbarse poco a poco por culpa de un matrimonio desafortunado y un aluvión de dudas de sí misma. Pero nunca había abandonado la esperanza de ver renacer victoriosa a la auténtica Laura en deslumbrante y glorioso tecnicolor.

–¿Y por qué asombroso milagro estás aquí? –preguntó Laura mientras llenaba el hervidor de agua.

–Bueno, es posible que tengan algo que ver los seis mensajes prácticamente ininteligibles que me dejaste esta madrugada, totalmente borracha, en el buzón de voz.

–Madre mía. No era yo, ¿verdad? ¿O sí? –Laura se cubrió la cara con las manos.

–Desde luego que eras tú. Y ahora quiero que me cuentes toda la historia. Hasta el último detalle, por sórdido que sea. Podríamos empezar por «el pobre Graham». ¿Quién diablos es el «pobre Graham»?

Laura se lo contó casi todo. Empezando por el vestido, que todavía sobresalía por el borde del cubo de basura, y terminando por la segunda botella de *prosecco* que se había bebido delante de la chimenea. El resto de la noche –incluidas las llamadas telefónicas– había desaparecido para siempre en el limbo del sopor alcohólico.

–Pobre Graham. –Sarah estaba por fin en condiciones de coincidir con su amiga–. ¿Por qué accediste a salir con él?

Laura parecía un poco confusa.

–La verdad es que no lo sé. Puede que solo porque me lo pidió. Es el único que lo ha hecho. Siempre me pareció muy simpático. No le veía ningún defecto.

Sarah cabeceó con incredulidad.

–No tener ningún defecto no significa ser don Perfecto.

Laura suspiró. Ojalá pudiera dejar de pensar en don Defecto como en don Perfecto. Volvió a llevarse las manos a la cara.

–¡Ese condenado jardinero! –Lo había dicho en voz alta, sin poder contenerse.

–¿Quién?

Laura sonrió con expresión compungida.

–No es nada. Hablaba conmigo misma.

–Ya sabes que ese es el primer síntoma.

–¿El primer síntoma de qué?

–De la menopausia.

Laura le arrojó una galleta.

–Cuando se puso a hablarme de la marcha nórdica, debería haber sabido que no iba a funcionar.

–¡A lo mejor quería impresionarte con su pico de oro! –Sarah rompió a reír y Laura fue incapaz de reprimir un ligero cascabeleo culpable.

Entonces le contó lo del beso en el porche. Aquel beso espantoso e interminable.

Sarah, que la estaba mirando, se encogió de hombros en un gesto de exasperación.

–¿Y qué coño esperabas? Graham no te gusta. Nunca te ha gustado. Estaba condenado a ser un beso de cartón.

Laura negó vehementemente con la cabeza.

–No. Fue peor, mucho peor. Habría sido infinitamente preferible un trozo de cartón. –Recordó la babosa con asco–. Y mucho menos húmedo.

–Hablando con sinceridad, Laura, ¿por qué no te limitaste a presentarle la mejilla o a apartarte?

Entre la risa y la confusión, Laura estaba sonrojada hasta las cejas.

–No quería ser grosera. De todos modos, pegó la boca a la mía con la firmeza de un módulo espacial cuando se acopla.

Sarah se desternillaba de risa. Laura se sentía fatal. Pobre Graham. No merecía que se burlaran de él. Recordó el desconcierto que se había dibujado en su cara cuando ella interrumpió el acto de succión, balbució una despedida, huyó al interior de la casa y cerró dando un portazo. Pobre Graham. Pero eso no significaba que estuviera obligada a verlo otra vez.

—¡Que le den al pobre Graham! —Sarah tenía una siniestra capacidad para adivinar lo que Laura estaba pensando—. Creo que sería mejor decir «pobre Laura». Él no sabe besar, tiene una lengua torpe. Pues te enjuagas la boca y a otra cosa.

Laura no podía dejar de sonreír, pero cuando ya empezaba a animarse, un recuerdo vino a tumbarla como una ola incontrolada que derriba a un piragüista.

—¡Mierda! —Se echó hacia delante para apoyar los codos en los muslos y enterró nuevamente la cara entre las manos.

Sarah dejó la taza en la mesa y se preparó para la siguiente revelación.

—¡Freddy! —gruñó Laura con voz lastimera—. Me ha encontrado esta mañana.

—¿Y?

—Me ha encontrado esta mañana con la boca llena de baba y pegada al sofá, con el maquillaje de anoche totalmente corrido, bastante ligera de ropa y, encima, rodeada de botellas vacías y dos vasos. ¡Dos, Sarah! ¡Creerá que Graham entró «a tomar un café»!

—Por muy persuasivas que sean las pruebas, son puramente circunstanciales. De todos modos, ¿qué importa lo que piense Freddy?

—¡Creerá que soy una prostituta borracha!

Sarah sonrió y habló despacio y con dulzura, como si se dirigiese a una niña.

—Pues si te importa tanto, dile lo que pasó realmente.

Laura suspiró con desánimo.

–Entonces pensará que soy una «vieja desaliñada y mustia».

–¡Muy bien! –Sarah golpeó la mesa con las palmas–. Basta de llorar y compadecerse. Ahora, arriba, vieja mustia, y ponte presentable. Después de haberme alejado de mi trabajo para escuchar tus desgarradoras y aburridas quejas, lo menos que puedes hacer es invitarme a almorzar. Y no me refiero a comer un bocadillo, sino una comida caliente como Dios manda. ¡Y con pudin de postre!

Laura le dio un golpecito juguetón en la cabeza cuando salió de la cocina, desordenándole el *brushing* perfecto. Un segundo después entró Freddy por la puerta trasera.

Sarah se levantó, le tendió la mano y le ofreció su más espléndida sonrisa.

–Hola otra vez. Me temo que no me he presentado como es debido. Soy Sarah Trouvay, una antigua amiga de Laura.

Freddy le estrechó la mano, pero en vez de mirarla a los ojos, se dirigió al fregadero para llenar el hervidor de agua.

–Freddy. Solo he entrado para hacerme un café. ¿Quiere usted otro?

–No, gracias. Ya nos íbamos.

El silencio, deliberado por parte de Sarah y violento por la de Freddy, se vio interrumpido por el borboteo del agua que hervía. Mirando a todas partes menos a Sarah, Freddy advirtió el vestido de Laura en el cubo de basura. Lo cogió y lo levantó.

–Mmm…, bonito vestido.

–Sí. Apuesto a que Laura estaba guapísima con él.

Freddy, sintiéndose incómodo, frotó las embarradas botas contra el suelo.

–No sé.

Sarah se levantó al oír que Laura bajaba la escalera.

–Ya sé que no es asunto mío, pero a veces es necesario que alguien diga algo, aunque no sea la persona más indicada. Anoche: no fue lo que parecía. –Se volvió para salir de la cocina y añadió por encima del hombro–: Por si le interesa.

–Tampoco es asunto mío –murmuró Freddy con mal humor mientras vertía el agua caliente en su taza.

«Mentiroso, cara de oso», pensó Sarah.

En The Moon is Missing se celebraba el velatorio simbólico de un antiguo entrenador de boxeo y tratante de caballos llamado Eddy O'Reagan el Burro, que había fallecido a los noventa y dos años. Saltaba a la vista que los partícipes llevaban ya un rato largo brindando por el querido difunto, porque todos estaban muy animados, bulliciosos y sentimentales. Laura y Sarah se las arreglaron para colarse en un reservado y mientras comían salchichas a la cazuela y puré de patatas que Sarah regaba con una copa de vino tinto de la casa y Laura con una Coca-Cola *light*, se pusieron al corriente de sus vidas. Habían hablado brevemente al morir Anthony, pero desde entonces Sarah había estado trabajando en un caso que acababa de llevarse a los tribunales.

–¿Lo has ganado? –preguntó Laura.

–¡Naturalmente! –dijo Sarah, hurgando con el tenedor en el pastoso plato de salchichas con guisantes que tenía justo delante–. Pero no te preocupes por eso. Cuéntamelo todo.

Laura obedeció. Le contó lo del testamento y la carta de Anthony; lo del estudio lleno de objetos; lo de haberse escondido de Sunshine; lo de ser la comidilla del pueblo; y lo de Felicity.

–Hasta cierto punto es una gozada; la casa es preciosa, pero el departamento adjunto de objetos perdidos es otra historia. ¿Cómo voy a devolver todo ese material? Es una locura. Y no sé qué hacer con Sunshine, no hay la menor garantía de que la página web funcione y la mayoría de los vecinos piensan que soy una puta que solo se interesa por el dinero. Terminaré viviendo en una casa llena de ratones, telarañas y objetos ajenos hasta que cumpla ciento cuatro años, y cuando muera, tardarán meses en darse cuenta, y cuando echen la puerta abajo y me encuentren, me estaré licuando en el sofá.

–Y no por primera vez –respondió Sarah guiñándole el ojo. De repente dejó el cuchillo y el tenedor en el mantel y apartó el plato.

–Laura. Querida, encantadora, divertida, inteligente y superlativamente irritante Laura. Has heredado una mansión de narices, llena de tesoros y con un bombón de jardinero de regalo. Anthony te quería como a una hija y te confió todo lo que era valioso para él, y en lugar de ponerte a dar volteretas, estás aquí quejándote. Él creía en ti; yo siempre he creído en ti. No te escondes solo de Sunshine; te escondes de todo. Y ya es hora de dejar de esconderse y de levantar la vida a patadas. Y que se vaya al diablo lo que piensen los demás –añadió, por si acaso.

Laura tomó un sorbo de Coca *light*. No estaba convencida. Pero le daba terror la idea de decepcionar a otra persona que la quería.

Sarah contempló las atribuladas facciones de su amiga más querida. Alargó la mano y la apoyó sobre la de Laura. Había llegado el momento de decir unas cuantas verdades pospuestas ya demasiado tiempo.

–Laura, tienes que olvidarte del pasado. Mereces ser feliz, pero tienes que quererlo. Depende de ti. Cuando conociste a Vince tenías diecisiete años, eras todavía una niña; pero ahora eres una mujer adulta, así que empieza a portarte como tal. Deja de castigarte por lo que hiciste en otro tiempo, pero tampoco lo utilices como coartada. Ahora tienes la oportunidad de vivir bien. Aprovéchala y disfruta.

Sarah se echó atrás para ver el efecto de sus palabras. Probablemente era la única persona en el mundo que podía y quería hablar a Laura de aquel modo. Estaba decidida a averiguar si la mujer a la que había conocido seguía allí y a hacer que se manifestara. Por la fuerza, si hiciera falta.

–¿Sabes que en aquella época Vince nos gustaba a todas? –Laura la miró con incredulidad–. En serio. No solo a ti. Era guapo, tenía un coche fantástico y fumaba Sobranies. ¿Qué más podía querer una chica? Todas pensábamos que era un sexo con piernas. Fue mala suerte que te eligiera a ti.

Laura sonrió.

–Siempre fuiste una marisabidilla insoportable.

–Sí, pero tengo razón, ¿verdad? Vamos, Laura. Tú vales más que esto. ¿Cuándo te volviste tan apocada? Ahora tienes una oportunidad que solo se presenta una vez en la vida, una oportunidad superfantástica de veinticuatro quilates que está al alcance de poquísimas personas. Si la dejas pasar, no te lo perdonaré nunca. Y algo más importante: ¡tú nunca te perdonarás a ti misma! –Sarah levantó la copa como si se dispusiera a brindar–. Y en cuanto a que es una locura, te viene como anillo al dedo. Siempre fuiste una canción loca.

Laura sonrió. Era el apodo que Sarah le había puesto cuando estudiaban en el instituto, cuando la vida era todavía una aventura emocionante y estaba llena de posibilidades.

–Tonta del culo... –murmuró.

–¿Perdón? –Aunque normalmente imperturbable, Sarah parecía un poco sorprendida.

Laura sonrió.

–Yo, no tú.

–Eso ya lo sabía. –Sarah le devolvió la sonrisa.

Laura empezaba a darse cuenta de que la vida seguía siendo una aventura emocionante y llena de posibilidades; posibilidades que durante años había deseado, pero no buscado. Tenía que recuperar mucho tiempo perdido.

–¿Y acerca de Sunshine? –preguntó–. ¿Algún consejo?

–Habla con ella. No es tonta, es que tiene síndrome de Down. Dile cómo te sientes. Inventa algo. Y mientras estás en ello, explícale lo que sucedió realmente en tu cita. Y si no se lo explicas a Freddy, estoy convencida de que lo hará ella.

Laura negó con la cabeza.

–Quizá, aunque a él le da lo mismo en el fondo. Ya has oído lo que ha dicho cuando has insinuado que habíamos hecho cosas en la despensa. «De eso, nada».

–Ay, Laura. A veces me da la sensación de que estás en Babia.

Laura reprimió el deseo de clavarle el tenedor en el dorso de la mano.

–¿Te acuerdas de Nicholas Barker, del instituto?

Laura recordaba a un chico alto y pecoso de brazos fuertes y zapatos raídos.

–Cuando estábamos en el autobús o me tiraba del pelo o no me hacía el menor caso.

Sarah sonrió.

–Era un chico tímido. Y lo hacía porque le gustabas.

Laura emitió un quejido.

–Válgame Dios. No me digas que estamos todavía en secundaria.

–Habla por ti misma. Aunque, en mi opinión, cuentas con una base firme para arreglar las cosas. Sobre todo si Freddy te gusta tanto como tú le gustas a él. ¡Y ahora quiero pudin!

Sarah llamó un taxi desde el bar para ir a la estación. Mientras lo esperaban en la calle, Laura abrazó a su amiga con gratitud.

–Muchísimas gracias por haber venido. Lamento haberte causado tantas molestias.

–Para variar –replicó Sarah en son de broma–. Hablando en serio, no te preocupes. Tú harías lo mismo por mí.

–No estoy tan segura.

Así era Laura; siempre escudándose tras una broma, desentendiéndose de los elogios. Pero Sarah no olvidaba que aquella misma Laura, ocho años antes, se secaba las lágrimas en una habitación apartada del hospital, mientras el destrozado marido de Sarah se paseaba en el aparcamiento, sollozando y fumando sin parar. La misma Laura que le cogía la mano mientras ella daba a luz a su primera criatura, una niña preciosa que había fallecido antes de poder tenerla en brazos. Una hija a la que habrían bautizado con el nombre de Laura-Jane.

Más tarde, Laura fue en busca de Sunshine y la encontró sentada en el banco del parque de enfrente de la casa.

–¿Puedo sentarme contigo? –preguntó. Sunshine sonrió. Su sonrisa, cálida y acogedora, llenó a Laura de culpabilidad y vergüenza–. Quiero pedirte disculpas –añadió.

–¿Por qué?

–Por no haberme portado contigo como una buena amiga.

Sunshine meditó un momento.

–¿Yo te caigo bien?

–Sí, claro. Mucho.

–Entonces ¿por qué te escondes? –preguntó con tristeza.

Laura suspiró.

–Porque todo esto es nuevo para mí; vivir en esta casa; los objetos perdidos; cumplir la voluntad de Anthony. A veces me enfado y me armo un lío, y necesito estar sola.

–¿Y por qué no me lo dijiste?

Laura le sonrió.

–Porque a veces me porto como una tonta.

–¿Nunca tienes miedo?

–Sí, a veces.

Sunshine le cogió la mano y se la apretó. Los dedos blandos y gordezuelos de la muchacha estaban helados. Laura tiró de ella para levantarla del banco.

–Vamos a preparar una buena taza de té –dijo.

26

Creo que necesita la galleta –dijo Sunshine, acariciando con ternura el bulto de pelo y huesos que debía haber sido un lebrel cruzado.

El perro le dedicó una mirada asustada en la que se reflejaban las palizas que había soportado. Cansados de torturarlo, sus verdugos lo habían echado a la calle para que se las apañara por su cuenta. Freddy lo había encontrado la tarde anterior, tirado en la franja de hierba que rodeaba Padua. Llovía mucho y estaba empapado y demasiado agotado para resistirse cuando Freddy lo recogió y lo hizo entrar. Lo había atropellado un coche y tenía una herida superficial en el anca, que Laura había limpiado y vendado mientras Freddy trataba de calmar sus temblores envolviéndolo en una toalla. Se negó a comer, aunque bebió un poco de agua, y Laura se quedó con él toda la noche, durmiendo a rachas en un sillón, en tanto que el perro yacía a unos centímetros del fuego, abrigado con una manta y sin moverse. Cuando los primeros rayos mortecinos del amanecer invernal se filtraron por las cortinas de encaje del estudio de Anthony, Laura cambió de postura. Tenía el cuello agarrotado y dolorido, tras haber pasado la noche encogida de cualquier manera en el sillón. El fuego se había reducido a unos rescoldos agonizantes, pero el perro seguía sin moverse.

Dios mío, no, pensó mientras se acercaba para comprobar si la manta subía y bajaba, y su ruego se había cumplido. Pero no. Ningún movimiento. Ningún sonido. Antes de que las lágrimas que ya inundaban sus ojos le corrieran por las mejillas, sin embargo, la manta dio una sacudida brusca. Se oyó una inspiración jadeante y se reanudaron los ruidosos ronquidos pese a los cuales Laura había conseguido dormir.

Sunshine se había entusiasmado al llegar aquella mañana y descubrir que había un huésped canino en la casa. Fue el momento de mayor animación que Laura había visto en la muchacha, normalmente solemne y seria. Entre las dos consiguieron que el animal comiera un poco de pollo guisado y una rebanada de pan con mantequilla. Sunshine había inspeccionado con delicadeza su esquelética complexión y estaba decidida a alimentarlo con todo lo que tuviera a mano.

–No hay que obligarlo a comer demasiado en seguida. Tiene el estómago encogido y si lo atiborramos, vomitará –avisó Laura.

Sunshine hizo una mueca que indicaba claramente que no le gustaban los vómitos.

–A lo mejor necesita beber más –sugirió, expectante.

Laura comprendía su ansiedad. Deseaba con todas sus fuerzas que el animal se pusiera mejor, más gordo y más en forma. Para que fuera feliz. Pero a veces lo mejor era no hacer nada, por difícil que resultara la pasividad.

—Creo que solo necesita descansar —le dijo a Sunshine—. Arrópalo con la manta y déjalo tranquilo un rato.

Sunshine lo estuvo «arropando» con mucho cuidado durante diez minutos, hasta que Laura la convenció de que fuera con ella y la ayudara con la página web. Freddy llegó más temprano de lo acostumbrado y las encontró en el estudio.

—¿Cómo está nuestro pobre amiguito?

Laura no quería apartar los ojos de la pantalla.

—Un poco mejor, creo.

Desde el episodio de la despensa, la turbación y la torpeza pesaban sobre ambos como una nube invisible. Laura tenía ganas de despejar la atmósfera y explicarle lo que había ocurrido realmente durante su cita, pero sin saber por qué no encontraba la forma de empezar la conversación. Freddy se acercó a la chimenea y se agachó junto a la manta. Un par de ojos grandes y llenos de tristeza se clavaron en él. Freddy le acercó el dorso de la mano para que el perro lo olfateara, pero el animal, desconfiado por experiencia, se encogió de manera instintiva.

—Eh, eh, tranquilo, chico. Nadie va a hacerte daño aquí. Soy el que te encontró.

El perro escuchó su amable voz y asomó cautelosamente el hocico para olfatear, aunque no muy convencido. Sunshine observaba con atención el diálogo entre el animal y el humano. Suspiró exageradamente y puso los brazos en jarras.

—¿No tenía que descansar? —preguntó, en tono de reproche.

Freddy levantó las manos, para indicar que se rendía, y se acercó a la mesa, donde Laura tecleaba en el portátil.

–Entonces, ¿os lo vais a quedar?

Sunshine respondió antes de que Laura tuviera tiempo de tomar aliento.

–Juro que nos lo quedamos, que me muera ahora mismo si no es verdad. Estaba perdido y tú lo has encontrado. Eso es lo que hacemos –dijo, levantando las manos para subrayar sus palabras y darles más fuerza. Tardó un poco en poner al mismo nivel sus pensamientos y sus sentimientos, pero cuando lo consiguió, añadió con actitud desafiante–: Pero no lo devolveremos.

Miró a Freddy y a Laura para buscar confirmación. Freddy le guiñó el ojo y sonrió.

–No te preocupes, Sunshine. No creo que nadie quiera reclamarlo –dijo. Y de repente, como si hubiera recordado el lugar que ocupaba allí, añadió–: Naturalmente, es Laura quien decide.

Laura se volvió para mirar el bulto tapado que seguía calentándose junto al fuego y que aún no sabía que estaba a salvo desde el momento en que había entrado en aquella casa. Desde aquel momento, había pasado a ser de Laura.

–Tendremos que ponerle nombre –dijo.

Sunshine dio a entender una vez más que iba un paso por delante.

–Se llama Zanahoria.

–Ah, ¿sí? –dijo Freddy–. Y eso porque...

–Porque lo atropelló un coche en la noche oscura porque no lo vio.

–¿Y? –prosiguió Freddy, inclinando la cabeza en un gesto interrogativo.

–Las zanahorias ayudan a ver en la oscuridad.

Sunshine había pronunciado la conclusión en voz alta y con lentitud, como una turista británica en un país extranjero.

Acabada la buena taza de té, que Sunshine permitió que preparase Laura mientras ella cuidaba de Zanahoria, Freddy se fue a trabajar al jardín y Laura y la muchacha volvieron a concentrarse en *El guardián de los objetos perdidos*. Laura había emprendido la hercúlea labor de introducir los detalles de los objetos perdidos en una base de datos accesible por vía informática. Sunshine seleccionaba los objetos revisando estantes y cajones. Cuando Laura terminaba de introducir los detalles de un objeto concreto, este se marcaba con un adhesivo en forma de estrella dorada. Las estrellas les habían llegado por correo en paquetes de cincuenta. Habían comprado diez paquetes, pero ahora que la operación estaba en marcha, Laura tenía la impresión de que iban a necesitar muchos más. Sunshine colocó los objetos en la mesa, formando una línea clara: unas pinzas de depilar, un naipe en miniatura (el rey de tréboles) y un soldadito de plástico. Aún tenía en la mano la pulsera de la amistad.

Pulsera de hilo trenzado, rojo y negro.
Encontrada en el pasaje subterráneo entre Fools Green
y Maitland Road, el 21 de mayo...

Chloe sintió el líquido en la boca inmediatamente antes de que le subiera la primera ola de vómito. La ar-

cada la obligó a doblarse por la cintura y procuró no mancharse los zapatos nuevos. Los ruidos de su vergüenza y de su humillación resonaron en las paredes de hormigón del pasaje subterráneo.

A todo el mundo le gustaba el señor Mitchell. Era el profe más guay del instituto. «Los chicos quieren ser él y las chicas estar con él», había canturreado la víspera su amiga Claire, cuando se habían cruzado con él en el pasillo. Chloe no. Ya no. Habría querido estar en cualquier sitio menos con él. El señor Mitchell («Llamadme Mitch… no me chivaré si no lo hacéis») enseñaba música y, al principio, ella también habría bailado al son que él quisiera. Poseía el inestimable don de la persuasión. Con su rostro atractivo, su labio y su encanto, era inevitable adorarlo. Chloe había pedido a su madre que le permitiera asistir a las clases privadas de canto que daba el señor Mitchell. En su casa. Su madre no lo entendía: Chloe era una muchacha tranquila, que prefería perderse en el coro en vez de buscar el centro del escenario. Era una «buena» chica. Una chica «como debe ser». Iba a ser difícil conseguir dinero para las lecciones de canto, pero tal vez su madre pensara que valdría la pena costearlas si aumentaban la confianza de Chloe. Y el señor Mitchell era un profesor muy brillante. Parecía ocuparse muy en serio de sus alumnos, no como otros del instituto que se limitaban a cumplir con el horario, cogían el dinero y salían corriendo.

Al principio había sido emocionante. Las miradas a los ojos habían sido un poco prolongadas en clase; cuando sonreía, la miraba a ella. Era especial para él, estaba segura. Cuando acudió a la primera clase de canto estaba hecha un manojo de nervios. Mientras se dirigía andando a la casa del señor Mitchell se aplicó brillo de color rosa en los labios, con los dedos: «Mohín de Pasión». Luego se frotó los labios para quitárselo. Durante la tercera clase, el señor Mitchell le indicó que se sentara junto a él, ante el piano. Que él le pusiera la mano en el muslo fue excitante y embriagador. Pero peligroso. Fue como atajar por un callejón oscuro a las tantas de la noche. Sabes que no debes. Sabes que te arriesgas, pero siempre cabe la posibilidad de que no pase nada. En la siguiente ocasión, el señor Mitchell se colocó detrás de ella y le puso las manos en el pecho; con suavidad, acariciándola. Dijo que tenía que comprobar si respiraba correctamente. La fantasía infantil del romance se vio brutalmente reemplazada por la sórdida realidad de unas manos que palpaban y de un aliento jadeante y tórrido en su oído. Entonces, ¿por qué había vuelto? Porque, a pesar de lo ocurrido, había vuelto. ¿Y qué otra cosa podía hacer? ¿Qué iba a decirle a su madre? Chloe lo deseaba tanto como él. Es lo que él le había dicho, y ella se sentía encadenada por la precaria verdad de aquellas palabras. Al principio quería, ¿no?

El dolor físico le traspasaba todavía el cuerpo entero, aumentado por el recuerdo recurrente de lo sucedido. Había dicho que no. Había gritado que no. Pero quizá dentro de su cabeza y no de labios hacia fuera. El cuerpo que había sido exclusivamente suyo se había perdido para siempre, arrebatado o entregado, aún no lo sabía con seguridad. Volvió a limpiar-

se la boca y al pasarse la mano por la cara reparó en la pulsera de la amistad. Se la había regalado él al final de la primera clase, porque, según le había dicho, iban a ser amigos muy especiales. Se la arrancó de la muñeca y la tiró al suelo. Arrebatada. Ahora estaba segura.

Sunshine estrujó la pulsera con la mano. Laura no vio su mueca. Estaba absorta en la pantalla que tenía delante, moviendo los dedos sobre el teclado. Sunshine se llevó un dedo de advertencia a los labios para que Zanahoria lo viera y tiró la pulsera al fuego. Volvió a los cajones para coger más cosas.

En un estante superior, la lata de galletas esperaba todavía su estrella dorada.

27

–¿**P**reparo la buena taza de té cuando venga el camionero aburrido? –se ofreció Sunshine servicialmente.

Laura asintió, aunque tenía la cabeza en otra parte: estaba pensando dónde iban a poner el enorme árbol navideño que en aquel momento languidecía, caído y con las agujas de punta, en mitad del vestíbulo. Freddy argumentaba que, según sus mediciones, cuando lo colocaran en posición vertical quedarían treinta centímetros entre la copa del árbol y el techo para que entrase la luz de fuera. Había ido al cobertizo para coger un soporte metálico, con objeto de demostrar su punto de vista, antes de que estallara una discusión. Aquella misma mañana esperaban a un hombre que iba a instalarles la banda ancha.

–No podemos decirle la hora exacta –le había dicho a Laura la encargada de tomar los recados–, solo darle una ventana horaria entre las once menos veintiuno de la mañana y las tres y catorce de la tarde.

Sunshine vigilaba el reloj del vestíbulo o, por lo menos, lo que podía ver de este a través de las ramas. Laura había acabado por enseñar a Sunshine a decir la hora –más o menos–, y anunciarla por el motivo que fuese era la última obsesión de la muchacha. Curioso por saber qué era todo aquel ajetreo, Zanahoria había abandonado su lecho de la chimenea para investigar tímidamente.

Un breve vistazo al bosque que se alzaba en el camino del vestíbulo fue suficiente para que diera media vuelta y volviese al estudio. Freddy reapareció con el soporte y tras considerar que el vestíbulo podía ser quizá el mejor sitio para dar cabida a las prodigiosas dimensiones del árbol, él y Laura se esforzaban por moverlo bajo la algo caprichosa dirección de Sunshine cuando sonó el timbre. Sunshine echó a correr y fue a abrir, dejando a los dos adultos sosteniendo con incómodo abrazo la gigantesca conífera.

El hombre que esperaba en la entrada tenía un aire de superioridad totalmente injustificado a juzgar por su categoría, su aspecto, su educación y su capacidad. Era, en pocas palabras, un idiota altanero. Un idiota altanero bajito. Bueno, Sunshine no estaba del todo segura, pero lo intuía.

–¿Es usted el camionero aburrido? –preguntó con cautela.

El hombre no le hizo caso.

–Vengo a ver a Laura.

Sunshine consultó su reloj de pulsera.

–Llega usted demasiado pronto. Solo son las diez. Su ventana no se ha abierto aún.

El hombre la miró como sus compañeros de clase la miraban en el colegio mientras la insultaban y le daban empujones en el patio del recreo.

–Pero ¿qué tonterías dice usted? Yo solo quiero ver a Laura.

La empujó para entrar en el vestíbulo, donde Laura y Freddy seguían bregando con el árbol. Sunshine fue tras él, visiblemente molesta.

–Es el camionero aburrido –anunció– y no es muy amable.

Laura soltó el árbol. Pillado por sorpresa, Freddy trastabilló bajo su peso y lo dejó caer. Por unos centímetros no aplastó al intruso, que dio un grito de enfado.

–¡Joder, Laura! ¿Qué coño te propones? ¿Matarme?

Laura se encaró con él con una actitud insólita: con mirada firme y ademán impasible.

–No me des ideas.

Saltaba a la vista que el hombre no esperaba aquella nueva versión de Laura y ella pareció disfrutar con el desconcierto masculino. Freddy estaba intrigado por el inesperado giro de los acontecimientos, aunque se esforzaba por fingir indiferencia, y Sunshine se preguntaba por qué, si Laura conocía de antemano al camionero aburrido y sabía que era un monstruo, le había dicho que se presentara en Padua. Desde luego, no iba a prepararle la buena taza de té. Laura rompió por fin la tensión de aquel cuadro vivo.

–¿Qué quieres, Vince? –preguntó con un suspiro–. Será mejor que vengas a la cocina.

Mientras la seguía fuera del vestíbulo, no pudo reprimir el impulso de dar a Freddy un repaso con la mirada y Freddy se lo devolvió con actitud imperturbable. Ya en la cocina, Laura no le ofreció otra cosa que una breve oportunidad para explicar su presencia allí.

–¿Ni siquiera me ofreces un té? –preguntó el hombre con una voz conciliadora que Laura le había oído muchas veces en el dormitorio al principio de su vida conyugal, aunque lo que buscaba en aquellas ocasiones no era precisamente té. Se estremeció al recordarlo. No le cabía duda de que Selina, la de Mantenimiento, tenía que estar ya horriblemente acostumbrada a aquella voz. Casi sintió pena por la mujer.

–Vince, ¿por qué has venido? ¿Qué quieres?

El hombre sonrió con aire seductor, pero el efecto fue sórdido.

–Quiero que seamos amigos. –Laura se echó a reír–. En serio –añadió Vince, imprimiendo a sus palabras un matiz de desesperación.

–¿Y Selina?

Vince tomó asiento y se llevó las manos a la cara. Fue un gesto tan teatral que Laura estuvo a punto de decirle: ¡bravo!

–Hemos roto. En ningún momento he llegado a quererla como te quise a ti.

–Suerte que ha tenido. Te ha dejado, ¿verdad?

Vince no estaba dispuesto a desistir tan pronto.

–Mira, Laura, nunca he dejado de quererte.

–¿Ni siquiera cuando te beneficiabas a Selina?

Vince se puso en pie y quiso cogerle la mano.

–Era solo atracción física. Solo sexo. Nunca he dejado de pensar en ti, de echarte de menos, de desear que volvieras.

Laura negó con la cabeza con incredulidad y cansancio.

–¿Y no es curioso que no se te haya ocurrido hablar

conmigo hasta ahora? Ni una postal por mi cumpleaños, ni una felicitación navideña, ni una llamada telefónica. Dime la verdad, Vince, ¿a qué viene todo esto? ¿Por qué ahora? ¿No tendrá algo que ver con esta mansión que he heredado casualmente?

Vince volvió a sentarse y se esforzó por articular un argumento coherente. Laura siempre había sido demasiado inteligente para él, incluso cuando era solo una chiquilla. Él ya la amaba entonces, a su manera, aunque sabía que en el fondo no estaba a su alcance, con su educación de niña bien y sus elegantes modales. Pero por entonces sabía cómo impresionarla. Puede que las cosas hubieran discurrido por otros cauces si Laura no hubiera tenido un aborto o si hubiera vuelto a quedarse embarazada. Le habría gustado tener un hijo con el que poder jugar al fútbol o una hija a la que montar sobre sus hombros, pero no había podido ser y sus infructuosos esfuerzos por ser padres se habían convertido, al final, en otro motivo de separación. Conforme pasaba el tiempo y Laura maduraba, la desigualdad que los caracterizaba empezó a redundar en beneficio de ella y en perjuicio de su relación conyugal. Ella se daba cuenta de los defectos de él y él, a su vez, los exageraba para molestarla. Era su única defensa. Por lo menos a Selina no le importaba que apoyara los codos en la mesa ni que dejara levantada la tapa del inodoro. Bueno, al principio.

Laura seguía esperando con calma la respuesta de Vince. Su tranquilidad lo enfureció y al final se le cayó la máscara de cortesía, dejando al descubierto la fea verdad.

–He oído decir que saliste con Graham. Siempre fuiste una puta frígida –le espetó.

Antes de llegar a la casa se había jurado no perder la cabeza. Demostraría a doña Tonti-Presuntuosa que valía tanto como ella. Pero como de costumbre, ella consiguió ponerlo nervioso únicamente por ser como era. Mejor que él.

Laura acabó por hartarse. Cogió lo primero que tenía a mano, un cartón abierto de leche, que quiso la suerte que estuviera caducada, y lanzó el contenido a la burlona cara de Vince. Falló, pero le dio en todo el pecho, mojándole con el agrio líquido el polo de diseño y manchándole la cara cazadora de ante oscuro. Laura buscaba ya más proyectiles cuando se abrió la puerta de la cocina. Era Freddy.

–¿Va todo bien?

Laura dejó el frasco de detergente en el escurreplatos, aunque más bien a regañadientes y con un golpe seco.

–Sí, todo va bien. Vince se iba ya, ¿verdad?

Vince pasó por delante de Freddy y accedió al vestíbulo, donde Sunshine merodeaba sin objetivo fijo. Se volvió hacia Laura para dirigirle la última ofensa con el aplomo que pedía el momento.

–Espero que seas muy feliz en tu mansión con tu amiguita retrasada y tu gigoló.

Sunshine, que ya no era la niña del patio del recreo, le respondió con una sensatez admirable:

–No soy retrasada, soy una *daunzarina*.

Freddy completó la respuesta con tono más amenazador:

–Y nadie habla a mis chicas de ese modo, así que a tomar por culo y no vuelvas por aquí.

Vince nunca había sido capaz de decidir cuándo debía tener la boca cerrada.

–O si no, ¿qué?

Segundos después de recibir la respuesta, Vince, caído de espaldas, se tocaba la nariz ensangrentada mientras se esforzaba por levantarse de entre las espinosas garras del árbol de Navidad. Cuando consiguió ponerse en pie, cargó contra la puerta de la calle alegando lesiones físicas de gravedad y amenazando con llamar a la policía y a su abogado. Cuando cerró de un portazo, Zanahoria asomó la cabeza por la puerta del estudio y ladró una sola vez, pero con mucha energía, a la estela de humo que había dejado Vince. Los tres miraron al perro con estupefacción. Era la primera vez que ladraba desde que había llegado a la casa.

–Bien hecho, colega –dijo Freddy, agachándose para acariciarle las orejas–. Es la mejor despedida.

Al oír el timbre, Zanahoria volvió a esconderse en el estudio. Freddy corrió a la puerta y la abrió con brusquedad. Ante sí tenía a un joven con cara de sorpresa, una identificación de plástico colgada del cuello y una caja de herramientas negra en la mano.

–Soy Lee –dijo, señalando la identificación–. He venido a instalarles la banda ancha.

Freddy se hizo a un lado para dejarlo pasar y Laura, rodeando el árbol todavía caído, lo condujo al estudio, que el supersónico Zanahoria dejó vacío en un santiamén. Sunshine iba tras ellos, cavilando con toda su capacidad y esforzándose por adivinar qué sucedía exactamente. Al final hizo un gesto de impaciencia y lanzó un ruidoso suspiro.

–Usted es el camionero aburrido –dijo, mientras consultaba su reloj–. Ha venido en la ventana. –Lee sonrió, sin saber qué decir. Había estado anteriormente en sitios raros y aquella casa empezaba a parecerle digna de figurar en la lista–. ¿Le preparo la buena taza de té? –añadió la muchacha.

El empleado sonrió aún más. Puede que las cosas fueran a mejor.

–Preferiría un café, si no es molestia.

Sunshine negó con la cabeza.

–Yo no preparo café. Solo té.

Lee abrió la caja de herramientas. Lo mejor iba a ser terminar el trabajo e irse cuanto antes.

–Pues claro que podemos invitarlo a un café –intervino Laura con rapidez–. ¿Cómo lo quiere? Vamos, Sunshine. Lo haré yo, y tú mirarás, así la próxima vez podrás prepararlo tú misma.

Sunshine meditó un momento y, acordándose de las amenazas de Vince, se dejó convencer.

–Así, cuando lleguen los policías, podré ofrecerles también una buena taza de café.

28

Solo con pensar en ti.

La canción interrumpió el sueño de Laura, aunque no supo si sonaba dentro de su cabeza o en la habitación del jardín, en la planta baja. Se quedó inmóvil, escuchando, acurrucada en el guateado capullo del edredón. Silencio. Salió a regañadientes al aire frío y perfumado de la habitación, se puso la bata y se acercó a la ventana para que entrase la mañana invernal.

Y vio un fantasma.

Miró a través del cristal cubierto de escarcha, sin querer fiarse de lo que veía: una sombra, tal vez una figura, transparente como las telarañas de hielo que agitaba la fría brisa que corría entre los rosales. Laura sacudió la cabeza de un lado a otro. No era nada. El habitual sentido común estaba temporalmente fuera de servicio y la imaginación se había desbocado, campando a sus anchas con serpentinas y un gorro de payaso. Eso era todo. La visita de Vince la había desestabilizado. Había dejado sus sucias pisadas en su preciosa vida presente. Pero se había ido ya, se dijo, y no era probable que volviera. Sonrió, recordando con satisfacción la leche agria con que le había mojado el polo y la cara de horror que había puesto al quedar enganchado como una tortuga boca arriba entre las ramas del árbol navideño. Pero tal vez fuera otra cosa lo que la había desestabilizado. Freddy. Había dicho que era «su chica». Se había sentido ridícula y peligrosamente halagada. Había repetido el momento infinitas veces en su cabeza, pero siempre fastidiosamente acompañado por una voz de advertencia que le decía que no fuera tan estúpida. Ahora ni siquiera se atrevía a pensar en ello. Era el momento de la buena taza de té.

El perfume del árbol navideño de la planta baja llenaba el aire de todas las habitaciones. Era maravilloso. El árbol titilaba y centelleaba con los espumillones, las bolitas de colores y los demás adornos que Laura había encontrado en una caja del desván. Anthony siempre ponía un árbol por Navidad, pero por lo general era más modesto que aquel y la mayor parte de los adornos se quedaban en la caja. Introdujo dos rebanadas de pan en la tostadora y se sirvió un té. Los ruidos de la cocina habían acabado por levantar a Zanahoria de la cama, frente a la chimenea del estudio. Apareció en aquel momento y se sentó a los pies de Laura, en espera de recibir el desayuno de tostadas con huevos revueltos. A pesar de los esfuerzos colectivos por engordarlo, apenas había «engrosado el pellejo», según Freddy. Pero ahora parecía mucho más feliz y empezaba a enfocar la vida como una aventura interesante y no como una prueba aterradora. Aquel día Sunshine tenía que ir con su madre a hacer las compras navideñas y Freddy se iba a Slough, a visitar a su hermana y a su familia. Le había dicho a Laura que la visita prenavideña era suficiente para tener actualizado el certificado de «buen hermano mayor», siempre que se presentara con regalos generosos (preferentemente en metálico) para su desagradecida sobrina y su hosco sobrino. Laura apuró la taza y se frotó las manos para limpiarse las migas. Puede que le hiciera bien estar un día sola. Además, tenía a Zanahoria, que en ese momento apoyaba dulcemente la cabeza en su regazo. Tras un rápido paseo por el escarchado jardín, que permitió al perro levantar tres veces la pata contra sendos árboles y a Laura comprobar que no había fantasmas, aparecidos ni lloronas merodeando en la rosaleda, puso leña en la chimenea del estudio y Zanahoria volvió a instalarse en su cama con un suspiro de felicidad. Laura cogió una caja de un estante y vació el contenido en la mesa. El portátil pitó y parpadeó al volver a la vida y el amplio departamento virtual de objetos perdidos abrió sus puertas. Laura cogió el primer objeto que tenía delante.

Paraguas infantil, blanco con corazones rojos.
Encontrado en la escultura de Alicia
en el País de las Maravillas, Central Park,
Nueva York,
el 17 de abril...

A Marvin le gustaba estar ocupado. La actividad impedía que se le metieran malas ideas en la cabeza, como hormigas negras que se lanzan en masa sobre el cadáver de un pájaro cantor. Los remedios que le recetaba el médico servían a veces, pero no siempre. La primera vez que cayó enfermo, se tapaba los oídos con algodón, se apretaba la nariz y cerraba con fuerza los ojos y la boca. Imaginaba que si se tapaba todos los agujeros de la cabeza, no podrían entrar los pensamientos. Pero tenía que respirar. Y por pequeño que fuera el hueco que dejaba entre los labios, los malos pensamientos se las apañaban siempre para colarse. Pero estar ocupado los alejaba y también acallaba las voces.

Marvin era el paragüero. Recogía todos los paraguas rotos que encontraba en los contenedores de basura del Departamento de Objetos Perdidos de los Transportes Metropolitanos de Nueva York y los reparaba en la oscura y lúgubre habitación en que vivía.

Aún no llovía, pero se anunciaban precipitaciones. A Marvin le gustaba la lluvia. Limpiaba el mundo y hacía que todo brillara. Y, gracias a ella, la hierba olía a gloria. Nubes de color humo de pólvora cruzaban el cielo azul en aquellos momentos. No tardaría mucho. Marvin era un gigante. Paseaba por la Quinta Avenida golpeando la acera con sus pesadas botas, mientras su largo abrigo gris ondeaba tras él como una capa. Sus trenzas de pelo negro estaban salpicadas de hebras grises y movía los ojos sin descanso: eran relámpagos blancos, como los de un caballo salvaje asustado.

–¡Paraguas gratis!

Su lugar favorito de trabajo era Central Park. Entraba por la Calle 72 y se dirigía al estanque Conservatory Water. Le gustaba ver los barquitos que se deslizaban por el lago como si fueran cisnes. La temporada naviera acababa de empezar y, a pesar de la amenaza de lluvia, surcaba ya las aguas una impor-

tante flota. El puesto habitual de Marvin era el grupo escultórico de Alicia en el País de las Maravillas. A los niños que jugaban allí no parecía importarles tanto su presencia como a algunos adultos. Puede que pensaran que también él era un personaje de cuento fantástico. Aquel día no había niños. Marvin dejó la bolsa de paraguas junto a las setas más pequeñas del grupo escultórico; en aquel momento, las primeras gotas de lluvia motearon los lisos sombreretes metálicos.

–¡Paraguas gratis!

Su voz profunda retumbó como un trueno entre la lluvia. La gente pasaba correteando, pero apartaba la cabeza cuando él ofrecía sus regalos. No sabía por qué. Él solo quería ser buena persona. Los paraguas eran gratuitos. ¿Por qué la gente lo rehuía como si fuera el diablo? A pesar de todo, se mantuvo firme.

–¡Paraguas gratis!

Un joven con monopatín se detuvo en seco delante de él. Llevaba una camiseta mojada, un pantalón vaquero y zapatillas altas de deporte. Sonreía como el gato de Cheshire que miraba por encima del hombro de Alicia. Cogió el paraguas que Marvin le tendía y le chocó la palma en señal de gratitud.

–Gracias, tío.

Se alejó deprisa, salpicando, abriendo surcos en los charcos con el monopatín y sosteniendo el paraguas rosa en alto. La lluvia se redujo a una llovizna y la gente que corría por el parque aflojó el paso. Marvin no la vio al principio. Una niña con impermeable rojo. Le faltaba un diente incisivo y tenía pecas en la nariz.

—Hola —dijo—. Soy Alicia, como la estatua.

La niña señaló a su tocaya. Marvin se agachó para observar mejor a la pequeña y le tendió la mano.

—Yo soy Marvin. Mucho gusto en conocerte.

Era británica. Marvin identificó el acento por la televisión. Siempre había pensado que Gran Bretaña podía ser un buen lugar para vivir, porque le gustaba la lluvia y tenía los dientes desiguales.

—¡Menos mal que te encuentro, Alicia! ¿Qué te he dicho siempre sobre hablar con desconocidos?

La mujer que acababa de llegar lo miró como si mordiera.

—No es un desconocido. Es Marvin.

Marvin sonrió lo mejor que pudo y ofreció a la mujer el mejor artículo de su bolsa.

—¿Un paraguas gratis?

La mujer no le hizo caso. Le cogió la mano a Alicia y tiró de ella para alejarla de allí. Basura. Así lo trataba aquella mujer: como si fuera basura. Marvin se puso como un tomate. Los pelillos de la nuca se le encresparon y los oídos empezaron a pitarle. Él no era basura.

—¡Cójalo! —bramó, poniéndole el paraguas delante de las narices.

—No me toque, so tarado —murmuró la mujer con los dientes apretados, mientras giraba sobre sus talones y arrastraba a la llorosa Alicia.

En cuanto su madre aflojó un poco la presión, Alicia se soltó y volvió corriendo hacia el grupo escultórico.

—¡Marvin! —gritó, deseosa de hacer las cosas bien.

Se miraron a los ojos y antes de que la madre la alcanzase, Alicia le envió un beso al paragüero. Y este lo pescó. Antes de volver a su casa dejó un paraguas blanco con corazones rojos apoyado en el Conejo Blanco. Por si la niña volvía.

Laura bostezó y se desperezó en el sillón. Consultó el reloj. Tres horas delante de la pantalla eran más que suficiente por ese día. Necesitaba tomar el aire.

–Vamos, Zanahoria –dijo–. Es hora de dar un paseo.

El cielo era de color gris mármol.

–Parece que va a llover –le dijo al indeciso perro–. Será mejor que cojamos un paraguas.

29

El comedor parecía de cuento de hadas. En la mesa relucían un mantel inmaculado y unas servilletas blancas como la nieve. Los cubiertos de plata enmarcaban perfectamente los platos de los comensales y las copas de cristal centelleaban a la luz de la araña. Era su primera Navidad como señora de Padua y Laura quería hacer justicia a la mansión. Si lo conseguía, tal vez desterrase los desagradables pensamientos que se le colaban en la cabeza como las hormigas negras que entran en las despensas por las grietas de la pared. No podía librarse de la impresión de que la señora anterior aún no se había ido del todo. Sacó de la caja de cartón las galletas envueltas en papel blanco y plateado, y las fue poniendo de una en una encima de las servilletas cuidadosamente dobladas.

Aquella mañana, incluso a oscuras, había tenido la certeza de que algo había cambiado en el dormitorio. Era la misma sensación que experimentaba de niña el día de Navidad, cuando algo le decía, al despertarse, que los calcetines que por la noche colgaban vacíos a los pies de la cama, estaban ya llenos. De algún modo había percibido la presencia de un cambio. Al acercarse a la ventana descalza, había pisado cosas que no eran la alfombra: blandas, duras, agudas, lisas. La luz del día le confirmó que se habían sacado los cajones del tocador y que el contenido estaba desparramado por el suelo.

Cogió un vaso de vino y limpió una mancha imaginaria. Sunshine y sus padres estaban invitados. Había invitado también al hermano de la muchacha, pero el joven había dicho «passso». Freddy también estaría presente. No había sabido si invitarlo o no, pero el breve sermón que le había echado Sarah para animarla había acabado por convencerla. Freddy había dicho «sí» y desde entonces Laura había invertido cantidades industriales de tiempo tratando de adivinar por qué. Había barajado muchas y variadas hipótesis: lo había pillado por sorpresa; estaba solo; le gustaba el pavo asado pero no sabía cocinar; no tenía otro sitio donde ir; Laura le daba pena. La explicación que más se resistía a aceptar pero que más le gustaba era también la más sencilla y la que más nerviosa la ponía. Iba a ir porque quería ir.

Puede que hubiera hecho todo aquello en sueños, moviéndose como una sonámbula. Como tirar la basura dormida. No había sido obra de un ladrón porque no faltaba nada. La víspera había visto a Sunshine en la habitación del jardín, bailando al son de la canción de Al Bowlly que había empezado a obsesionarla, noche y día.

–¿Has puesto tú la música?

Sunshine negó con la cabeza.

–Ya estaba puesta y cuando la he oído, he venido aquí a bailar.

Que Laura supiera, Sunshine nunca decía mentiras.

–¡Se habrán pasado! –La muchacha entró corriendo en el comedor sin dejar de mirar la hora.

Había estado preparando tartaletas rellenas de fruta picada y había dejado la cocina perdida de harina y azúcar glasé. Laura la siguió cuando Sunshine volvió a la cocina con determinación y se puso a saltar con nerviosismo, apoyándose primero en un pie, luego en el otro, mientras Laura sacaba las tartaletas del horno.

–Huelen divinamente –dijo.

Sunshine se ruborizó, llena de orgullo.

–Justo a tiempo –dijo Freddy, entrando por la puerta trasera con una ráfaga de aire helado–. Justo a tiempo de tomar la buena taza de té y una tartaleta todavía mejor.

Mientras estaban sentados alrededor de la mesa, bebiendo té y masticando tartaletas entre resoplidos, porque todavía quemaban un poco, Freddy observó a Laura con curiosidad.

–¿Pasa algo? –preguntó.

–Nada. –Fue más un reflejo que una respuesta.

Freddy arqueó las cejas. Sunshine engulló el resto de su tartaleta y habló con la boca llena.

–Vaya trola.

Freddy rio con ganas.

–Bueno, aquí no se premia el tacto, pero sí la sinceridad.

Los dos miraron a Laura con expectación. Laura lo contó todo. Lo del tocador; lo de la música; incluso lo de la sombra o figura en la rosaleda. Sunshine estaba impertérrita.

–Solo es la mujer –dijo, como si aquello fuera evidente.

–¿Y qué mujer es esa? –preguntó Freddy, con los ojos clavados en Laura.

–La esposa nupcial de san Antonio. La Virgen de las Flores.

Cogió otra tartaleta y la dejó caer en el suelo, para Zanahoria. Freddy le guiñó el ojo y le dijo, moviendo la boca pero sin emitir sonidos: «Te he visto». Sunshine casi sonrió.

–Pero ¿por qué sigue aquí, si Anthony ya ha fallecido? –Laura se dio cuenta, con un segundo de retraso, de que se había tomado en serio el comentario de Sunshine, lo suficiente para formular aquella pregunta.

–Exacto. ¿Por qué sigue aquí, sembrando el desorden y alterando la paz? Y después de haberle organizado encima una buena boda.

Laura no supo si Freddy hablaba en serio o no. Sunshine se encogió de hombros.

–Está molesta.

A pesar del escepticismo de Laura, el estómago le empezó a girar como el bombo de un bingo.

El día de Navidad amaneció claro y soleado, y Laura se animó mientras paseaba por el jardín con Zanahoria. Nochebuena había transcurrido sin incidentes, incluso había asistido a la misa del gallo en la iglesia local. Había hablado un poco con Dios y cabía la posibilidad de que aquello le hubiera sido útil. Laura y Dios no estaban juntos muy a menudo, pero él figuraba en la lista de felicitaciones que enviaba por Navidad.

Sunshine llegó con sus padres a las doce en punto.

–Sunshine está preparada desde las ocho –dijo la madre a Laura cuando esta les recogió los abrigos–. Habría venido para desayunar, si la hubiéramos dejado.

Laura les presentó a Freddy.

–Stella y Stan.

–Somos «las SS» –dijo Stella riendo por lo bajo–. Ha sido usted muy amable por invitarnos.

Stan sonrió y entregó a Laura una flor de Navidad y una botella de cava rosado.

–No hay nada como un poco de vino espumoso en Navidad –dijo Stella, alisando la pechera de su mejor vestido y comprobando su peinado en el espejo del vestíbulo.

Mientras Sunshine los paseaba con orgullo por la casa, Stella y Stan lanzaban exclamaciones de admiración. Freddy, en la cocina, recogía jugo de carne, rociaba las patatas asadas, pinchaba las coles de Bruselas que hervían al fuego y sorbía un martini con vodka. Y de vez en cuando miraba de reojo a Laura. En un par de ocasiones se miraron a los ojos y él le sostuvo la mirada. Laura empezaba a acalorarse. Freddy había insistido en ayudarla para darle a entender que le agradecía la invitación. Levantó el vaso hacia ella.

–Si ellos son las SS, yo soy 007.

La comida de Navidad no pudo ser más estupenda. En aquel escenario mágico de blanco, plata y destellos, comieron más de la cuenta, bebieron más de la cuenta, abrieron *crackers* y contaron chistes malísimos. Zanahoria se instaló bajo la mesa y se dedicó a recoger todo lo que le echaban las manos generosas. Laura se enteró de que Stella formaba parte de un club de lectura y bailaba flamenco, y que Stan estaba en el equipo de lanzadores de dardos del *pub* local. Estaban en segundo puesto en la liga y, a falta de tres competiciones, esperaban ganar el campeonato. Pero la verdadera pasión de Stan era la música. Para satisfacción de Freddy, compartían un amplio y ecléctico abanico de preferencias, desde David Bowie hasta Etta James, pasando por Art Pepper y The Proclaimers. Era fácil entender de dónde procedía el amor de Sunshine por la música y el baile.

Mientras Laura, Sunshine y Stella recogían la mesa y se enfrentaban a continuación al caos general que había sido antes la cocina, Freddy y Stan se derrumbaban en sendos sillones como suflés desinflados.

–Hacía años que no asistía a una comida de Navidad tan grata como esta. –Stan se frotó el estómago con cariño–. Pero no se lo digas a mi señora –añadió, guiñándole el ojo a Freddy.

Zanahoria se había arriesgado a salir de debajo de la mesa y dormía satisfecho al lado de Freddy, que en ese momento le estaba sirviendo a Stan un vaso de *whisky*.

–¿Es tan genial como suena ser maquinista de tren? Es el sueño de todos los niños.

Stan dio vueltas en el vaso al licor ambarino y lo olió con gesto de aprobación.

–La mayor parte del tiempo sí –respondió–. Hay días que me siento el hombre más afortunado del mundo. Pero estuve a punto de dejarlo antes de cogerle el gusto. –Bebió un sorbo de *whisky* y, por una vez, hurgó en recuerdos que se había esforzado mucho por olvidar–. Llevaba de maquinista solo un par de semanas. Era mi último turno de la jornada; fuera estaba oscuro, hacía frío y no pensaba más que en la cena que me aguardaba. Ni siquiera la vi hasta que chocó contra la locomotora. Después no quedó mucho que ver. –Bebió otro sorbo, esta vez más largo–. Salió en el periódico local. Dijeron que estaba enferma; cosa de los nervios. Estuvo esperando con todo aquel frío. Esperando mi tren. Fue una lástima. Tenía una criatura, una niña. Pobrecilla. Publicaron su foto en el periódico.

Freddy sacudió la cabeza de un lado a otro y murmuró entre dientes:

–Joder, Stan, lo siento de veras.

Stan vació el vaso y lo dejó en la mesa.

–Es el *whisky* –dijo–. Me pone sensible. Fue hace mucho tiempo. Gracias a Dios, Stella me apoyó con su sentido común y me convenció para que siguiera de maquinista. –Guardaron silencio un momento y Stan añadió–: Ni una palabra de esto a Sunshine. Ella no lo sabe.

–Desde luego.

Al oír pasos en el vestíbulo, Zanahoria levantó las orejas. Sunshine entró con una bandeja, seguida por Laura y Stella. Dejó la bandeja en la mesa.

–Es la hora de la buena taza de té y de unas tartaletas de fruta más buenas aún –dijo la muchacha, señalando la fuente llena hasta rebosar–. Luego jugaremos a buscar cuartos de baño.

A mitad de la primera ración, Sunshine recordó algo que había querido comentar a sus padres.

–Freddy es un zurullo capullo.

Freddy estuvo a punto de atragantarse con el *whisky*, pero Stella reaccionó con una serenidad admirable.

–¿Cómo se te ha ocurrido una cosa así?

–Me lo dijo Felicity. Es la novia de Freddy.

–Ya no –gruñó Freddy.

Stan se tronchaba de la risa y Freddy pasaba las de Caín, pero Sunshine seguía sin inmutarse.

–¿Qué significa zurullo capullo?

–Significa que no sabe besar. –Fue lo primero que le pasó a Laura por la cabeza.

–Entonces quizá deberías practicar más –repuso Sunshine con la mejor intención, al tiempo que le acariciaba la mano a Freddy.

Cuando Sunshine y «las SS» se fueron a su casa, el silencio reinó en la mansión. Laura se quedó sola con Zanahoria. Y con Freddy. Pero ¿dónde estaba? Había desaparecido mientras ella despedía a Sunshine y a «las SS». Se sentía como una adolescente atolondrada que no sabía distinguir entre la excitación y el miedo. Era el vino, se dijo. Freddy salió de la habitación del jardín y le cogió la mano.

–Ven.

La habitación del jardín estaba iluminada por docenas de velas y había una botella de champán enfriándose en un cubo con hielo, junto a dos copas.

–¿Bailas conmigo? –preguntó Freddy.

Mientras este apoyaba la aguja en el disco de vinilo, Laura habló con Dios por segunda vez aquellas Navidades. «Por favor, por favor, que no sea Al Bowlly».

Ya en brazos de Freddy, deseó que Ella Fitzgerald improvisara más versos en *Someone to watch over me*. Freddy levantó los ojos y Laura siguió su mirada hasta la rama de muérdago que el jardinero había enganchado en la lámpara que colgaba del techo.

–La práctica hace al maestro –murmuró Freddy.

Cuando se besaron, la fotografía de Therese se resquebrajó en silencio y se convirtió en una nube de astillas de vidrio.

30

Eunice

1989

Las fotos del aparador, en principio, tenían que ayudar a Godfrey a recordar quiénes eran las personas, pero no siempre daban el resultado esperado. Cuando Bomber, Eunice y Baby Jane entraron en la soleada salita, Godfrey fue a sacar la cartera del bolsillo.

–Diez libras a My Bill en la carrera de las 2:45 en Kempton Park.

Grace le acarició la mano con afecto.

–Godfrey, querido, es Bomber: tu hijo.

Godfrey miró a Bomber por encima de las gafas y negó con la cabeza.

–¡Tonterías! ¿Crees que no reconocería a mi propio hijo? No recuerdo cómo se llama este caballero, pero sé muy bien que es mi corredor de apuestas.

Eunice vio que a Bomber se le llenaban los ojos de lágrimas al recordar las incontables veces que había apostado en nombre de su padre, siguiendo escrupulosamente su principal instrucción: «No se lo digas a tu madre». La muchacha le tiró del brazo a Godfrey con suavidad.

–Tienen una casa magnífica y hace un día precioso. ¿Sería usted tan amable de enseñarme los jardines?

Godfrey, complacido, le sonrió.

–Será un placer, señorita. Creo que a mi perro no le iría mal dar un paseo –añadió, mirando a Baby Jane con un poco de desconcierto–. Aunque debo confesar que casi había olvidado que lo tenía.

Godfrey se puso el sombrero que le tendía Grace.

–Vamos, Bomber –le dijo a Baby Jane–, es hora de estirar las patas.

Aunque cabía la posibilidad de que Baby Jane se hubiera sentido ofendida porque habían confundido su sexo y la habían llamado por el nombre de su amo, lo disimuló muy bien. Mejor, al menos que la tristeza que le provocaba a Bomber el hecho de que su padre lo hubiera tomado por su corredor de apuestas. Grace le puso la mano en la cara.

–Ánimo, querido. Sé que es duro. Ayer por la mañana se puso de pie en la cama y me acusó de ser Marianne Faithfull.

Bomber sonrió, muy a su pesar.

–Vamos, mamá. Será mejor que los sigamos antes de que se metan en líos.

Un avión surcaba el cielo azul, dejando tras de sí una estela blanca que parecía la nudosa columna vertebral de un animal prehistórico. Por desgracia, Folly's End House* no contenía ninguna extravagancia, pero sí unos hermosos y extensos jardines para delicia de sus residentes. Grace y Godfrey se habían mudado allí hacía unos tres meses, cuando quedó claro que la razón

* En Inglaterra se da el nombre de *follies* a mansiones vistosas que se construyeron hacia el siglo xviii, de acuerdo con gustos que entonces se consideraban extravagantes. (N. del T.)

de Godfrey seguía rumbos propios e incomprensibles y Grace ya no podía atenderlo sola. De vez en cuando volvía a las playas de la realidad, pero el viejo Godfrey casi siempre estaba navegando. Folly's End era el puerto ideal. Tenían habitaciones propias y había personal de ayuda a disposición de quien lo necesitara.

Godfrey y Eunice paseaban al sol cogidos del brazo, saludando con una sonrisa a todas las personas con las que se cruzaban. Baby Jane corría delante de ellos. Cuando se detuvo a hacer pipí, Godfrey sacudió la cabeza y chascó la lengua con disgusto.

–Me gustaría que este perro aprendiera a levantar la pata. Antes de que nos demos cuenta, vestirá de color lila y cantará cuplés.

Se detuvieron en un banco de madera junto a un estanque artificial con peces y tomaron asiento. Baby Jane se quedó en la orilla del estanque, fascinada por los destellos de oro y plata de las carpas *koi* que se arremolinaban en busca de comida.

–Ni se te ocurra –le advirtió Eunice–. No es *sushi*.

Cuando Grace y Bomber llegaron a su altura, Godfrey le estaba hablando a Eunice de los demás residentes.

–Hemos tenido aquí a Mick Jagger, a Peter Ustinov, a Harold Wilson, a Angela Rippon, a Elvis Presley, a Googie Withers y a la señora Johnson, la que tenía la lavandería de Stanley Street. ¿Y a que no adivinas quién estaba en mi cama cuando desperté una mañana?

Eunice negó con la cabeza, llena de curiosidad. Godfrey hizo una pausa y de pronto imitó el gesto de Eunice con expresión triste.

–No, yo tampoco. Lo tenía en la punta de la lengua hace un momento, pero se me ha olvidado.

–A mí me dijiste que era Marianne Faithfull –dijo Grace para echarle una mano.

Godfrey se rio con ganas.

–Si hubiera sido esa, creo que lo recordaría –dijo, guiñándole el ojo a Bomber–. Por cierto, ¿has hecho ya la apuesta?

Antes de que Bomber abriera la boca, Eunice le señaló una lejana figura que llevaba unas gafas enormes y unos tacones kilométricos y avanzaba hacia ellos tambaleándose.

–¡Por Júpiter! –exclamó Bomber en son de queja–. ¿Qué querrá ahora?

Portia tardó un poco en llegar al banco y Eunice observó su indeciso avance con callada burla. Baby Jane había saltado espontáneamente a los muslos de Godfrey y empezaba a ensayar sus gruñidos. Godfrey vio acercarse a Portia con vaga curiosidad, pero sin dar el menor indicio de reconocerla.

–Hola, papá. Hola, mamá –cacareó Portia sin entusiasmo. Godfrey miró a su espalda, para saber a quién se dirigía.

–Portia –dijo Bomber con suavidad–, no siempre se acuerda de…

Sin darle tiempo a terminar, Portia se instaló en el banco, al lado de Godfrey, y quiso cogerle la mano. Baby Jane le lanzó un gruñido de advertencia y Portia se puso en pie rápidamente.

–¡Por el cielo! Otra vez ese perro rabioso, no.

Godfrey abrazó a Baby Jane con actitud protectora.

–Oiga, joven, no hable así a mi perro. A todo esto,

¿quién es usted? Váyase inmediatamente y déjenos en paz.

Portia se había puesto como la grana. Había cogido el coche en Londres con una resaca descomunal para recorrer treinta kilómetros y se había perdido en tres ocasiones por el camino. Y, encima, no había podido asistir al almuerzo de «bolsos y cinturones de diseño» que ofrecía Charlotte.

—No seas tan patéticamente ridículo, papá. Sabes muy bien que soy tu hija. Solo porque no estoy aquí cada cinco minutos para hacerte la pelota como el niño bonito de tu hijo y su lamentable y enamoradísima amiguita. ¡Sabes perfectamente quién soy! —bramó.

Godfrey no se dejó impresionar.

—Joven —dijo, mirando las mejillas encendidas de su hija—, es evidente que ha tomado usted el sol demasiado tiempo y que le ha afectado al cerebro. Ninguna hija mía utilizaría ese lenguaje ni se comportaría de un modo tan abominable. Y este hombre es mi corredor de apuestas.

—¿Y ella? —preguntó Portia con sorna, señalando a Eunice.

Godfrey sonrió.

—Es Marianne Faithfull.

Grace acabó convenciendo a Portia de que entrara con ella y tomara un trago. Bomber, Eunice, Godfrey y Baby Jane siguieron paseando por los jardines. Al pie de un manzano había una mesa preparada con un servicio de té y una elegante anciana bebía a sorbitos de una taza mientras una joven comía una tartaleta de crema de limón.

–¡Son mis preferidas! –anunció cuando la saludaron al pasar–. ¿No quieren una? –preguntó, al tiempo que les presentaba la bandeja con campana de vidrio.

Bomber y Eunice declinaron la invitación, pero Godfrey se sirvió. Baby Jane era el vivo retrato del desánimo. La anciana sonrió y dijo a su compañera:

–Eliza, te has olvidado de alguien.

Baby Jane recibió dos.

Cuando volvieron al edificio principal, Grace estaba sola.

–¿Dónde está Portia? –preguntó Bomber.

–No me extrañaría que hubiera vuelto a Londres. Estaba muy indignada –respondió Grace–. He intentado razonar con ella, pero... –Se encogió de hombros con tristeza.

–No entiendo por qué se comporta de un modo tan vergonzoso –dijo Bomber.

Grace miró a Godfrey, que estaba hablando con Eunice, para estar segura de que no la oía.

–Yo creo que sí. –Cogió a su hijo del brazo y lo condujo al sofá–. Me acuerdo de cuando era pequeña. –Suspiró con melancolía, evocando lejanas imágenes en las que su hija, con las trenzas desiguales, sonreía enseñando una dentadura mellada–. Siempre fue la niña de los ojos de su padre. –Bomber le cogió la mano y se la apretó–. Y ahora lo ha perdido –prosiguió Grace– y quizá por primera vez en su vida de adulta tiene que hacer frente a algo que su dinero no puede reparar. Tiene el corazón destrozado y no puede hacer nada para impedirlo.

–Salvo hacer daño a quienes la quieren –repuso Bomber de mal humor.

Grace le acarició la rodilla.

–No sabe cómo hacer frente a la situación. Ha estado aquí llorando a mares después de haber llamado viejo monstruo a su padre.

Bomber abrazó a su madre.

–No te preocupes, mamá, siempre tendrás al «niño bonito de tu hijo».

Cuando iban a irse, Godfrey llamó aparte a Eunice.

–Quiero decirte algo al oído. –Le guiñó el ojo con aire de complicidad y bajó la voz–. Estoy totalmente convencido de que esa mujer era mi hija. Pero cuando se sufre esta odiosa enfermedad, hay que buscar algún consuelo.

31

Según Sunshine, Freddy había «pernoctado» en casa de Laura. Pero Freddy no había «pernoctado» con ella. Habían dormido juntos, en la misma cama, pero no se habían acostado juntos. Laura sonrió para sus adentros, pensando en las sutilezas del lenguaje y en el uso de determinadas palabras con diferentes acepciones, para dar a entender actos que en realidad no habían ocurrido. Sexo. No había tenido relaciones sexuales con Freddy. Todavía. Lo que son las cosas. Con un par de frases había pasado de la insinuación al acto sexual en sí.

La noche de Navidad habían bailado, habían bebido champán y habían hablado. Muchísimo. Ella le había hablado del instituto, de los paños de bandeja y de Vince. Le contó lo del bebé que había perdido, y él la abrazó. Y luego le contó lo de los cuentos que había escrito para *Plumas, encaje y fantasía* y él se rio hasta que se le saltaron las lágrimas. Y él le había hablado a ella de su exnovia Heather, una asesora de recursos humanos que quería matrimonio e hijos. Él no quería lo mismo, por lo menos con ella. Y también le había contado por qué él había vendido su pequeña asesoría de informática (venta que había decepcionado mucho a Heather y había dado el impulso final a la ruptura) para hacerse jardinero. Estaba harto de ver el mundo a través de una ventana en vez de vivirlo. Laura le habló por fin de Graham y de la horrible noche que habían salido juntos, y después de algunos titubeos y otra copa de champán, incluso le contó lo del beso.

Freddy sonrió.

–Bueno, aún no has subido corriendo a lavarte la boca, así que lo interpretaré como una buena señal. ¡Y espero que conserves el vestido! –Calló durante un momento–. Hasta que cumplí diecisiete años me daba apuro besar a una chica, por culpa de esto –dijo, rozándose la cicatriz que le corría por la boca–. Nací con labio leporino y la operación que me hicieron no fue muy brillante...

Laura se inclinó hacia él y lo besó suavemente en la boca.

–Pues parece que ahora no representa ningún impedimento para tu técnica.

Freddy le habló de Felicity, una cita a ciegas concertada por una mujer en cuyo jardín había estado trabajando varios años. Juraba que iban a hacer «muy buenas migas». No fue así, pero como Felicity era una de las amigas íntimas de la mujer, Freddy siguió saliendo con ella mientras buscaba una vía de escape digna.

–Yo ya estaba harto de sus fanfarronadas, de sus groserías y de que me llamara el cabrón de Freddo, así que una noche la dejé plantada. No fue muy digno, lo reconozco, pero resultó muy efectivo. Perdí a la clienta, pero valió la pena.

Finalmente, cuando los dos se quedaron sin palabras, buscaron consuelo en el cuerpo del otro y se quedaron dormidos, abrazados como los pétalos de un capullo.

Durmieron en la habitación de invitados que estaba junto a la antigua habitación de Therese. El día que Laura vio el contenido de los cajones por el suelo, trasladó sus enseres a la habitación contigua. Lo que sentía no era exactamente miedo. O quizá sí, pero poco. Tenía la horrible sensación de que en su fiesta se había presentado, si no un fantasma, sí al menos un comensal no invitado. Como si faltara un cuchara sopera, una pata de la mesa fuera demasiado corta, un cóctel de champán no tuviera gas o un segundo violín estuviera desafinado. En algún rincón de Padua sonaban notas discordantes y Laura no sabía qué hacer para restaurar la paz. Zanahoria no entraba nunca en el dormitorio de Therese, aunque la noche de Navidad no había tenido inconveniente en dejar su lugar junto al fuego para hacerse un sitio a los pies de la cama en la que dormían Freddy y Laura.

Cuando Sunshine se enteró de la «pernocta», quiso conocer todos los detalles, por ejemplo de quién era el pijama que llevaba Freddy y cómo se había cepillado los dientes sin su cepillo. También quiso saber si Freddy roncaba y sí se habían besado. Freddy le explicó que Laura le había prestado un camisón, que se había cepillado los dientes con jabón y una manopla de baño y que no, él no roncaba, pero Laura sí: lo suficiente para que temblaran las ventanas. Y sí. Se habían besado. Sunshine quiso saber si Freddy besaba mejor ahora y él le explicó que había hecho un cursillo. Laura nunca había visto reír a Sunshine con tantas ganas, aunque era difícil calcular si había creído a Freddy mucho o poco. Y qué parte de la información recibida repetiría cuando llegara a su casa.

Estaban en Nochevieja y aún era muy temprano. Desde la habitación de los huéspedes también se veía la rosaleda, aunque aquella mañana apenas era visible por culpa de la lluvia torrencial que caía. Freddy llegaría más tarde. Habían quedado para salir aquella noche y participar en las celebraciones del *pub* del barrio. Mientras tanto, Laura se sintió inexorablemente atraída hacia el estudio. Con té y tostadas suficientes para los dos, entró en la habitación con Zanahoria y encendió el fuego. Cogió de un estante una caja pequeña y vació el contenido en la mesa. La lluvia había arreciado aún más y su rumor era el ruido de fondo sobre el que el crepitar de la leña que ardía en el fuego formaba una especie de contrapunto. Por primera vez tenía en la mano un objeto para el que no tenía nombre y la etiqueta no le aclaró ni su objetivo ni su origen.

Casa de madera, puerta y ventanas pintadas, n.º 32.
Encontrada en un contenedor delante
del n.º 32 de Marley Street,
el 23 de octubre...

Edna miró la identificación del joven. Dijo que era empleado de la compañía del agua y que estaba allí para comprobar el estado de las cañerías. Era una simple comprobación rutinaria que se hacía en casa de todos los abonados de más de setenta años, antes de la llegada del invierno. Edna tenía setenta y ocho y necesitaba las gafas de lectura para descifrar lo que decía la identificación. Su hijo David le decía siempre que tuviera cuidado con abrir la puerta a los desconocidos. Que tuviera la cadena echada hasta que comprobara quiénes eran. El problema era que la cadena solo permitía abrir un pequeño resquicio y se encontraba demasiado lejos para leer la tarjeta del joven. Incluso con las gafas de lectura puestas. El joven sonreía con paciencia. Parecía formal. Llevaba un mono de trabajo limpio, con una placa en el pecho, sujeta al bolsillo, y en la mano tenía una caja de herramientas de plástico negro. En la tarjeta identificadora había una foto que se le parecía y Edna creyó distinguir las palabras «Támesis» y «Aguas». Lo dejó pasar. No quería que el joven pensara que era una vieja maniática e indefensa.

–¿Le apetece un té? –preguntó.

El joven sonrió con gratitud.

–Es usted una joya y tiene buen ojo. La verdad es que estoy más muerto que vivo. Lo último que he tomado ha sido a las siete de la mañana. Leche con dos terrones de azúcar, muchas gracias.

Edna lo condujo al lavabo de abajo y luego al cuarto de baño de arriba, y a un aireado armario del descansillo donde estaba el depósito de agua. Ya en la cocina, puso el hervidor en el fuego y mientras esperaba a que hirviese el agua, miró por la ventana la larga franja del jardín trasero. Edna llevaba viviendo casi sesenta años en aquella casa adosada del este de Londres. Se había mudado allí tras casarse con Ted. Habían criado allí a sus hijos y cuando David y Diana crecieron y tuvieron edad para marcharse, ya tenían la casa pagada. Naturalmente, no habrían podido permitírselo en los tiempos que corrían. Edna era la única vecina que quedaba de los viejos tiempos. Las demás casas habían ido vendiéndose, una tras otra; se habían reformado y sus precios habían subido más que las faldas de las chicas, como habría dicho Ted. En los últimos tiempos la calle se había llenado de jóvenes profesionales con coches flamantes, hornillos de fondue y más dinero del que podían gastar. No era como en los viejos tiempos, cuando los niños jugaban en la calle y todos los vecinos se conocían y sabían en qué trabajaban.

El joven volvió a la cocina cuando Edna servía ya el té.

–Exactamente como me gusta –dijo, echándoselo al coleto. Parecía tener prisa–. Arriba todo está en orden.

Echó un vistazo rápido debajo del fregadero y luego limpió su taza con el agua del grifo. Edna estaba impresionada. Era un chico impecable, como su David. Era evidente que su madre había sabido educarlo.

El timbre volvió a sonar por la tarde. Dos visitas en un solo día era un acontecimiento insólito. Por la ranura de la puerta vio a una señora de color, elegantemente vestida, con aspecto de sesentona. Vestía un traje azul marino con una blusa tan blanca que mareaba. Sobre su inamovible permanente de rizos de color madera cabalgaba un sombrero azul marino con un pequeño velo de topos que le cubría la mitad supe-

rior de la cara. Antes de que se pronunciara una sola palabra por ambas partes, la mujer cayó de rodillas y se apoyó en el marco de la puerta para no desplomarse. Momentos después, estaba sentada en la cocina de Edna, abanicándose con la mano y pidiendo mil perdones con un marcado acento jamaicano.

—Lo siento muchísimo, señora. Es que a veces me dan estos soponcios. El médico dice que tienen que ver con el azúcar. —Se inclinó hacia delante en la silla y estuvo a punto de caer, aunque recuperó el equilibrio inmediatamente—. Me sabe muy mal causarle tantas molestias.

Edna hizo un gesto vago con la mano para restarle importancia a lo sucedido.

—Lo que usted necesita es una buena taza de té caliente —dijo, llenando el hervidor una vez más.

Si había de ser sincera, se alegraba de tener compañía. La mujer dijo ser la Hermana Ruby. Iba de puerta en puerta ofreciendo sus servicios de sanadora, adivina y consejera espiritual. Le dijo a Edna que sabía leer la palma de la mano, los naipes y la bola de cristal, y que practicaba la Obeá, el Yadú y el Yuyu. Edna no tenía ni idea de lo que era el Obladí ese, ni el Ñandú ni el Yoyó, pero era muy supersticiosa y siempre la habían fascinado las pitonisas y las gentes de oficio parecido. En su casa nunca se ponían zapatos nuevos encima de la mesa, nunca se abrían paraguas bajo techo y nadie se cruzaba con nadie en la escalera. Su abuela, que era irlandesa, leía las hojas de té a todos los vecinos, y una tía suya se había ganado la vida con el nombre de Madame Petulengra leyendo el futuro en una bola de cristal en el Paseo Marítimo de Brighton. Cuando la Hermana Ruby, reanimada por el té, se ofreció a decirle la buenaventura, Edna se moría de ganas. La Hermana Ruby le cogió la mano, la apoyó boca arriba en la suya y le pasó varias veces la otra por la palma. Estuvo un minuto entero analizando su accidentada topografía.

–Tiene usted dos hijos –dijo por fin la Hermana–. Un varón y una mujer. –Edna asintió con la cabeza–. Su marido falleció... hace ocho años. Tenía un dolor aquí.

La Hermana Ruby se tocó el pecho con la mano libre. Ted había muerto de un ataque al corazón cuando volvía del pub. Solo flores de la familia, gracias, pero se aceptaban donativos a la Fundación Británica para la Prevención de Enfermedades Cardíacas. La Hermana Ruby movió la mano de Edna hacia un lado y hacia otro, como si tratara de descifrar un mensaje particularmente complicado.

–Está usted preocupada por la casa –anunció finalmente–. Usted quiere quedarse, pero alguien quiere que se vaya. Un hombre. ¿Su propio hijo? No. –Observó más de cerca la mano y luego se echó atrás y cerró los ojos, como si se estuviera representando mentalmente al hombre en cuestión. De repente se enderezó y golpeó la mesa con las dos manos–. ¡Es un empresario! ¡Quiere comprarle la casa!

Mientras tomaban otro té y picoteaban de un paquete de galletas rellenas recién abierto, Edna le contó todo lo concerniente a Julius Winsgrave, promotor inmobiliario y cabrón ambicioso y sórdido (aunque no utilizó la palabra «cabrón», dado que Ruby era una Hermana). Llevaba años insistiendo en que vendiera, había comprado casi todas las demás casas de la calle y se había forrado gracias a ellas. Al final, su táctica de acoso había obligado a David a consultar con su abogado y a presentar una queja contra Julius para impedir que siguiera insistiendo. Pero Edna sentía la amenazante presencia del empresario dando vueltas en círculo sobre ella, como un buitre que esperaba su muerte.

La Hermana Ruby escuchaba con atención.

–Parece que es un hombre malo y peligroso. –Cogió su bolso de mano, grande y muy gastado, y se puso a escarbar en su interior–. Aquí tengo algo que podría ayudarla.

Puso encima de la mesa un trozo de madera, pequeño y plano, que parecía reproducir la fachada de una casa. Le habían pintado toscamente cuatro ventanas y una puerta, esta de color azul. El mismo color que la de Edna.

–¿Qué número tiene esta casa? –preguntó la Hermana Ruby.

–El treinta y dos.

La Hermana Ruby sacó un bolígrafo del bolso y escribió un «32» encima de la puerta pintada.

–Este –dijo– es el Yuyu más poderoso que existe y la protegerá si hace usted exactamente lo que voy a decirle.

Sujetó la fachada de madera con ambas manos y cerró los ojos. Movió los labios muy deprisa, pronunciando un silencioso conjuro que duró unos minutos. Al final dejó el trozo de madera en el centro de la mesa.

—Debe quedarse aquí —dijo en tono tajante—. Este es el centro de su casa y desde aquí la protegerá. Pero debe usted saber que esta casa —señaló el trozo de madera— es su casa a partir de ahora. Mientras permanezca intacto, su casa estará segura. Pero si permite que sufra algún daño, los ladrillos y la argamasa que la rodean correrán la misma suerte, incluso peor; fuego, agua, hundimiento, lo que sea. Nada deshará la magia; y nada deshará la maldición.

Edna miró el pedazo de madera y se preguntó si realmente podría protegerla de Julius Winsgrave. Bueno, no perdía nada por intentarlo, en principio. La Hermana Ruby llevó su taza y su platito al fregadero y, a pesar de las protestas de Edna, los lavó cuidadosamente y luego los dejó en el escurreplatos. Cuando Edna le dio la espalda para guardar las galletas en la lata, la Hermana Ruby agitó una mano húmeda sobre el trozo de madera y tres gotas de agua cayeron sobre la fachada pintada.

—Bueno —dijo, recogiendo el bolso—, creo que ya le he robado demasiado tiempo.

Edna fue a buscar su monedero, pero la Hermana Ruby se negó a aceptar ningún pago por sus servicios.

—Ha sido un placer charlar con usted —dijo, echando a andar hacia la puerta de la calle.

Cuando se quitó el maquillaje, la cara del espejo rejuveneció. Debajo de los rizos de la peluca había una melena negra, alisada con la plancha. Con vaqueros,

248

botas y un abrigo con manchas de leopardo, la Hermana Ruby se había transformado en Simone La Salle. Consultó la hora en su reloj de diseño y cogió su bolso de diseño. Julius la esperaba en el restaurante, tamborileando de impaciencia con los dedos en el inmaculado mantel de hilo.

–Champán, por favor –le dijo la mujer, con un marcado acento del sureste, al camarero que en ese momento pasaba por allí.

Julius enarcó las cejas.

–¿Te lo has ganado?

Simone sonrió.

–¿Tú qué crees? –dijo–. Ha ido como una seda. Mi chico ha ido esta mañana y le ha manipulado la llave de paso. Por suerte, el cuarto de baño queda encima de la cocina. –Volvió a mirar el reloj–. A estas horas, el techo de la cocina debe de estar goteando.

Julius sonrió.

–Madre e hijo formáis un gran equipo.

Le pasó un grueso sobre marrón por encima de la mesa. Simone comprobó el contenido y se lo guardó en el bolso. El camarero apareció con el champán y les llenó las copas. Julius levantó la suya para brindar.

–Ha sido un placer hacer negocios contigo.

Después de despedir a la Hermana Ruby, Edna se echó un rato en el sofá. Dos visitas en un solo día era un acontecimiento glorioso, pero un poco cansado. Cuando despertó, al cabo de una hora, estaba lloviendo. En la cocina. La casa de madera que yacía en la mesa estaba empapada. La pintura se había corri-

do y a las ventanas les faltaba poco para desaparecer,
aunque el número 32 seguía totalmente visible. Edna
levantó los ojos y vio con horror la mancha negra
que se ensanchaba en el techo. Lo último que oyó fue
el rugido de la masa de yeso y madera que le cayó en-
cima.

–¡Está bien! ¡Está bien! ¡Me rindo!

Laura acarició la cabecita caliente que llevaba cinco minutos golpeándole la rodilla. Zanahoria tenía hambre y necesitaba hacer un pis. La hora del almuerzo había quedado atrás. Laura miró el mar de objetos con estrella dorada que tenía en la mesa y consultó el reloj. Eran casi las tres.

–Pobre Zanahoria –dijo–. Apuesto a que has estado con las patas cruzadas todo el rato.

Todavía llovía a cántaros, aunque a Zanahoria, por suerte, le habían regalado un impermeable en Navidad, entre muchas otras cosas. Salió trotando al jardín mientras Laura preparaba el almuerzo de ambos. El perro volvió pronto, dejando un reguero de pisadas en las baldosas del suelo. Después de comer, Laura subió a su cuarto para decidir qué vestido ponerse para la fiesta de la noche. Se ruborizó al darse cuenta de lo mucho que le costaba elegir la ropa interior apropiada. O apropiadamente inapropiada. Al buscar sus pendientes favoritos, se preguntó si los habría dejado en el dormitorio de Therese y fue a comprobarlo. Giró el frío pomo de latón. Habían echado el pestillo. Por dentro.

32

F reddy movió el pie por debajo de las frazadas y le
pinchó la barriga a Zanahoria.

–Levanta, sabueso haragán, y prepáranos un té.

Zanahoria se hundió más aún en el hueco del edredón y gruñó satisfecho. Freddy le lanzó a Laura una
mirada suplicante, pero ella escondió la cabeza bajo la
almohada.

–Parece que no voy a tener más remedio que bajar
yo –dijo, mientras saltaba de la cama y buscaba algo
que ponerse, no por recato, sino porque hacía frío.

La bata de Laura era demasiado estrecha, pero estaba allí mismo. Abrió las cortinas al nuevo año y al sol
que brillaba en el cielo azul. Laura se desperezó, desnuda bajo las calientes frazadas, y se preguntó si tendría
tiempo de correr al cuarto de baño y ponerse un poco
más presentable y un poco menos madura. Pero ¿con
qué objeto? Freddy la había visto ya. Se peinó con los
dedos y se miró en el espejito de la mesita de noche para
ver si se le había corrido el rímel que se había puesto
por la noche. Al menos tenía los dientes bonitos.

Transcurrieron dos horas largas, mientras se levan-
taban, se vestían y comían judías con tomate y tostadas,

hasta que llegó Sunshine. Le habían prometido que, si hacía buen tiempo, irían todos al bosque cercano a pasear con Zanahoria. Laura y Freddy iban cogidos del brazo mientras Sunshine corría delante, lanzando una pelota sujeta a un cordón (otro regalo de Navidad) para que Zanahoria la recuperase.

–Tengo la extraña sensación de que el pequeño Zanahoria solo lo hace para divertir a Sunshine y no para divertirse él –dijo Freddy.

Laura observó al perro, que regresaba obedientemente con la pelota hacia Sunshine. La muchacha volvía a arrojarla inmediatamente en una dirección improvisada.

–¡A por ella! –le ordenaba al perro.

–Y sospecho que seguirá jugando a esto hasta que encuentre algo más interesante.

En efecto, tras efectuarse el siguiente lanzamiento, Zanahoria vio que la pelota caía en unas aliagas y se alejó en busca de conejos. Sunshine designó al pobre Freddy sustituto de Zanahoria y no tardó en meterse hasta los codos entre las aliagas.

–Déjala donde está –dijo Laura mientras Freddy se arriesgaba a recibir multitud de pinchazos–. Ya le compraremos otra.

–¡No! –se quejó Sunshine–. Es el regalo que le hicieron en Navidad. Se enfadará y me odiará por no saber tirar en línea recta porque soy monga.

Sunshine estaba a punto de llorar.

–Pues claro que no eres una mongola –le dijo Freddy, que en ese momento emergió por fin de las profundidades de las aliagas y agitó la pelota en el aire con actitud triunfal–. ¿Quién dice que lo eres?

–Me lo decía Nicola Crow en la escuela cuando se me caía la pelota jugando a *rounders*.

–Pues ese Nicola Crow era un burro y usted, señorita, una *daunzarina*. No lo olvides.

Le dio el juguete y la pena desapareció de la cara de la muchacha. Esperar que sonriera, sin embargo, era demasiado. Harto de los conejos y habiéndose perdido el drama, Zanahoria regresó y se puso a olisquear la pelota. Luego le lamió la mano a Sunshine. El precio de una sonrisa.

Cuando reanudaron el paseo, Laura con el juguete de Zanahoria y Freddy mirándose las heridas, Sunshine saltó sobre un objeto pequeño y brillante, hundido en la hierba.

–Mirad –dijo, sacándolo del barro con los dedos.

–¿Qué es? –Freddy se lo quitó de las manos y le limpió la tierra. Era un llavero de latón con forma de cría de elefante.

–Deberíamos llevárnoslo a casa –dijo Sunshine–. Escribirle una etiqueta y anunciarlo en la página web.

–¿No crees que tenemos suficientes trastos ya? –dijo Laura, mientras recordaba el estudio abarrotado de cosas que todavía esperaban la estrella dorada en estanterías o en cajas.

Freddy, sin embargo, se mostró de acuerdo con Sunshine.

–Escuchad, he estado pensando en cómo conseguir que la gente se interese por la página web. Listar todo el material solo es la mitad del trabajo. Conseguir que la gente lo vea es la otra mitad. La historia de Anthony es muy interesante y estoy seguro de que atraeremos a la prensa local, quizás incluso a la radio y a la televisión. Pero creo que algo que podría ayudarnos mucho es que además de objetos perdidos y encontrados hace tiempo haya también objetos perdidos y encontrados últimamente.

Lo que realmente ayudó a Laura fue que Freddy hubiera hablado de «nosotros» en dos ocasiones: atraeremos, ayudarnos... Ya no estaba sola con el ingente legado de Anthony; tenía ayudantes. Ayudantes a los que no había recurrido porque era demasiado soberbia o demasiado miedosa.

Al volver a Padua, Sunshine fue directamente al estudio, a buscar una etiqueta para el llavero. Los padres de Sunshine habían invitado a todos a tomar el té, pero la muchacha estaba decidida a que el llavero con su correspondiente etiqueta quedara en una estantería o en una caja antes de marcharse. Laura subió a cambiarse, mientras Freddy iba a la cocina y le limpiaba el barro de las patas a Zanahoria con una toalla vieja. Laura, al pasar, volvió a girar el pomo de la puerta de la habitación de Therese, pero seguía cerrada por dentro. Al llegar a la cocina, escribió la etiqueta del llavero bajo la atenta mirada de Sunshine.

–¿Sunshine?

–¿Mmm? –La muchacha estaba muy concentrada, tratando de descifrar lo que escribía Laura.

–¿Recuerdas que el otro día dijiste que la Virgen de las Flores estaba molesta?

–Sí.

Laura dejó la pluma y sopló la tinta de la etiqueta, todavía húmeda. Cuando la dejó en la mesa, la recogió Sunshine y sopló otro poco. Para estar totalmente segura.

–¿Crees que estaba molesta conmigo?

Sunshine adoptó su expresión y actitud habituales para decir «¿cómo puedes ser tan tonta?», que consistían en hacer un gesto de impaciencia, resoplar y poner los brazos en jarras.

–No está molesta solo contigo –el «como es lógico» se sobrentendía–, está molesta con todos.

No era la respuesta que Laura esperaba. En el caso de creer a Sunshine (y el jurado estaba todavía en el descanso del café con leche mientras deliberaba el asunto), debía respirar de alivio por no ser el único objetivo de la ira de Therese, aunque seguía sin tener la más remota idea de lo que podía hacer para apaciguarla.

–Pero… ¿por qué está enfadada?

Sunshine se encogió de hombros. Por el momento había perdido el interés por Therese y aguardaba el té con impaciencia. Miró su reloj. Era capaz de descifrar todas las horas «en punto» y casi todas las «y media», aunque lo que quedaba entre unas y otras se traducía invariablemente por «casi».

–Son casi las cuatro en punto –dijo– y el té se toma a las cuatro en punto sin tardanza. –Se dirigió a la puerta y se detuvo allí–. Esta mañana he hecho magdalenas con crema, bollitos con mermelada y unas tartaletas de fruta picada más ricas todavía, y un surtido de delicias de langostino. Para nuestro té.

Freddy sonrió.

–Eso explica por qué no has llegado hasta casi las once y media. –Le guiñó el ojo a Laura y en silencio, moviendo únicamente los labios, añadió–: Por suerte para mí.

–Y mi padre ha preparado rollos rellenos de salchicha –añadió Sunshine, poniéndose el abrigo.

33

Eunice

1991

—Estos rollos rellenos de salchicha no es lo que mejor le sale a la señora Doyle —dijo Bomber, acometiendo con valentía el segundo.

Desde que la señora Doyle se había retirado a un piso costero de Margate, la panadería había quedado en manos de una empresa que la cedía en régimen de franquicia, de modo que toda la bollería y repostería que antes se hacía a mano había sido reemplazada por imitaciones precocinadas que se producían en serie. Cuando Eunice vio que le caían escamas de hojaldre en la pechera y los muslos, le alargó una servilleta de papel.

—Estoy convencida de que Baby Jane se alegrará de dar cuenta de todo lo que sobre —dijo, echando un vistazo a la ávida cara de la pequeña carlina.

Pero Baby Jane no tuvo suerte. A pesar de la calidad inferior de lo que consumía, Bomber se comió todo el almuerzo y procuró tirar todas las escamas de hojaldre a la papelera. Eunice le había comprado dos rollos de salchicha como un regalo especial, renunciando por una vez a su preocupación por la salud y la línea masculinas. Más tarde irían a ver a Grace y a Godfrey, aunque las visitas a Folly's End se habían vuelto cada vez más penosas durante el año anterior. Eunice habría deseado tener en su mano cualquier cosa, un remedio cualquiera que redujera el sufrimiento de Bomber cuando veía al hombre que había sido su padre alejarse inexorablemente hacia un horizonte remoto e inaccesible. La salud física del enfermo era una amarga ironía cruelmente uncida, por así decirlo, a su fragilidad mental, que lo transformaba en un niño crecido, asustado e irritado. «Cuerpo de búfalo, mente de polilla», así lo describía la propia Grace. Su estado representaba un terrible castigo para quienes lo amaban. Los amigos y familiares de Godfrey eran ahora para él desconocidos a los que temía y, si podía, evitaba. Cualquier muestra de afecto físico –un roce, un beso, un abrazo– recibía a cambio un puñetazo o un puntapié. Grace y Bomber podían enseñar cardenales que lo demostraban. Grace se presentaba tan estoica como de costumbre, aunque ahora, casi dos años después de trasladarse a Folly's End, ya no compartía habitación con el marido. Aquellos días era más seguro amarlo a distancia. Portia había puesto tierra por medio de manera definitiva. Cuando empezó la violencia, cesaron sus visitas.

Bomber movió la cabeza de un lado a otro en un gesto de escepticismo mientras sacaba un grueso manuscrito de un sobre marrón que había llegado por correo aquella mañana.

–Estoy convencido de que solo quiere tocarme las narices.

Se trataba de la última creación de su hermana.

–¿No los envía a nadie más?

Eunice miró por encima del hombro de Bomber y recogió las páginas en que se resumía el argumento.

–Seguro que sí. Yo ya he superado la vergüenza. El último se lo mandó a Bruce. Y Bruce me dijo que había estado a punto de publicarlo solo para ver qué cara ponía yo.

Eunice estaba absorta leyendo las páginas que tenía en la mano. Tanta risa le producían, que le temblaba todo el cuerpo. Bomber se retrepó en la silla y enlazó las manos en la nuca.

–Bueno, dime de qué va. Anda, alégrame el día, sácame de esta *miseria*.

Eunice agitó el dedo en su dirección.

–Es curioso que digas eso, me acabas de recordar la película *Misery* porque estaba pensando que quizá podríamos convencer a Kathy Bates para que secuestrara a Portia, la atara a una cama en alguna cabaña de un bosque lejano, le rompiera las piernas con una maza y luego le diera algunos consejos sobre cómo se escribe una novela.

La primera vez que habían visto la película *Misery*, se lo habían pasado en grande después durante la cena, elaborando una lista de escritores que podían aprender mucho asistiendo al seminario de escritura creativa de Kathy Bates. Eunice no podía creer que hubieran pasado por alto a Portia.

–Sería más sencillo si le rompiera todos los dedos, para que no pudiera escribir ni una sola palabra más.

Eunice agitó la cabeza hacia Bomber, con una expresión cómica de reproche.

–Pero entonces nos quedaríamos sin joyas literarias como esta –dijo, agitando la sinopsis en el aire.

Carraspeó y guardó un momento de silencio para aumentar el efecto teatral. Baby Jane le ladró para indicarle que empezara.

–Janine Ear es una joven huérfana que se ha criado con su tía, la señora Weed, una mujer rica y cruel. Janine es una muchacha rara que ve fantasmas y su tía dice a todo el mundo que «toma drogas» y la manda a una clínica privada de rehabilitación que se llama High Wood. Su propietario, el señor Bratwurst, gasta en heroína todo lo que gana y alimenta a las internas con pan y manteca de cerdo. Janine traba amistad con una muchacha bondadosa y sensata que se llama Ellen Scalding, que muere cierto día que se atraganta con una corteza de pan seco, ya que no hay nadie encargado de prestar primeros auxilios y Janine no sabe hacer la compresión abdominal.

Eunice hizo una pausa para ver si Bomber necesitaba que le hicieran aquella intervención de urgencia. Bomber se retorcía de la risa, pero en silencio, y Baby Jane estaba a sus pies, mirándolo con expresión algo desconcertada. Eunice esperó a que Bomber se recuperase un poco antes de proseguir.

–El señor Bratwurst va a la cárcel por no cumplir la legislación vigente sobre servicios sanitarios mínimos y Janine entra a trabajar de *au pair* en una casa solariega de Pontefract llamada Pricklefields, donde está a cargo de una alegre niña francesa llamada Belle, y su patrón, el señor Manchester, es un caballero sombrío y meditabundo que guarda algún secreto, grita mucho, pero es amable con la servidumbre. Janine se enamora de él. Una noche, el patrón despierta porque le arde el pelo y Janine le salva la vida. El patrón se le declara. El día de la boda es un desastre.

–¿Solo el día de la boda? –barbotó Bomber.

Eunice prosiguió.

–Cuando están a punto de pronunciar los votos, se presenta un tal señor Mason que afirma que el señor Manchester ya está casado, con su hermana, que se llama Bunty. El señor Manchester se lleva a todo el mundo a Pricklefields y allí ven a Bunty, que está hasta las cejas de *crack* y se dedica a corretear por el desván a cuatro patas, bramando, gruñendo y tratando de morderles los tobillos a los presentes, perseguida por una enfermera que empuña una jeringa de ketamina. Janine hace la maleta. Se pierde en los páramos y cuando está a punto de morir de hipotermia, la encuentran un amable párroco convertido a una secta protestante y sus dos hermanas y se la llevan a su casa. Da la afortunada casualidad de que los tres son primos suyos y por otra casualidad, más afortunada todavía, resulta que un tío desaparecido hace mucho ha fallecido y le ha legado a Janine todo su dinero. Janine comparte amablemente su herencia, pero se niega a casarse con el párroco y a irse con él a predicar al municipio londinense de Lewisham, porque se da cuenta de que el amor de su vida será siempre el señor Manchester. Vuelve a Pricklefields y descubre que han ardido hasta los cimientos. Una anciana que pasa por allí le cuenta que «la puta drogata de Bunty» es la causante del incendio y que ha muerto bailando en el tejado mientras ardía la mansión. El señor Manchester había rescatado valientemente a todos los criados y al gatito, pero le cayó encima una viga, a consecuencia de lo cual se quedó ciego y perdió una oreja. Como vuelve a estar soltero, Janine decide dar una segunda oportunidad a la relación, aunque explica a su amado que tendrán que tomarse las cosas con calma, dado que ella tiene todavía «problemas de confianza». Seis semanas después contraen matrimonio y cuando nace su primer hijo, el señor Manchester recupera milagrosamente la visión de un ojo.

–¡Es magnífica como comedia! –exclamó Eunice sonriendo mientras le devolvía las páginas a Bomber–. ¿Seguro que no te tienta publicarla?

Bomber le arrojó una goma. Eunice se agachó y el proyectil le pasó rozando la cabeza.

La muchacha fue a sentarse a su mesa y se puso a cavilar con la barbilla apoyada en las manos.

–¿Por qué crees que lo hace? –preguntó a Bomber–. Yo no creo que lo haga solo por fastidiarte. Es demasiado esfuerzo. Y, en cualquier caso, conociendo a Portia, la broma habría perdido efecto a estas alturas. Tiene que haber algo más. Si quisiera, podría costearse ella la edición. Desde luego, puede permitírselo.

Bomber cabeceó con tristeza.

–Creo que quiere sinceramente hacer algo bien. Por desgracia, se ha equivocado de especialidad. A pesar de todo su dinero y de sus presuntas amistades, su vida tiene que estar muy vacía a veces.

–Yo pienso que todo esto tiene algo que ver contigo. –Eunice se puso en pie y se acercó a la ventana. Ordenaba mejor sus ideas cuando estaba en movimiento–.

Creo que lo que busca es la aprobación del hermano mayor: quiere elogio, cariño, valoración, como quieras llamarlo, y se esfuerza por conseguirlo escribiendo. Está en un callejón sin salida en todos los sentidos: es grosera, egoísta, superficial y a veces cruel, y nunca admitirá que le importa lo que pienses de ella, pero le importa. En el fondo, tu hermanita solo quiere que estés orgulloso de ella, y ha elegido la literatura, no porque tenga talento ni le proporcione placer, sino porque es un medio para conseguir lo que quiere. Tú eres editor y ella quiere escribir un libro que tú encuentres suficientemente bueno para publicarlo. Por eso copia los argumentos de los clásicos.

–Pero si yo la quiero. No puedo aprobar su forma de comportarse, cómo trata a nuestros padres, cómo te habla a ti. Pero es mi hermana. Siempre la querré.

Eunice se acercó a él, se situó detrás y le puso las manos en los hombros.

–Ya lo sé. Pero creo que Portia no. Pobre Portia.

Y, por una vez, lo dijo en serio.

34

Laura estaba sentada en la cama y apretaba los puños con tanta fuerza que las uñas le dejaban señales curvas en la carne. No sabía si asustarse o ponerse furiosa. La voz de Al Bowlly subía de la habitación del jardín y sus notas seductoras eran como uñas que arañasen sin parar una pizarra.

–¡Ya estoy harta de solo pensar en ti! –exclamó.

Arrojó al otro lado de la habitación el libro que descansaba sobre la mesita de noche. Golpeó uno de los candeleros de cristal que había encima del tocador, que cayó al suelo y se hizo añicos.

–¡Joder!

Se disculpó mentalmente ante Anthony. Se levantó y bajó a buscar el recogedor y la escoba, y a comprobar de paso lo que de todos modos sabía que era indiscutible, absoluta e incontestablemente cierto. El disco de Al Bowlly seguía dentro de la descolorida funda de papel, en el centro de la mesa del estudio. Lo había puesto allí la víspera, harta de oír la melodía que ahora la perseguía, literalmente, día y noche. Había pensado –de un modo más bien infundado, según veía ahora– que si alejaba físicamente el disco del gramófono dejaría de oírlo. Pero Therese no tenía por qué jugar con las mismas reglas; reglas físicas. Su muerte parecía haber prescindido de unas restricciones tan prosaicas y era libre de causar daños recurriendo a medios mucho más imaginativos. Porque ¿quién más o qué otra cosa podía ser la causante? Anthony había sido indefectiblemente amable con ella mientras estaba vivo, así que era improbable que hubiera emprendido aquellos mezquinos acosos ahora que estaba muerto. Al fin y al cabo, Laura había hecho o intentaba hacer todo lo que él le había pedido. Cogió el disco y miró la sonriente cara del hombre de la funda, con aquel pelo negro y brillante y aquellos seductores ojos negros.

–No tengo ni idea –murmuró, sacudiendo la cabeza.

Guardó el disco en un cajón y se apoyó en él como para reforzar su cierre. Como si aquello pudiera tener consecuencias. Le había contado a Freddy lo de la puerta de la habitación de Therese y le había sugerido que probara a abrirla. Freddy había mirado el pomo y había llegado a la conclusión de que se había echado el pestillo, pero luego dijo que en su opinión no debían hacer nada al respecto.

–Ella misma la abrirá cuando esté preparada –había dicho, como si hablase de una niña traviesa que acabaría olvidándose de su enfurruñamiento.

Tanto Freddy como Sunshine parecían aceptar a Therese con una tranquilidad que sacaba de quicio a Laura. ¿No debería causar consternación la molesta presencia de alguien que había muerto y cuyas cenizas se habían esparcido en el jardín? En particular porque en aquellos momentos, y gracias a los esfuerzos de ellos, debería

estar en alguna parte en un estado de felicidad posnup-
cial, aunque oficialmente *post mortem*. Era una cochi-
na ingratitud. Laura sonrió, muy a su pesar. Pero si no
era Therese, ¿quién más podía ser? El sueño de la razón
produce quimeras. Acababa de barrer los fragmentos
del candelero roto cuando oyó que Freddy y Zanahoria
volvían de su paseo.

Ya en la cocina, le contó a Freddy lo de la música,
mientras tomaban té con tostadas.

–Ah, eso –dijo el hombre, pasándole a Zanahoria
trozos de tostada con mantequilla–. Yo también la he
oído, pero nunca he hecho caso. Nunca sé si es Sunshine o no.

–Es que me llevé el disco y seguí oyéndolo, por eso
lo he guardado en un cajón del estudio.

–¿Por qué? –dijo Freddy, removiendo el azúcar que
había echado en el té.

–¿Por qué me lo llevé o por qué lo he guardado en
un cajón?

–Por qué las dos cosas.

–Porque me estaba volviendo loca. Me lo llevé para
que no pudiera ponerlo.

–¿Quién? ¿Sunshine?

–No. –Laura hizo una pausa, reacia a decirlo en voz
alta–. Therese.

–Ah. Nuestro fantasma local. Así que te lo llevaste
y no funcionó, ¿y pensaste que guardándolo daría resultado?

–No exactamente. Pero hizo que me sintiera mejor.
No dejo de preguntarme qué otras cosas puede hacer.
¿Por qué se comporta como una maldita prima donna?

Ya tiene a Anthony, así que... ¿por qué le supone un problema que yo tenga la casa? Es lo que él quería.

Freddy bebió un sorbo de té y meditó la cuestión con la frente fruncida.

—Recuerda lo que dijo Sunshine. Dijo que Therese no estaba enfadada contigo, que estaba enfadada con todos. Su cólera es indiscriminada. Luego no es por la casa. ¿Ocurrió alguna vez algo parecido mientras Anthony vivía?

—No, que yo sepa. Siempre flotaba en la casa ese vago perfume de rosas y la vaga sensación de que Therese seguía aquí, pero nunca vi ni oí nada concreto. Y Anthony no me comentó nada.

—Así que la señora se ha puesto a jugar solo desde el fallecimiento de Anthony.

—Sí y eso es lo preocupante. Yo siempre supuse que ella lo había estado esperando todos aquellos años en algún rincón del éter o donde fuera, ensayando foxtrots o pintándose las uñas... —Freddy agitó el índice delante de Laura para recriminarle el tono malicioso con que había pronunciado aquellas palabras—. Lo sé, lo sé. No debería hablar así —exclamó ella, riéndose de sí misma—. Pero hablando con franqueza, ¿qué más quiere Therese? Ha recuperado a su marido y debería ser feliz ahora. En cambio, se pasea por la casa haciendo trastadas, como una diva contrariada; difunta.

Freddy puso la mano sobre la de ella y se la apretó.

—Sé que resulta inquietante. Es como si aún estuviera un poco viva...

—Más inquietante si tenemos en cuenta que está muerta —atajó Laura.

Freddy sonrió.

—Creo que las dos os habríais llevado bien. Por lo que me contaba Anthony, sois más parecidas de lo que imaginas.

—¿Te hablaba de Therese?

—A veces. Sobre todo en los últimos tiempos. —Vació la taza y volvió a servirse de la tetera—. Pero es posible que estemos pasando algo por alto. Damos por sentado que como esparcimos las cenizas de Anthony donde él esparció las de Therese, los dos están juntos. Pero ¿son las cenizas lo que importa en el fondo? ¿No son simplemente «restos», lo que queda cuando la persona se va? Anthony y Therese están muertos, pero quizá no estén juntos. A lo mejor es ese el problema. Si tú y yo vamos a Londres por caminos separados y no fijamos previamente un lugar de encuentro, ¿qué probabilidades hay de que nos encontremos? Y estén donde estén, seguro que es un lugar muchísimo más grande que Londres, y no tienes más que recordar la cantidad de gente que se ha ido apelotonando allí desde… bueno, desde que la gente empezó a morirse.

Se retrepó en la silla con cara de estar satisfecho de sí mismo y de su explicación. Laura suspiró y se dejó caer en su asiento con abatimiento.

—¿Me estás diciendo que Therese está peor ahora que antes de que él muriera porque antes sabía al menos dónde estaba Anthony? ¿Sabes? Eso es maravilloso. Podemos tenerla encima durante años. Para siempre. ¡Maldita sea!

Freddy se situó detrás de ella y le puso las manos en los hombros.

–Pobre Therese. Creo que deberías llevar otra vez el disco a la habitación del jardín.

La besó en lo alto de la cabeza y se fue a trabajar en los rosales. Laura se sintió repentinamente culpable. Lo más probable es que todo fuera una insensatez, pero ¿y si no lo era? Ella tenía a Freddy, pero ¿y si, después de todo aquel tiempo, Therese seguía sin tener a Anthony?

Pobre Therese.

Se levantó y fue al estudio. Sacó el disco del cajón, lo llevó a la habitación del jardín y allí lo dejó en la mesa, al lado del gramófono. Cogió la foto de Therese y observó las facciones de la mujer, borrosas y distantes por culpa del cristal roto. Vio, quizá por primera vez, a la persona que había detrás del papel de la foto. Puede que Freddy creyera que se parecían, pero ella se daba cuenta de las diferencias. Tenía quince años más de los que tenía Therese cuando había muerto, aunque no le cabía la menor duda de que Therese había tenido una existencia más difícil, intensa y acelerada que la de Laura. ¡Cuánto esfuerzo inútil!

Pasó los dedos por aquel rostro deformado por el cruel mosaico del cristal resquebrajado. ¿Qué había dicho Sarah? «Es hora de dejar de esconderse y de levantar la vida a patadas».

–Te arreglaré el cristal –le prometió a Therese. Volvió a coger el disco y lo puso en el plato–. Juega limpio –dijo en voz alta, dirigiéndose a la habitación–. Quiero ponerme de tu parte.

35

Eunice

1994

Eunice no olvidaría nunca el aroma de las rosas caldeadas por el sol que entraba por la ventana abierta mientras veía morir a Godfrey con Bomber y Grace. Casi había fallecido ya. Solo quedaba un cuerpo agotado que apenas seguía funcionando, que respiraba demasiado superficialmente incluso para levantar las alas de una mariposa. El miedo, la ira y la confusión que habían caracterizado sus últimos años habían renunciado por fin a tiranizar a Godfrey y lo habían dejado en paz. Grace y Bomber podían ya cogerle las manos y Baby Jane se acurrucó junto a él, apoyando suavemente la cabeza en su pecho. Hacía mucho que habían desistido de hablar para llenar el incómodo espacio que se abría entre el moribundo y la muerte. De vez en cuando aparecía en la puerta una enfermera que llevaba té y comprensión tácita a una escena final que había presenciado ya multitud de veces.

Eunice se levantó y se acercó a la ventana. Fuera, la tarde discurría sin ellos. La gente paseaba por los jardines o daba una cabezada a la sombra, y los niños se perseguían entre sí por el césped, gritando alegremente. En la copa de un árbol un tordo chillaba al ritmo de los clics cronometrados de un aspersor. Era un buen momento, pensó. Para escabullirse a remolque de una perfecta tarde de verano inglés. Daba la impresión de que Grace pensaba como ella. Se retrepó en la silla lanzando un largo suspiro de resignación. Sin soltar la mano de Godfrey, se esforzó por ponerse en pie, estirando las articulaciones entumecidas por el rato que llevaba sentada. Besó a Godfrey en la boca y le acarició el pelo con mano frágil pero firme.

–Es la hora, amor mío. Es hora de irse.

Godfrey se movió, pero fue un movimiento mínimo. Le temblaron los blancos párpados y el cansado pecho se elevó para aspirar aire por última vez. Y entonces falleció. Nadie se movió, solo Baby Jane. La perrita se incorporó y con infinito cuidado olisqueó cada centímetro de la cara de Godfrey. Convencida por fin de que su amigo se había ido, bajó de un salto de la cama, se sacudió y fue a instalarse a los pies de Bomber, al que se quedó mirando con actitud suplicante y una expresión que decía claramente que necesitaba hacer pis.

Una hora después, se encontraban en la llamada «sala de los parientes», tomando otro té. Era la habitación a la que el personal de Folly's End conducía a los parientes cuando estos accedían a separarse de los recién fallecidos. Las paredes eran del color de las prímulas desvaídas y la luz quedaba amortiguada por las cortinas de muselina que colgaban como velos que protegían de los ojos curiosos. Gracias a los sofás mullidos y profundos, a las flores recién cortadas y a las cajas de pañuelos de papel, era una sala destinada a suavizar los afilados bordes del sufrimiento puro.

Tras derramar algunas lágrimas, Grace se había recuperado y ya estaba preparada para hablar. Había perdido al hombre con el que se había casado hacía mucho, y ahora, al morir él, podía empezar a lamentarse. Bomber estaba pálido pero sereno y se limpiaba las lágrimas que de vez en cuando le bajaban silenciosamente por la cara. Antes de salir de la habitación de Godfrey, había besado la mejilla de su padre por última vez. Le había quitado del dedo el anillo de bodas que Grace le había puesto allí hacía toda una vida. El oro estaba arañado y gastado, el redondel un poco deformado; testimonio de un matrimonio duradero y robusto cuyo amor raras veces se había declarado en voz alta, pero que se manifestaba todos los días. Bomber se lo había dado a su madre, que se lo puso en el dedo corazón sin decir nada. Luego había telefoneado a Portia.

Grace se acercó a Bomber, se sentó a su lado y le cogió la mano.

—Verás, hijo, mientras esperamos a tu hermana, te diré algo. Seguramente no querrás que te lo comente, pero soy tu madre y me toca representar este papel.

Eunice no sabía de qué se trataba y se ofreció a dejarlos solos.

—No, no, querida. Estoy segura de que a Bomber no le importa que lo oigas, y si te parece, me gustaría contar con tu ayuda en esta situación.

Eunice, intrigada, volvió a sentarse. Baby Jane, instalada en el sofá que había al lado de Bomber, saltó a las piernas de este, como para darle apoyo moral.

—Muy bien. Allá va. —Grace le apretó la mano a su hijo y se la sacudió ligeramente—. Querido, desde que

273

eras pequeño supe que nunca serías de los que se casan y me dan nietos. Creo que, calladamente, tu padre también lo sabía, aunque nunca lo hablamos. Pues bien, quiero que sepas que me trae completamente sin cuidado. Siempre he estado orgullosa de ti y mientras seas feliz y lleves una vida decente, bueno, eso es lo único que importa.

A Bomber se le empezaron a ruborizar las mejillas, aunque Eunice no sabía si a causa del llanto o de las palabras de Grace. Los sentimientos de la madre de su amigo la conmovían profundamente, pero había tenido que reprimir un par de brotes de hilaridad por su forma tan británica de decir algo sin decirlo realmente.

—Jocelyn me llevó al cine la semana pasada. En teoría era un favor, para que olvidara durante un rato el estado de tu padre. —En la voz de Grace apareció un ligero temblor, pero la mujer tragó saliva y prosiguió—: No prestamos mucha atención a lo que ponían; nos limitamos a comprar las entradas y unos caramelos de menta, entramos y nos sentamos. —Baby Jane se removió en las piernas de Bomber para encontrar una postura más cómoda. Por lo visto, la lección materna iba a durar más de lo esperado—. La película era *Philadelphia*, con el simpático de Tom Hanks, la esposa de Paul Newman y ese chico español. —Meditó con cuidado lo que iba a decir a continuación y finalmente se decidió—: No me hizo mucha gracia. —Guardó silencio, pensando que quizá había dicho lo suficiente, pero la cara de desconcierto de Bomber la obligó a continuar. Dio un suspiro—. Lo único que quiero es que me prometas que tendrás cuidado. Si encuentras un «amigo especial» o

–saltaba a la vista que se le acababa de ocurrir la idea–
si ya tienes uno, prométeme que no contraerás el disa.

Eunice se mordió el labio inferior, pero Bomber no
pudo reprimir una sonrisa.

–Es el sida, mamá.

Pero Grace no escuchaba. Lo único que quería oír
era la promesa de su hijo.

–No soportaría perderte a ti también.

Bomber se lo prometió.

–De todo corazón y que me muera si falto a mi palabra.

36

-No he sido yo, te lo juro –dijo Sunshine.

Habían ido al estudio a incluir más cosas en la página web y habían encontrado la preciada pluma estilográfica de Anthony en mitad de la mesa, en un charco de tinta negra. Era una bonita Conway Stewart y Sunshine la había admirado muchas veces, acariciando con afecto su brillante superficie roja y negra para devolverla luego a su cajón a regañadientes.

Laura vio la expresión preocupada en la circunspecta cara de Sunshine y la abrazó para tranquilizarla.

–Ya sé que no has sido tú, cariño.

Le indicó que pusiera la pluma bajo el grifo y la limpiara a conciencia y luego la dejase otra vez donde debía estar, mientras ella arreglaba el desorden de la mesa. Cuando Laura se hubo lavado las manos manchadas de tinta y volvió al estudio, Sunshine seleccionaba artículos de los estantes.

–Ha sido la Virgen de las Flores, ¿verdad? –le preguntó a Laura.

–No sé nada **de eso** –fingió Laura–. Puede que la dejara yo ahí y me olvidara, y que por alguna razón se saliera la tinta.

Sabía que lo que decía era poco creíble y la cara de Sunshine le confirmó que no estaba totalmente convencida. Había estado pensando en lo que había dicho Freddy y, cuanto más pensaba en ello, más preocupada estaba. Si todas aquellas cosas eran obra de Therese, si se trataba de una manifestación física de su sufrimiento por estar todavía separada de Anthony, entonces era probable que la cosa empeorara cuanto más se prolongara. Recordó el comentario de Robert Quinlan sobre el carácter de Therese: había dicho que «tenía una vena salvaje y un genio de cuidado cuando se enfadaba». Por Dios, a este ritmo no tardaría en provocar incendios o destruir la casa, y Laura estaba ya un poco cansada de ir detrás de un fantasma malhumorado, limpiando su rastro.

–Deberíamos ayudarla –dijo Sunshine.

Laura dio un suspiro, un poco avergonzada al ver la magnanimidad de Sunshine.

–Estoy de acuerdo. Pero... ¿cómo?

Sunshine se encogió de hombros y frunció la frente en un gesto de perplejidad.

–¿Por qué no se lo preguntamos? –sugirió momentos después.

Laura no quería ser grosera, pero no le pareció una sugerencia práctica. No estaba dispuesta a celebrar una sesión espiritista ni a comprar un tablero de güija en eBay. Pasaron el resto de la mañana añadiendo artículos a la página web mientras Zanahoria roncaba plácidamente delante del fuego.

Después del almuerzo, Sunshine y Freddy se fueron con Zanahoria a dar un paseo, pero Laura se quedó. Estaba muy intranquila. Normalmente, introducir datos en la página web era una distracción terapéutica, pero aquel día no. Solo podía pensar en Therese. Como si fuera un animal al que han cepillado a contrapelo, tenía el vello erizado y sus pensamientos patinaban y zigzagueaban como una lancha en la superficie de un lago. Necesitaba hacer algo en relación con Therese. Tenía que aplicar lo que Jerry Springer y sus maestros de ceremonias de la telerrealidad llamaban «una intervención». Lo malo era que no sabía cómo.

Los rayos difuminados del sol se filtraban por entre los agujeros de las nubes de un cielo marmóreo. Laura cogió el chaquetón en el vestíbulo y salió al jardín para tomar el aire. Buscó en el cobertizo la cajetilla de tabaco «secreta» de Freddy y cogió un cigarrillo. Aunque solo era fumadora de domingos y fiestas de guardar, aquel día estaba convencida de que lo necesitaba. ¿Había sido fumadora Therese?

Mientras paseaba sin rumbo por la rosaleda, dando caladas al cigarrillo como una colegiala culpable, recordó las palabras de Sunshine: «¿Por qué no se lo preguntamos?».

Puede que no fuera muy práctico, pero en aquella situación no parecía haber nada normal y no tenía sentido que Laura tratara de enfocarlo como si lo fuera. Así que cabía la posibilidad de que la propuesta de Sunshine no fuera tan descabellada. Si Therese era la responsable de lo que sucedía –y algunos días Laura se aferraba a aquel «si» como un pasajero del *Titanic* a un chaleco salvavidas–, dejar que siguiera haciendo de las suyas equivalía a permitir que se multiplicaran los problemas.

«¿Por qué no se lo preguntamos?». A Laura le turbaba incluso pensar en aquella posibilidad. Pero... ¿qué otra cosa podía hacer? Actuar o callarse hasta... No quería pensar en las posibles conclusiones de la frase. Dio la última calada al cigarrillo y a continuación, mirando furtivamente a su alrededor para estar segura de que nadie la veía ni la oía, abrió la boca y dejó salir en voz alta las palabras, que se deslizaron en el aire frío de la tarde.

–Therese –dijo, para que estuviera claro a quién se dirigía. Y, pensó en broma, por si casualmente hubiera algún otro fantasma al acecho–, tú y yo tenemos que hablar seriamente. Anthony era mi amigo y sé lo mucho que deseaba estar contigo otra vez. Quiero ayudar y creo sinceramente que puedo, pero poner la casa patas arriba, echarme de mi dormitorio y tenerme despierta toda la noche con tu música, no es la mejor manera de pedir mi colaboración. Es evidente que no sé nada sobre cazar fantasmas, así que si sabes cómo puedo ayudarte, tendrás que encontrar el medio de decírmelo. –Hizo una pausa no porque esperase una respuesta, sino porque pensaba que en cualquier caso debía dejar espacio para que se produjera–. No tengo paciencia para resolver rompecabezas y adivinanzas y soy muy mala jugando al Cluedo –prosiguió–, así que tendrás que expresarte del modo más claro y sencillo posible. Preferiblemente sin romper ni incendiar nada... ni a nadie –añadió entre dientes.

Volvió a guardar silencio y esperó. Nada. Solo el zureo y arrullo de dos palomas enamoradas que se preparaban para la primavera en el techo del cobertizo. Se estremeció. La temperatura estaba bajando.

–Lo he dicho muy en serio, Therese. Haré todo lo que esté en mi mano.

Regresó al jardín, sintiéndose un poco tonta y con ganas de tomar un té acompañado de unas reconfortantes galletas de chocolate. Ya en la cocina, puso el hervidor en el fuego y abrió la lata de galletas. Dentro estaba la pluma de Anthony.

37

P ues si esa es su idea de lo «claro y sencillo», no quiero ni imaginar cuál será su versión críptica.

Laura y Freddy paseaban de la mano, dando vueltas al misterio de la pluma de Anthony. Zanahoria trotaba delante de ellos, olisqueando y marcando su territorio cada dos farolas. Habían estado en The Moon is Missing tomando una copa. Freddy lo había creído conveniente para que Laura se olvidara un poco de Therese, pero todo el reparto de *El espíritu burlón* estaba reviviendo en el *pub* el triunfo de la noche de estreno. Marjory Wadscallop seguía con su peinado y maquillaje de Madame Arcati y le faltó tiempo para avisar a Winnie de la llegada de Laura y Freddy *juntos*. No había resultado ser, exactamente, la copa tranquila que Freddy había esperado.

–¿Estás segura de que Sunshine dejó la pluma en el cajón?

–Bueno, no la vi, pero seguro que lo hizo. ¿Por qué lo preguntas? No creerás que está haciendo un doble juego, ¿verdad?

Freddy sonrió y negó con la cabeza.

–No, no lo creo. De verdad. Sunshine es seguramente la más sincera de todos nosotros, incluido tú –añadió, dirigiéndose a Zanahoria mientras le sujetaba la correa al collar para cruzar la calzada.

Ya en Padua, Laura preparó otro par de bebidas y Freddy echó leña a los rescoldos de la chimenea de la habitación del jardín.

–Bueno –dijo el hombre, acurrucándose con Laura en el sofá–, veamos si el vino ha estimulado nuestros conductos deductivos.

Laura rio por lo bajo.

–Eso suena de lo más indecente.

Freddy arqueó las cejas con sorpresa fingida y bebió un sorbo de su vaso.

–Perfecto. Echemos un nuevo vistazo al misterio: una estilográfica en una lata de galletas.

–No una estilográfica cualquiera, sino la mejor que tenía Anthony, su querida Conway Stewart; cuerpo veteado rojo y negro con plumín de oro de 18 quilates –añadió Laura.

–Gracias, señorita Marple, pero… ¿eso aporta algo a nuestra investigación?

–Era la pluma que utilizaba Anthony para escribir sus cuentos.

Cayeron en un silencio meditabundo, escuchando el chisporroteo y el crepitar del fuego. Zanahoria gruñó de placer mientras estiraba las patas hacia la chimenea. Freddy le dio un empujoncito en la barriga con la punta del pie.

–Cuidado, tío –le dijo–. Como te acerques mucho te vas a quemar las uñas.

Zanahoria no le hizo caso y se acercó otro milímetro.

–¿Has leído todos los cuentos de Anthony? Puede que la clave esté en uno de ellos.

Laura negó con la cabeza.

–Le dije que no servía para los enigmas. Le pedí en concreto que se expresara con claridad y sencillez.

Freddy vació su vaso y lo dejó en el suelo.

–Bueno, quizá sea claro y sencillo para ella.

Laura contuvo el impulso de replicar que sin duda lo era porque Therese conocía de antemano la solución.

–Leí todo lo que me encargó mecanografiar y además todos sus cuentos. Pero fue hace años y no creo que me acuerde de todos.

–¿Y aquel libro que me enseñaste? ¿La colección de cuentos?

–Fue el primero que publicó. Supongo que tendrá ejemplares de los demás en alguna parte, pero no recuerdo haberlos visto.

Freddy sonrió.

–Apuesto a que están en el desván.

–¿Por qué?

Freddy puso la cara que ponía Sunshine cuando pensaba que los demás andaban escasos de cacumen.

–Porque es donde se pone siempre el material que no se sabe qué hacer con él –dijo con voz triunfante–. Aunque si yo hubiera publicado un libro, lo tendría en el lugar de honor de mi biblioteca.

Laura meditó aquellas palabras.

–Pero él no estaba orgulloso de todos los cuentos que había publicado. Creo que te lo expliqué, recuérdalo. Su editor quería historias insípidas, simplonas y con final feliz, y acabaron peleándose por eso.

Freddy asintió con la cabeza.

–Ya me acuerdo. Bruce quería gaseosa y Anthony le daba absenta.

Laura sonrió.

–Eso sí lo recuerdas. Mientras tenga que ver con alcohol... –Se burló–. Supongo que vale la pena. La verdad es que nunca he mirado el desván como es debido. Y si los libros no están allí, es posible que haya otras cosas.

–Mañana –dijo Freddy, poniéndose en pie y tirando de Laura para obligarla a hacer lo mismo–. Miraremos mañana.

La besó con fuerza en los labios.

–¿Qué has dicho antes sobre no sé qué de una indecencia?

Laura se despertó con un sobresalto que interrumpió su caída. ¿Soñaba que se caía o se caía del sueño? Nunca lo sabría ya. Aún estaba oscuro y solo la doble respiración de Freddy y Zanahoria rasgaba el silencio del dormitorio. El dorso de la cálida mano de Freddy descansaba en la cara exterior de su muslo y cuando los ojos se le acostumbraron a la oscuridad, distinguió el movimiento ascendente y descendente del pecho del hombre. Se preguntó qué habría pensado Anthony. Esperaba que lo hubiera aprobado, que se hubiera alegrado por ella. Al fin y al cabo, le había dicho que fuera feliz y lo era. Casi siempre. Aún se preocupaba por devolver los objetos perdidos. La página web funcionaba perfectamente, gracias a Freddy, y aunque el miedo a fallarle a Anthony estaba profundamente arraigado en el fértil campo de su inseguridad, el valor crecía ya al mismo paso. Por fin tenía ovarios para intentarlo. Therese era una sombra constante, pero su vida, en términos generales, y su existencia cotidiana en Padua, discurrían bajo el signo de la felicidad. Bueno, también estaba preocupada por Freddy. Pero... ¿acaso no era un peligro inherente a toda relación nueva, sobre todo a su edad? Temía que su amigo no hubiera visto bien el horror de las traicioneras estrías ni las patas de gallo bajo la despiadada luz del sol de mediodía. Temía que aún no hubiera advertido la insidiosa presencia de la celulitis, que le cubría ya de grumos un trasero que antaño había sido perfecto y que amenazaba con extenderse a los muslos. Y también lamentaba que Freddy no le hubiera visto aquel trasero en el punto culminante de su lozanía. En cambio, lo había malgastado con Vince. Ojalá hubiera conocido a Freddy en su juventud. En su adolescencia. Ojalá se hubiera casado con Freddy. Sonrió burlándose de su idiotez, pero se puso seria al recordar las patas de gallo y prometió que, si alguna vez volvía a cometer la tontería de ponerse al sol, lo haría con unas grandes gafas oscuras y un sombrero de ala ancha. Y ni siquiera se atrevía a pensar en la menopausia. La clave estaba en el nombre. Porque en lo referente a despertar la atracción de los hombres, por pequeña que fuera, no era exactamente una pausa, sino un puñetero alto, tan claro como incontestable. Pero había jurado no pensar en eso y estaba quebrantando el juramento. Le dio la vuelta a la almohada y enterró la cara en el algodón fresco y limpio. «¡Tómatelo con calma, Laura!», se dijo. Buscó la mano de Freddy y la asió con fuerza. Freddy, instintivamente, le dio un apretón. Laura permaneció así en la oscuridad, evitando las lágrimas a fuerza de parpadeos hasta que poco a poco se dejó vencer por el sueño.

Las cosas siempre parecen mejor por la mañana. No era la luz del día lo que fustigaba las imperfecciones de Laura, sino la oscuridad que, con sus imponentes dudas, se burlaba de ella durante las rachas de insomnio que interrumpían sus noches. Después de desayunar, salió sin sombrero al jardín y entornó los ojos al mirar hacia el sol matutino. Freddy había ido al pueblo y ella tenía cosas que hacer en el desván. Cogió la escalera de mano del cobertizo y la subió al piso superior con alguna dificultad. Zanahoria había decidido ayudarla subiendo y bajando peldaños y ladrando con entusiasmo para mantener a raya aquellas invasoras y tintineantes patas metálicas que, sin duda, eran instrumentos del demonio. Mientras apoyaba en la pared la escalera, debidamente estirada, imaginó la voz de Freddy que le reprochaba no haber esperado.

–Lo haremos cuando vuelva –le había dicho.

Pero estaba demasiado impaciente para esperar. Sunshine no tardaría en aparecer y podía llamar a una ambulancia. Cuando empujó la trampilla del desván y la levantó, salió por la ranura una vaharada de olor a moho, suciedad y polvo caliente. Alargó la mano para encender la luz e inmediatamente se le llenó el antebrazo de telarañas. ¿Por dónde empezar? Había muebles viejos, una alfombra grande enrollada como una salchicha y un surtido de cajas. Levantó la tapa de las que tenía más cerca. Contenían trastos caseros desechados: un servicio de té sin usar, un estuche con cubiertos de plata y artículos de porcelana inútiles pero decorativos. En otra había libros, pero por lo que vio por encima, ninguno era de Anthony. Avanzó pisando las tablas con cuidado, agachándose bajo los extremos de las vigas inclinadas. En un rincón había un caballito infantil con ruedas junto a una maleta de cartón pardo y una caja de un modisto de Londres. Acarició el hocico aterciopelado del caballito de juguete.

–No te quedarás aquí –le prometió.

La maleta estaba cubierta por una espesa capa de polvo, pero no cerrada con llave. Una rápida mirada al contenido le indicó que probablemente había allí algo útil o de interés. Apretó los oxidados cierres automáticos y la arrastró hacia la trampilla. ¿Y cómo diantres la bajaba? Pesaba mucho y no estaba segura de poder aguantar el peso y, al mismo tiempo, mantener el equilibrio en la escalera. La solución, evidentemente, era esperar a Freddy, pero puestos a claudicar ahora, podía haber claudicado igualmente antes de subir. Tal vez se deslizara escalera abajo sin problemas, si la dejaba caer. Parecía muy sólida y, por lo que había visto, no contenía nada frágil. El deslizamiento «escalera abajo» fue más bien una caída a plomo. Cuando Laura la soltó, la maleta se estrelló contra el descansillo produciendo un estampido soberbio y un hongo atómico de polvo. Volvió a por el caballo, que era suficientemente ligero para transportarlo bajo el brazo. Tras soltarlo con más suavidad que la maleta, subió de nuevo en busca de la caja del modisto de Londres.

Cuando regresó Freddy, la escalera estaba ya en el cobertizo, Sunshine se encontraba en el jardín cepillándole el polvo al caballito y Laura estaba registrando, sobre la mesa del estudio, el contenido de la maleta abierta. Había viejos álbumes de fotos con gruesas páginas de color chocolate alternadas con láminas transparentes de papel repujado; un par de manuscritos a máquina, cartas y documentos varios. En los álbumes podían verse imágenes de los primeros años de vida de Anthony, mucho antes de la aparición de Therese. Un niño de pelo rizado, sentado con las piernas abiertas en una alfombra de cuadros, en un jardín de verano. Un muchacho robusto montado a horcajadas en un caballito con ruedas en un tramo de césped muy bien cortado. Un joven desgarbado que sonreía con timidez, con unas rodilleras enormes y un bate de críquet. Todo estaba allí: un desfile de vacaciones en la costa, meriendas campestres, cumpleaños, bautizos, bodas y Navidades. Al principio eran tres; luego solo dos. El hombre alto y moreno, casi siempre de uniforme, desaparecía de las fotos al desaparecer también de sus vidas. Laura sacó cuidadosamente una foto de las cantoneras marrones que la sujetaban al álbum. El hombre estaba erguido, orgulloso, con la espalda recta; muy gallardo con su uniforme de gala. Rodeaba con brazo afectuoso los hombros de la mujer, elegantemente ataviada con un vestido de noche de Schiaparelli. Entre ellos había un niño en pijama. Una imagen perfecta de familia feliz.

Solo con pensar en ti.

Laura oía la música en su cabeza, ¿o era en la habitación del jardín? Aquellos días no siempre estaba segura de percibir la diferencia. Aquella era la foto; la noche de la que le había hablado Robert Quinlan cuando había ido a leerle el testamento. La última vez que Anthony había visto a su padre. El último baile, el último beso, la última fotografía. Se hizo el firme propósito de ponerla en un marco de plata, al lado de la foto de Therese de la habitación del jardín.

–¿Has encontrado algo interesante? –Freddy le llevaba un café y un bocadillo. Se puso a hurgar en la maleta, debajo de los papeles, y sacó una cajita forrada de terciopelo–. ¡Ajá! ¿Qué es esto? ¿Un tesoro escondido?

Levantó la tapa y dejó al descubierto un anillo de oro blanco con un exquisito zafiro y diamantes centelleantes engastados. Lo dejó en la mesa, delante de Laura, que sacó el anillo del estuche y lo levantó para verlo al trasluz. Se veía claramente el reflejo estrellado del cabujón de color azul aciano.

–Era de Therese. Su anillo de compromiso.

–¿Cómo lo sabes? –dijo Freddy, al tiempo que lo recogía para inspeccionarlo más de cerca–. Puede que fuera de la madre de Anthony.

–No. Era de ella. Estoy segura. Therese no era una mujer aburrida como un diamante solitario –dijo, sonriendo con tristeza al recordar su medio quilate engastado en oro de nueve quilates–. Según todos los testimonios, era extraordinaria, como este anillo.

Freddy volvió a incrustarlo en el surco del estuche y se lo devolvió a Laura.

–Pues ahora es tuyo.

Laura negó con la cabeza.

–Nunca será mío.

Freddy salió para ayudar a Sunshine. Había prometido dar una mano de barniz a los cascos de madera del caballito. Laura siguió sacando el contenido de la maleta y lo fue dejando en la mesa. Encontró un contrato de venta de cincuenta rosales: «Albertine» x 4, «Grand Prix» x 6, «Marcia Stanhope», «Mrs Henry Morse», «Étoile de Hollande», «Lady Gay» –etc., etc.– y un folleto sobre cómo plantarlos y cuidarlos. Los manuscritos eran cuentos de Anthony que Laura había mecanografiado. Los reconoció al hojearlos. Al principio del fajo había una dura carta de rechazo por parte de Bruce, el editor.

«[...] totalmente inapropiados para nuestros lectores [...] innecesariamente complejos, autocomplacientes y ambiguos [...] temas sombríos y deprimentes [...]».

Alguien había tachado con lápiz rojo los comentarios ofensivos y había escrito «¡tonto del culo!» encima de la caprichosa firma de Bruce. Era la caligrafía de Anthony. «Muy bien», convino Laura. Releería los cuentos más tarde, aunque no creía que la solución que buscaba estuviera en ellos.

Oyó un rumor de ruedas metálicas en el vestíbulo y Sunshine entró en el estudio empujando el caballito, seguida por Freddy y un Zanahoria picado por la curiosidad.

–¡Pero si parece otro! –exclamó Laura.

Sunshine sonrió con satisfacción.

–Se llama Sue.

Laura miró a Freddy para ver si le daba alguna explicación, pero el hombre se limitó a encogerse de hombros. Así pues, sería «Sue». Sunshine estaba deseosa de registrar la maleta y quedó fascinada por el anillo. Mientras la muchacha se lo ponía en el dedo corazón y lo movía a un lado y otro para que «despidiera chispas», Laura tuvo una idea.

–A lo mejor es lo que Therese quería que encontráramos. Puede que eso sea todo.

Freddy no estaba tan seguro.

–Mmm, pero… ¿qué relación puede tener con la estilográfica?

Laura no quiso aceptar aquel defecto de su argumentación; antes bien, estimulada por su teoría, adujo:

–Era su anillo de compromiso. ¿No lo entiendes? La relación entre ambos, el lazo que los unía, todo está ahí. Eso es un compromiso.

Freddy seguía dudando.

–Pero también una boda y no funcionó cuando la oficiamos.

La cara que estaba poniendo Sunshine revelaba claramente que no solo estaba en contra de aquellas interpretaciones, sino que además aquellos dos volvían a mostrarse especialmente obtusos.

–La pluma era la pista. Significa escribir –dijo. Cogió la foto de Anthony y sus padres–. Ella pone la música por esto –añadió.

Le tendió la foto a Freddy y, en ese instante, fue él quien miró a Laura en busca de una explicación.

–Es Anthony con sus padres. Robert Quinlan nos lo contó. El padre estaba de permiso y los dos iban a salir aquella noche, y él bajó para darles las buenas noches y los encontró bailando mientras sonaba la canción de Al Bowlly. Fue la última vez que vio a su padre, que murió en el frente.

–Y cuando san Antonio conoció a la Virgen de las Flores –dijo Sunshine, que estaba deseosa de contar el resto de la historia–, se lo contó todo y por eso ella bailó con él en los *Convent Gardens*, para que dejara de estar triste. –Dio vueltas al anillo, que seguía llevando en el dedo, y añadió–: Y ahora tenemos que encontrar el modo de que ella deje de estar triste.

–Yo creo que el anillo lo merece –dijo Laura. Le tendió la mano a Sunshine, que se quitó el anillo a regañadientes y se lo devolvió–. Lo dejaremos en la habitación del jardín, al lado de la foto de ella. Por cierto, ¿dónde ponemos este magnífico corcel? –añadió para desviar la atención de Sunshine.

Pero Sunshine había visto la caja del modisto y la destapó con cuidado. La exclamación de asombro que ahogó atrajo a su lado a los otros dos. Laura sacó de la caja un fabuloso vestido de gasa azul claro. Saltaba a la vista que no se había usado nunca. Sunshine acarició el delicado tejido.

–Era su vestido de boda –dijo, casi susurrando–. El traje nupcial de la Virgen de las Flores.

Freddy aún tenía la foto en la mano.

–Lo que no entiendo es por qué metió estas cosas en una maleta y las escondió en el desván. Yo creo que, en teoría al menos, estos objetos debían ser los más apreciados por Anthony: el anillo, la foto, el vestido, los inicios de la rosaleda. Incluso los manuscritos. Los defendió, se negó a modificarlos y es lógico que estuviera orgulloso de ellos.

Sunshine trazaba círculos en el polvo que cubría la tapa de la maleta.

–Le hicieron sufrir mucho –dijo con sencillez.

Zanahoria asomó la cabeza por la puerta del estudio y gimió. Era la hora de su té.

—Vamos —dijo Laura—, dejemos el anillo y el vestido en la habitación del jardín y busquemos un hueco para el caballo.

—Para Sue —dijo Sunshine, siguiendo a Laura y a Freddy—. Y no es el anillo, es la carta.

Pero Laura y Freddy ya no estaban allí.

38

Eunice

1997

-Estoy convencidísimo de que ese miserable lo hace expresamente para tocar las narices.

Bruce cruzó el despacho como una exhalación y se dejó caer en una silla como la heroína trágica de una película muda. Eunice casi esperaba que se llevara el dorso de la mano a la frente para ilustrar mejor su angustia y desesperación. Había llegado sin anunciarse y había empezado a despotricar incluso antes de alcanzar el final de la escalera.

-Para el carro, colega -le dijo Bomber, esforzándose para que su sentido del humor no estropeara sus frases hechas-. Por lo pronto quien toca las narices eres tú.

Baby Jane, majestuosamente instalada en un cojín nuevo de piel de imitación, miró a Bruce y llegó a la conclusión de que no valía la pena darse por enterada de su presencia.

-¿Le apetece un té? -le preguntó Eunice con los dientes apretados.

-Solo si viene con una generosa ración de *whisky* -respondió Bruce toscamente.

Eunice fue a poner el hervidor al fuego de todos modos.

–¿Y a qué ha venido todo esto? –dijo Bomber, sinceramente interesado por saber quién había conseguido cabrear tanto a Bruce.

El pelo de Bruce, peinado al estilo de Barbara Cartland, pero con el color y la consistencia de las telarañas, temblaba reflejando su indignación.

–¡Ese muerto de hambre de Anthony Peardew! ¡Que ojalá se pudra en el mismísimo infierno!

Bomber meneó la cabeza.

–Oye, ¿no eres un poco duro? A no ser, claro está, que te haya pasado el oporto por la derecha o haya violado a tu única hija.

La primera vez que había visto a Bruce, un individuo de lo más amanerado, Eunice había pensado inmediatamente que era homosexual. Pero Bruce estaba casado con una voluminosa alemana de pechos descomunales y discreto bigote que criaba ratoncitos blancos y organizaba espectáculos con ellos. Por increíble que pareciera, Bruce y Brunhilde habían tenido descendencia: dos chicos y una chica. Era uno de los grandes misterios de la vida, pero no de los que incitaban a Eunice a meditar.

–Se le ha ido completamente la olla –se quejó Bruce–, escribe deliberadamente las paparruchas subversivas que sabe que no voy a publicar, con episodios oscuros y finales extraños o sin finales propiamente dichos. Supongo que cree que eso es literatura inteligente, o a la moda, o alguna especie de catarsis para sus problemas personales. Pero yo no necesito eso. Yo sé lo que le gusta al público normal y decente: buenas historias escritas con claridad, con finales felices en que los malos se llevan su merecido, el chico se queda con la chica y no hay sexo explícito.

Eunice dejó la taza delante de él con la suficiente energía como para que el líquido color agua de fregar se saliera y cayese en el platito.

–¿No cree usted que a algunos lectores podría gustarles lo inesperado? ¿Flexionar los músculos intelectuales, por decirlo así? ¿Formarse sus propias opiniones o extrapolar sus propias conclusiones por una vez?

Bruce se llevó la taza a los labios, pero al ver el contenido de cerca, cambió de idea y la dejó con irritado temblor.

–Señora, a los lectores les gusta lo que les decimos que les ha de gustar. Es así de sencillo.

–Entonces, ¿por qué no les dice que los nuevos cuentos de Anthony Peardew les van a gustar?

Bomber tenía el *touché* en la punta de la lengua. En la mismísima punta.

–Anthony Peardew. ¿No es ese tipo cuyos cuentos vendías tan bien?

Bruce enarcó tanto las cabreadas cejas que desaparecieron bajo el peinado de telaraña.

–¡Por el amor de Dios, Bomber! Compréndeme. Eso es lo que vengo diciendo. La primera colección se vendió realmente bien: historias felices, finales felices, saldos bancarios felices por doquier. Pero eso se acabó. Ha pasado de *Sonrisas y lágrimas* a *El pueblo de los malditos*. Pero le he marcado un límite. Le he dicho: o es *Do re mi* o pobre de ti.

Bruce había trabajado antes en una oficina que estaba en el mismo edificio que la de Bomber, y cuando pasaba por allí entraba a tomar un té y a chismorrear un poco. Pero como no podía convencer a Bomber para que condenara al malvado de Anthony Peardew y Eunice no le tenía ninguna simpatía, la visita de Bruce fue más bien breve esta vez.

—Ojalá hubiéramos fichado al pobre Anthony antes que Bruce —dijo Bomber suspirando—. Su primer libro me gustó, pero esta última colección de cuentos me intriga. Estoy pensando en la posibilidad de acercarme a él a la chita callando…

Eunice cogió un pequeño paquete que tenía en la mesa y se lo alargó a Bomber. Estaba envuelto en grueso papel gris oscuro y atado con una cinta rosa.

—Sé que tu cumpleaños es la semana que viene —dijo. A Bomber se le iluminó la cara como si fuera un niño, pues le encantaban las sorpresas—, pero he pensado que después de una visita de Bruce el Hombre del Saco, mereces que te levanten el ánimo.

Era *Una jaula de grillos*, con Robin Williams. La habían visto el año anterior, por el cumpleaños de Bomber, y este se había reído tanto que había estado a punto de atragantarse con las palomitas de maíz.

—Ojalá la hubiera visto mi madre —había dicho—. Es un poco más divertida que *Philadelphia*.

Grace había fallecido dieciocho meses antes, un año después que Godfrey, repentinamente y en paz, mientras dormía en Folly's End. La habían enterrado junto a su marido en el cementerio de la iglesia de la que habían sido feligreses durante casi medio siglo, además de incondicionales del equipo de floristas y de los comités de la fiesta de verano y de la cena de la cosecha. Mientras permanecían el uno al lado del otro en el cementerio veteado de sol y sombra durante el entierro de Grace, Bomber y Eunice se habían puesto a pensar en sus futuros entierros.

–Yo quiero que me incineren, nada de enterrarme –opinó Bomber–. Así no hay posibilidad de error –añadió–. Y quiero que mezcles mis cenizas con las de Douglas y las de Baby Jane, siempre, claro está, que esta fallezca antes que yo; y que las esparzas en algún lugar que sea absolutamente maravilloso.

Eunice observó a los miembros de la comitiva que volvían despacio a sus coches.

–¿Por qué estás tan seguro de que morirás antes que yo?

Bomber la cogió del brazo mientras echaban a andar hacia la puerta del cementerio.

–Porque eres mucho más joven que yo y has llevado una vida más pura. –Eunice respondió con un bufido para manifestar su desacuerdo, pero Bomber prosiguió–: Y porque eres mi leal ayudante y debes hacer lo que te ordeno.

Eunice se echó a reír.

–«En algún lugar que sea absolutamente maravilloso» no es una orden muy concreta.

–Cuando se me ocurra un lugar concreto te lo diré.

Bomber se había detenido a unos metros de la entrada del cementerio y le había apretado un poco el brazo.

–Y otra cosa. –Había mirado a Eunice con unos ojos en los que brillaban las lágrimas que se resistían a desbordarse–. Prométeme que, si termino como mi padre, loco como una cabra y encerrado en una institución, encontrarás la manera de... tú ya me entiendes. De sacarme. De allí.

Eunice había esbozado una sonrisa forzada, pero en aquel momento sintió un escalofrío.

–De todo corazón y que me muera si falto a mi palabra –le había dicho a Bomber.

Bomber le mostró el regalo a Baby Jane, pero cuando la perrita se convenció de que no era comestible ni saltaba ni chillaba, perdió el poco interés que había sentido.

–Entonces, ¿qué querrás hacer en tu cumpleaños? –preguntó Eunice, envolviéndose los dedos con la cinta rosa.

–Bueno –dijo Bomber–, ¿qué te parece combinar mi cumpleaños con nuestra salida anual?

Eunice sonrió.

–¡Brighton!

39

No es el anillo y Therese está ahora de mal humor.

Laura, contrariada, dio un puntapié a una de las pelotas de tenis de Zanahoria. Freddy, que estaba abonando los rodales, dejó de cavar y se apoyó en la pala, dispuesto a compadecerla como correspondía. Laura había salido al jardín para poco más que desahogar su furia.

–No te preocupes. Al final lo solucionaremos.

Laura no estaba para tópicos. Therese y Sunshine estaban de mal humor; sin duda por muy diferentes razones, pero por el momento igualmente insondables. Además, iba muy retrasada en la introducción de datos en la página web y Zanahoria se había vuelto loco cuando había llegado la cartera para entregar un paquete y se había meado en la alfombra china del vestíbulo. Laura se dispuso a propinar otra patada furiosa a otra pelota de tenis, pero falló y estuvo a punto de caer al suelo. Freddy reanudó su labor para ocultar la risa. Laura había puesto muchas esperanzas en la posibilidad de que el anillo de zafiro fuese la solución de todo. Incluso le había puesto un cristal nuevo al retrato de Therese, había colocado junto a él la foto de Anthony con sus padres y, delante, el estuche con el anillo. Incluso había tratado de poner la canción de Al Bowlly.

–¿Cómo sabes que Therese está de mal humor?

Freddy se había recuperado lo suficiente para ofrecerse a echar una mano.

–¡Porque la puerta del dormitorio sigue cerrada y por el dichoso disco!

Freddy arrugó la frente.

–Pero si hace días que no se oye.

Laura arqueó las cejas, en un gesto de exasperación.

–¡Por el amor de Dios, Freddy! No te enteras. Eso es exactamente lo que acabo de decir.

Freddy soltó la pala y se acercó a su amiga para darle un abrazo.

–Me temo que no con mucha transparencia. Soy un poco corto para las indirectas. Tendrás que decir las cosas «con claridad y sencillez» –dijo, poniendo unas comillas imaginarias con los dedos.

–*Touché* –dijo Laura, sonriendo a pesar suyo.

–Bien –dijo Freddy–, ¿de dónde sacas que Therese está de mal humor porque no pone el disco del querido Al?

–Pues del hecho de que, en vez de ponerlo mañana, tarde y noche, ahora no permite que se oiga.

Freddy no parecía convencido.

–Creo que no acabo de entenderlo.

Laura suspiró.

–He intentado ponerlo una y otra vez y no ha funcionado. Al principio lo preparé del mejor modo posible. Puse las fotos y el anillo y luego, para redondearlo, se me ocurrió poner la música; su canción. Pero no funcionó. Ella no lo permitió.

Freddy eligió cuidadosamente las palabras antes de pronunciarlas.

–Bueno, es un disco antiguo y un aparato viejo. Puede que haga falta cambiar la aguja o que el disco se haya rayado... –Un vistazo a la cara de Laura bastó para anular la objeción–. Está bien, está bien, está bien. Lo has comprobado. Claro que sí. Las dos cosas están bien.

Laura recogió del suelo otra pelota de tenis y se la lanzó. Pero esta vez riendo.

–Ay, Señor, lo siento mucho. Soy una vieja gruñona, pero hago todo lo que puedo para ayudarla y ella se nos pone de morros. Vamos, te prepararé un té. Incluso habríamos podido tener galletas de chocolate si Sunshine hubiera dejado alguna.

Freddy le cogió la mano.

–No me des demasiadas esperanzas.

Al llegar a la cocina, vieron que Sunshine acababa de poner el hervidor en el fuego.

–¡Perfecto sentido de la oportunidad! –dijo Freddy–. Precisamente veníamos por la buena taza de té.

Sunshine, guardando un silencio de mal agüero, puso otras dos tazas con sus respectivos platillos mientras Freddy se lavaba las manos en el fregadero.

–¿Quedan galletas de chocolate? –le preguntó guiñándole el ojo.

Una Sunshine con cara de póquer le puso delante la lata de galletas sin pronunciar palabra y se volvió para atender la ebullición del agua. Freddy y Laura intercambiaron una mirada de desconcierto y pasaron a comentar los avances de la página web. Para aumentar el interés, habían decidido que las personas que reclamaran los objetos perdidos podrían publicar sus historias en la página, si así lo deseaban. Freddy había publicado un formulario que la gente tenía que rellenar, dando detalles concretos sobre dónde y cuándo había perdido lo que reclamaba. La página web exponía simplemente una foto de cada artículo, el mes, el año y el lugar aproximado donde se había encontrado. Se habían reservado los detalles específicos que figuraban en las etiquetas de Anthony para asegurarse de que quienes reclamaran los objetos fueran los legítimos propietarios. Laura aún tenía que fotografiar y reseñar centenares de artículos para la página web, pero ya había publicado una cantidad suficiente para que el sitio iniciara su andadura. En cualquier caso, si seguían recogiendo cosas que perdían otras personas, iba a ser una labor en evolución continua. Aquella semana iba a aparecer un reportaje en el periódico de la zona y Laura ya había concedido una entrevista a la emisora de radio local. Unos días más y colgarían la página en la red.

–¿Y si nadie reclama nada? –dijo Laura con preocupación, mordisqueándose las uñas con nerviosismo.

Freddy le apartó la mano de la boca.

–Ya verás como sí –dijo–. ¿Verdad, Sunshine?

Sunshine se encogió de hombros con un gesto teatral y adelantó el labio inferior como si fuera la proa de un barco. Sirvió el té y puso las tazas delante de ellos con brusquedad. Freddy levantó las manos como si capitulara.

–De acuerdo, de acuerdo. Me rindo. ¿Qué pasa, muchacha?

Sunshine puso los brazos en jarras y los miró con severidad.

–Nunca me escucha nadie –dijo tranquilamente.

En aquel momento la escucharon. Sus palabras rasgaron el aire y se quedaron allí, suspendidas, a la expectativa, en espera de una respuesta. Ni Freddy ni Laura sabían qué decir. Los dos se sentían un poco culpables ante la posibilidad de que la muchacha tuviera parte de razón. Con su corta estatura y sus rasgos inocentes, era fácil caer en la tentación de tratarla como a una niña y de juzgar sus ideas y opiniones en consecuencia. Pero Sunshine era una mujer adulta –aunque una *daunzarina*– y quizá hubiera llegado el momento de empezar a tratarla como tal.

–Te pedimos perdón –dijo Laura. Freddy la secundó asintiendo con la cabeza, por una vez sin el menor asomo de sonrisa–. Te pedimos perdón si has querido hablar con nosotros y no te hemos escuchado.

–Así es –dijo Freddy–. Y si reincidimos, péganos.

Sunshine lo meditó un momento y le dio una bofetada, por si acaso. Recuperada la seriedad, se dirigió a sus dos amigos.

–No es el anillo. Es la carta.

–¿Qué carta? –dijo Freddy.

–La carta de san Antonio a la que no se podía responder –repuso la muchacha–. Venid.

La siguieron de la cocina a la habitación del jardín. Allí cogió el disco de Al Bowlly y lo puso en el plato.

–Es la carta –repitió, y dicho esto apoyó la aguja en el disco y la música empezó a sonar.

40

Eunice

2005

S olo de pensar que podrías haber publicado esa...
—Eunice repasó su repertorio personal de obsce-
nidades y, como no encontró nada suficientemente
ofensivo, lanzó su última palabra como un dardo ve-
nenoso—: ¡cosa!

El repelente libro, con su asquerosa cubierta roja y
dorada, languidecía a medio destapar encima del envoltorio marrón, al lado de la botella de champán que
Bruce les había enviado con él, según decía la tarjeta,
«para que os consoléis por no haber tenido la inteligencia de publicarlo vosotros».

Bomber sacudió la cabeza en un gesto de asombro
y perplejidad.

—Yo ni siquiera lo he leído. ¿Tú sí?

La última creación de Portia encabezaba las listas
de libros más vendidos de las tres últimas semanas y el
arrogante pavoneo de Bruce, su editor, no conocía límites. La importancia que se concedía estaba determinada
por su saldo bancario que, gracias a Portia, ahora disponía de una tarjeta de crédito platino y había hecho
que él y el director de la sucursal se tutearan.

–Pues claro que sí –exclamó Eunice–. No tuve más remedio si quería difamarlo desde una perspectiva informada. Además, he leído todas las críticas. ¿Sabías que el libro de tu hermana se ha recibido como «una corrosiva sátira de los almibarados clichés de la ficción comercial contemporánea»? Según un crítico, es una «implacable deconstrucción del equilibrio de poder en las relaciones sexuales modernas, que fuerza las fronteras de la literatura popular hasta extremos insospechados y hace un corte de mangas a las vacas sagradas del olimpo literario que habitualmente rinden pleitesía a las convenciones del Premio Booker y sus aburridos colegas».

A pesar de su indignación, Eunice no podía mantener la seriedad. Bomber se partía de la risa, pero al rato se recuperó lo suficiente para preguntarle:

–Pero ¿de qué va esta?

Eunice suspiró.

–¿De verdad quieres saberlo? Es mucho peor que las anteriores.

–Creo que podré sobrevivir.

–De acuerdo, pero quien avisa no es traidor. Lleva el misterioso título de *Harriet Hotter y el teléfono de las peladillas*. –Hizo una pausa para aumentar el efecto–. Harriet, huérfana desde la más tierna edad y criada por una espantosa tía y un tío morbosamente gordo y sudoroso, jura huir de su casa en cuanto pueda y abrirse camino en el mundo. Tras aprobar la reválida, encuentra un empleo en un establecimiento donde sirven *pizzas* y kebab, el Pizzbab, próximo a King's Cross. Pero allí se se burlan de ella por su vocecita de niña pija y sus gafas bifocales. Un día, un anciano con una barba muy larga y un sombrero muy gracioso entra en el establecimiento para comprar una ración de kebab con patatas fritas y le dice a la muchacha que es «muy especial». Le da una tarjeta de visita y le dice que lo llame. Seis rápidos meses después, Harriet está ganando una pasta en una empresa de teléfono erótico. Los clientes la adoran porque tiene vocecita de niña pija, «como si tuviera la boca llena de peladillas», lo cual explica el ingenioso título del libro. Nuestra heroína, no satisfecha con la simple remuneración económica, quiere realizarse y aumentar su satisfacción laboral. Asociada con el anciano barbudo, que responde al nombre de Chester Fumblefore, abre una academia para aspirantes a profesionales del teléfono erótico que se llama Snogwarts, nombre que se justifica porque Harriet enseña a sus alumnas a hablar a los clientes como si fueran príncipes azules, aunque casi todos se parezcan más a sapos verrugosos. Entre sus primeras alumnas figuran Perséfone Danger y Donna Sleazy, que pasan a ser sus mejores amigas y ayudantes. Entre las tres fundan una central telefónica para que las alumnas puedan ganar un sueldo decente mientras aprenden. Harriet inventa un juego llamado Quids In («Gana dinero») para aumentar la productividad y elevar la moral en el tajo. La ganadora, que recibirá una bonificación en metálico y un suministro mensual de peladillas, será la trabajadora que complazca a más clientes en una hora mientras introduce astutamente las palabras «burdel», «cipote» (dos veces) y «chichi dorado» en cada conversación profesional.

Bomber se moría de risa.

—¡No es divertido, Bomber! —explotó Eunice—. Es una absoluta desgracia nacional. ¿Cómo puede nadie hacer un sitio a esto en su biblioteca? ¡Y pensar que millones de personas han pagado por este excremento un dinero duramente ganado! Y ni siquiera es un excremento bien escrito. Es un excremento execrable. Y por si no bastara con que inviten a Portia a todos los programas de entrevistas que tienen público, corre el espeluznante rumor de que la invitarán a hablar en el Hay Festival de este año.

Bomber palmoteó de alegría.

—Pagaría gustosamente por verlo.

Eunice le lanzó una mirada de advertencia, pero Bomber replicó encogiéndose de hombros.

—Es que es imposible contenerse. Solo puedo dar gracias porque mis padres no estén aquí para ser testigos de este abominable circo. Sobre todo, porque mi madre fue presidenta del instituto local de la mujer. —Rio por lo bajo al pensarlo, pero adoptó una expresión más seria para formular la pregunta que pensaba hacer—. Casi temo preguntártelo, pero tengo que saberlo. ¿Dice las cosas… sin tapujos?

Eunice lanzó un aullido de burla.

—¿Sin tapujos? ¿Recuerdas el día que Bruce estuvo aquí despotricando contra aquel tal Peardew y nos sermoneó sobre los componentes básicos de un superventas? —Bomber asintió—. ¿Y que nos dijo, y esto es cita textual, que la sexualidad nunca debía ser excesiva? —Bomber volvió a asentir, esta vez más despacio—. Pues una de dos: o su definición de «exceso» depende de una relación carnal con Brunhilde muchísimo más intensa de lo que tenemos derecho a imaginar o simplemente ha cambiado de idea.

Bomber apoyó las manos en la pequeña caja de madera que estaba en su escritorio, junto a la de Douglas, y advirtió:

–Tápate los oídos y no oigas nada de esto, Baby Jane.

Eunice sonrió con tristeza y prosiguió:

–Un cliente de Harriet tiene relaciones sexuales con una máquina de hacer pan, otro desea mujeres barbudas con pelo en la espalda y uñeros, y un tercero se sumerge los testículos en desinfectante y luego se los acaricia con una crin del estilo de My Little Pony. Y todo esto solo en el segundo capítulo.

Bomber rescató el libro de su envoltorio y al abrir la cubierta vio una foto satinada de su hermana, vestida con un salto de cama de seda y con una sonrisa de satisfacción en los labios. Cerró el libro con brusquedad.

–Por lo menos esta vez no se ha limitado a copiar una trama ajena. Algunas cosas se las ha inventado ella.

–Esperémoslo –dijo Eunice.

Las olas de color aguamarina y el cálido y salado viento de la costa de Brighton se llevaron al día siguiente todos los pensamientos relacionados con Portia. Era su «salida anual», la primera que hacían sin compañía canina. Douglas y Baby Jane habían ido con ellos todos los años desde que habían hecho la primera excursión para celebrar los veintiún años de Eunice y la ocasión había adoptado un estilo familiar que se había perfeccionado con los años para que sirviera de diversión y entretenimiento a todos los miembros del grupo. En primer lugar recorrían el paseo marítimo. Cuando iban acompañados, primero con Douglas y luego con Baby Jane, los animales se ponían contentísimos gracias a los halagos y mimos que les hacían los viandantes. Luego visitaban el muelle, donde pasaban una hora jugando con las relampagueantes, resonantes y tintineantes máquinas tragaperras. A continuación, comían *fish and chips*, se bebían una botella de vino espumoso rosado, y por último visitaban el Royal Pavilion. Pero ya mientras se dirigían al muelle, la preocupación turbaba la felicidad de Eunice. Bomber le había preguntado dos veces en el tramo de diez minutos si habían estado allí antes. La primera vez había supuesto que Bomber hablaba en broma, pero en la segunda ocasión lo había mirado a la cara y su mundo había sufrido una sacudida al ver su expresión de inocencia y comprobar que había formulado aquella pregunta con total sinceridad. Una expresión horrible y devastadoramente familiar. Godfrey. Bomber parecía seguir el doloroso camino de su padre hacia un desenlace en el que Eunice no se atrevía ni a pensar. Hasta el momento apenas había sido perceptible; una fisura fina como un cabello en la salud sólida y firme de Bomber. Pero Eunice sabía que con el tiempo sería tan vulnerable como un nombre escrito en la arena, a merced de la marea. Hasta el momento, ni siquiera él se había percatado de sus inofensivas confusiones. Igual que un hombre que sufre los típicos olvidos, pasaba por aquellos episodios despreocupadamente, sin saberlo. Pero Eunice los vivía todos, segundo a segundo, y el corazón se le empezaba a romper.

Las luces de colores, las campanillas y los timbres de los centros de recreo del muelle los invitaban a gastar su dinero. Bomber se quedó junto a una máquina tragaperras, observando las prietas columnas de monedas que subían y bajaban, para ver cuál llegaba al borde y caía, mientras Eunice iba a buscar cambio. Cuando regresó, lo vio igual que un niño perdido, moneda en mano, mirando la ranura de la máquina, pero incapaz de relacionar las dos cosas. Le quitó amablemente la moneda y la introdujo en la ranura, y a Bomber se le iluminó la cara al ver la torre de monedas que caía tintineando en la bandeja inferior de metal.

El resto del día transcurrió felizmente y sin percances. Como era la primera vez que iban sin compañía canina, pudieron disfrutar juntos del exótico contenido del Pavilion y manifestaron su asombro («aaaah», «ooooh») al ver las arañas y chascaron la lengua con desdén ante el espetón de la cocina, movido en su época por un desdichado perro. Sentados luego en un banco de los jardines, bañados por la luz coralina del sol del atardecer, Bomber le cogió la mano a Eunice y dejó escapar un suspiro de felicidad que Eunice guardó celosamente en su memoria.

–Este lugar es absolutamente maravilloso.

41

El guante de piel azul marino era de una mujer que había muerto. No era el comienzo más prometedor para *El guardián de los objetos perdidos*. Veinticuatro horas después de colgarse la página habían recibido un correo electrónico de una periodista retirada. Había trabajado muchos años en el periódico local y recordaba bien el suceso. Fue la primera noticia que había cubierto.

Salió en primera plana. La pobre mujer tenía poco más de treinta años. Se tiró delante de un tren en marcha. El pobre maquinista quedó destrozado. También era novato en aquel puesto. Solo llevaba dos semanas conduciendo la locomotora. Ella se llamaba Rose. Estaba enferma: tenía «los nervios destrozados», como se decía entonces. Recuerdo que tenía una hija pequeña, una criatura preciosa. Llevaba una foto suya en el bolsillo del abrigo. Se reprodujo en el periódico, al lado del artículo. No me hizo mucha gracia, pero el director era quien mandaba. Fui a su entierro. La ceremonia fue un poco desagradable, ya que apenas quedaba cadáver que enterrar. Pero la foto seguía en el abrigo y no llevaba más que un guante. Es un detalle pequeño, pero me pareció conmovedor. Y aquella noche hacía mucho frío. Seguramente por eso lo he recordado todos estos años.

Era el guante que Sunshine había dejado caer horrorizada cuando se había salido del cajón. «La señora murió –había dicho entonces– y quería a su hija». Laura estaba anonadada. Por lo visto, Sunshine había dado en el clavo y una vez más se sentían culpables por haberla subestimado. La muchacha tenía un don muy especial y harían bien en escucharla con más atención. Sunshine había leído el correo electrónico sin inmutarse.

–Puede que la hija quiera recuperarlo –se había limitado a decir.

Sunshine estaba fuera con Zanahoria. Salía casi todos los días para recoger más objetos perdidos que incluir en la página web, y llevaba consigo un cuaderno y un lápiz para anotar los detalles que debían figurar en la etiqueta, no fuera a ser que se le olvidaran. Freddy estaba en casa de un cliente, arreglándole el césped, así que Laura estaba sola. Con Therese.

–¡Ya lo sé, ya lo sé! –dijo en voz alta–. La buscaré hoy mismo, te lo prometo.

Desde que Sunshine había revelado que la pista que necesitaban era la carta de Anthony, Laura se había esforzado por recordar dónde la había puesto. Al principio pensó que la había dejado en el tocador de la habitación de Therese, pero como la puerta seguía cerrada, no había podido comprobarlo. De todos modos, parecía poco probable que Therese le estuviera impidiendo localizar precisamente aquello que quería que encontrara. Ni siquiera ella podía ser tan inepta. Entró en el estudio. Primero miraría los correos electrónicos. La página web estaba adquiriendo popularidad y ya tenía centenares de visitas. Había dos nuevos mensajes. Uno era de una anciana que afirmaba tener ochenta y nueve años y ser una internauta de la tercera edad desde hacía dos años, gracias a la residencia donde vivía. Había oído en la radio lo de la página web y le había echado un vistazo. Creía que una pieza de puzle encontrada años antes en Copper Street podía ser suya. Mejor dicho, de su hermana. No se llevaban bien y un día que su hermana se había comportado con especial crueldad, ella se había llevado una pieza del puzle que la primera estaba completando. Había salido de la casa para dar un paseo y había tirado la pieza junto al bordillo de la acera. «Un acto infantil, supongo –decía la anciana–, pero es que mi hermana podía ser el mismísimo demonio. Y se puso muy furiosa cuando descubrió que le faltaba». La anciana no quería recuperarla. De todos modos, la hermana había fallecido hacía mucho. Pero era agradable, decía, tener un motivo para hacer prácticas con el correo electrónico.

El otro mensaje era de una joven que reclamaba un coletero de color verde lima. Su madre le había comprado aquellas gomas para levantarle los ánimos la víspera de su primer día de escuela, porque estaba muy nerviosa. Un día que fue a pasear con su madre perdió una en el parque y le gustaría recuperarla porque era un recuerdo.

Laura respondió a los dos mensajes y se puso a buscar la carta de Anthony. Cuando regresó Sunshine con Zanahoria, Laura la estaba leyendo sentada a la mesa de la cocina. La había encontrado en el escritorio de la habitación del jardín. En el momento mismo de encontrarla, había recordado que la había guardado allí para mayor seguridad. Sunshine preparó la buena taza de té para ambas y se sentó al lado de su amiga.

–¿Qué dice? –preguntó.

–¿Qué dice qué? –preguntó Freddy, entrando de repente por la puerta trasera con las botas manchadas de barro.

Laura y Sunshine le miraron los pies y le ordenaron al unísono:

–¡Fuera!

Freddy se echó a reír, se quitó las botas y las dejó fuera, en el felpudo.

–¡Ay de los hombres dominados por las mujeres! –exclamó–. Por cierto, ¿qué es eso?

–La carta de san Antonio a la que no se podía responder y ahora encontraremos la solución –dijo Sunshine con muchísima más fe que Laura.

Esta se puso a leerla en voz alta, pero el dolor revivido ahogó las generosas palabras del difunto en su garganta antes incluso de terminar el primer renglón. Sunshine se la quitó de las manos con delicadeza y empezó desde el principio, leyendo despacio y con empeño. Freddy la ayudaba cuando se topaba con alguna palabra difícil. Al llegar al párrafo final, en el que Anthony le pedía a Laura que le ofreciera a Sunshine «un poco de amistad», sonrió de oreja a oreja.

–Yo te la ofrecí a ti primero –exclamó.

Laura le cogió la mano.

–Y yo me alegro de que lo hicieras –respondió.

Freddy golpeó la mesa con las palmas.

–Chicas, basta de sentimentalismos –dijo, echando la silla hacia atrás–. ¿Dónde está la solución?

Sunshine lo miró con un gesto medio burlón, que se transformó rápidamente en abierto desdén cuando comprendió que Freddy no bromeaba.

–Es una broma, ¿no? –dijo, mirando a Laura en busca de apoyo.

–Bueno, podría estar en cualquier parte… –aventuró Laura con inseguridad.

Freddy repasaba la carta atentamente.

–Bueno, habla de una vez, John McEnroe –le dijo a Sunshine–. Sorpréndenos.

Sunshine suspiró y, como si fuera una maestra profundamente decepcionada con sus alumnos, sacudió lentamente la cabeza antes de anunciar:

–Pero si es evidente.

Y cuando lo explicó, sus dos amigos se dieron cuenta de que, en efecto, lo era.

42

Eunice

2011

Aquel día fue un buen día. Aunque en términos relativos. Ningún día era ya realmente bueno. Lo máximo que podía esperar Eunice era un breve despliegue de sonrisas aturdidas, alguna muestra ocasional de que sabía quién era ella y, sobre todo, ninguna lágrima del hombre del que había estado enamorada la mayor parte de su vida adulta. Paseó del brazo de Bomber por el tramo de tierra pelada y losas de hormigón que la directora de la clínica Happy Haven llamaba grandilocuentemente «la rosaleda». El único rastro de rosas que había allí era una serie de tallos secos y doblados que sobresalían de la tierra como restos de un incendio forestal. A Eunice le daban ganas de echarse a llorar. Y era un buen día para eso.

Bomber había querido ir a Folly's End. Antes de perderse demasiado en aleatorias rachas de amnesia, pero sabiendo ya que aquella iba a ser su inevitable suerte, había expresado sus deseos con claridad. Desde siempre había tenido intención de otorgar a Eunice poderes notariales cuando llegara el momento y salvar así los escasos residuos de dignidad y seguridad que pudieran arrancarse a un futuro tan desolado como el que le esperaba. Confiaba en Eunice con toda su alma, valiera esta lo que valiese. Sabía que siempre haría lo correcto. Pero Portia había llegado antes. Armada con una riqueza absurda pero omnipotente y una relación de parentesco, ya que no de afecto, engañó a Bomber para que viera a un «especialista», que, estimulado sin duda por el dinero de Portia, lo declaró legalmente «incapaz de tomar decisiones racionales» y dejó su futuro bienestar en manos de su hermana.

La semana siguiente, Bomber ingresó en Happy Haven.

Eunice había defendido su posición con todas sus fuerzas; había propuesto imperiosamente Folly's End, pero Portia no cedió ni un ápice. Folly's End quedaba «demasiado lejos» para que ella lo visitara y, en cualquier caso, era una simple cuestión de tiempo que Bomber dejara de saber dónde estaba. Por el momento, sin embargo, el enfermo sabía dónde estaba. Y aquella situación lo estaba matando.

Lo más sorprendente es que Portia iba a visitarlo. Pero eran encuentros tensos e incómodos. La mujer oscilaba entre darle órdenes y rehuirlo cobardemente. La reacción de Bomber ante ambas actitudes era idéntica: desconcierto doloroso. Tras haberle quitado lo que él más quería, lo inundaba de regalos costosos y generalmente inútiles. Bomber no sabía lo que era una cafetera eléctrica y, menos aún, cómo funcionaba. Vaciaba el *aftershave* de marca en el inodoro y utilizaba la cámara fotográfica de superlujo como tope de puerta. Al final, Portia pasaba casi todo el tiempo de las visitas tomando té con Sylvia, la aduladora directora del centro. Sylvia era una admiradora incondicional de los libros de Harriet Hotter, de los que por desgracia ya se había publicado una trilogía.

Eunice se esforzó todo lo que pudo para que la habitación de Bomber pareciera un pequeño hogar. Llevó algunos enseres del piso del hombre y colocó fotos de Douglas y Baby Jane en todos los estantes y mesas. Pero no fue suficiente. Bomber se alejaba. Se rendía.

Eunice y Bomber no estaban solos en el jardín. Eulalia daba a una urraca pedacitos de tostada que había guardado durante el desayuno. Era una anciana arrugada y esquelética con la piel del color de las ciruelas cocidas, ojos de loca y cacareo alarmante. Andaba con movimientos bruscos y arrastrando los pies con ayuda de dos bastones nudosos en los que apoyaba las artríticas manos. Casi todos los demás residentes la evitaban, pero Bomber la saludaba con un gesto de cordialidad cada vez que se cruzaba con ella. Caminaban trazando círculos interminables, de manera mecánica, como presos en el patio de la cárcel. Eunice porque no quería pensar y Bomber porque la mayor parte del tiempo no podía pensar. Eulalia arrojó el último pedazo de tostada al pajarraco blanquinegro, que lo recogió del suelo y lo engulló sin apartar los brillantes ojos de azabache de la anciana. Esta agitó un bastón hacia el pájaro y graznó:

–Vete ya. Vete si no quieres que te cocinen para la cena. Son muy capaces –añadió, volviéndose hacia Eunice y guiñándole el ojo con un gesto grotesco–. Nos alimentan con toda la porquería que encuentran.

A juzgar por el olor que salía de la cocina por una ventana abierta, a Eunice no le quedó más remedio que admitir que a la anciana no le faltaba razón.

—Ese está loco —prosiguió Eulalia, señalando a Bomber con la ganchuda zarpa, sin acabar de soltar el bastón—. Loco como una cabra con una mecha encendida en el culo. —Apoyó ambos bastones en el hormigón e inició el trabajoso e inestable regreso a la clínica—. Pero por dentro es muy cariñoso —dijo cuando se cruzó con Eunice—. Cariñoso, pero moribundo.

Ya en la habitación de Bomber, Eunice abrió las cortinas para que entrara la escasa luz que podía dispensar el sol pálido del invierno. Era una bonita habitación del segundo piso; clara, espaciosa y con unas grandes puertas acristaladas que daban a un balcón precioso. Que no se permitía utilizar al paciente.

Eunice lo había abierto durante su primera visita. Era un sofocante día estival y hacía mucho calor en la habitación, que se notaba cargada. Se había dejado la llave en la puerta, pero una enfermera demasiado competente que había entrado para ver cómo estaba Bomber, había cerrado el balcón y había guardado la llave en el botiquín que colgaba en la pared. «Salud y seguridad», le había espetado a Eunice. Eunice no volvió a ver aquella llave.

—¿Quieres que veamos una película?

Bomber sonrió. La historia de su vida era ya para él como un manuscrito sin encuadernar ni corregir. Unas páginas no estaban en su sitio, otras se habían roto, otras se habían reescrito y otras habían desaparecido. La versión original se había perdido para siempre. Pero aún sentía placer con las conocidas historias que contaban las películas que habían visto juntos tantas veces. Eran muchos los días que no recordaba su propio nombre ni qué había tomado en el desayuno. Pero aún era capaz de citar, palabra a palabra, frases de *La gran evasión, Breve encuentro, Top Gun* y otras muchas películas.

–¿Qué te parece esta? –le preguntó Eunice, enseñándole un DVD de *Una jaula de grillos*.

Bomber levantó la mirada, sonrió y, durante un momento fugaz, se aclaró la niebla.

–El regalo de mi cumpleaños –dijo, y Eunice supo que Bomber seguía allí.

43

−Sigue allí −dijo Sunshine con voz preocupada.

Zanahoria andaba al acecho en el cobertizo, ya que había captado el olor de un residente de la especie roedora y Sunshine sentía cada vez más miedo de que el menú del perro incluyera un ratón. Laura estaba en el estudio, buscando un artículo que aquella tarde tenía que recoger una persona que lo había identificado en la página web.

−No te preocupes, Sunshine. Estoy segura de que el ratón tendrá sensatez suficiente para no asomar ni un solo bigote mientras Zanahoria esté allí.

Sunshine no estaba convencida.

−Pero a lo mejor se asoma. Y entonces Zanahoria lo matará y será un *asesinador*.

Laura sonrió. Conocía ya lo suficiente a la muchacha para saber que no cejaría hasta que se hiciera algo. Dos minutos después volvía Laura tirando de la correa del recalcitrante Zanahoria. Ya en la cocina, le dio una salchicha del frigorífico y le soltó la correa. Antes de que Sunshine pudiera elevar una queja, Laura la apaciguó.

−Don Ratón o doña Ratona ya está a salvo. He cerrado la puerta del cobertizo y Zanahoria ya no tiene hambre porque le he dado una salchicha.

–Siempre tiene hambre –murmuró Sunshine, mirando al perro, que se escabulló de la habitación con la cabeza llena de ideas malvadas–. ¿Cuándo tiene que venir la mujer?

Laura miró su reloj.

–En cualquier momento. Se llama Alicia y se me ha ocurrido que podías prepararle la buena taza de té cuando llegue.

Como si la hubieran oído, en aquel momento sonó el timbre de la puerta y Sunshine corrió a abrir antes de que Laura diera el primer paso.

–Buenas tardes, doña Alicia –dijo Sunshine para recibir a la sorprendida adolescente que había en la puerta–. Pase, por favor. Me llamo Sunshine.

–Qué nombre tan bonito.

La chica que entró en el vestíbulo detrás de Sunshine era alta y delgada, con una larga cabellera rubia y pecas en la nariz. Laura le tendió la mano.

–Hola, soy Laura. Encantada de conocerte.

Sunshine se hizo cargo de Alicia con habilidad y la condujo al jardín, mientras Laura preparaba el té. Cuando llegó con la bandeja, las encontró hablando de sus ídolos musicales.

–A las dos nos encanta David Bowie –anunció Sunshine con orgullo mientras Laura servía la infusión.

–Seguro que a él le gustará mucho saberlo –dijo Laura con una sonrisa–. ¿Cómo lo quieres? –le preguntó a Alicia.

–De currante, por favor.

Sunshine puso cara de preocupación.

–No sé si tenemos de esa clase, ¿verdad? –le preguntó a Laura.

–Tranquila, Sunshine –dijo Alicia, comprendiendo inmediatamente el desconcierto de la otra–. He sido una tonta. He querido decir fuerte, con leche y dos terrones de azúcar.

Alicia estaba allí para recoger un paraguas; un paraguas infantil, blanco con corazones rojos.

–En realidad no lo perdí –explicó– y no estoy completamente segura de que fuera mío...

Sunshine recogió el paraguas, que estaba ya encima de la mesa, y se lo tendió.

–Lo era –dijo con sencillez.

A juzgar por la inconfundible expresión de embeleso en el rostro de Sunshine, Laura comprendió que la muchacha le habría entregado a Alicia la cubertería de plata de la familia sin dudar un segundo e incluso la escritura de Padua si se terciaba.

Alicia cogió el paraguas y acarició sus pliegues.

–Fue mi primer viaje a Estados Unidos –dijo a las dos mujeres–. Estuve con mi madre en Nueva York. Para ella fue más bien un viaje de trabajo. Era directora de una revista de moda y había conseguido una entrevista con un diseñador famoso que, según le habían contado, iba a dar el golpe en la escena de la moda neoyorquina. Y lo dio. Pero lo único que recuerdo de él es que entonces me miraba como si me hubiera escapado de una leprosería o algo parecido. Al parecer, no le «iban» los niños.

–¿Qué es una *leopardería*? –preguntó Sunshine.

Alicia miró a Laura, pero optó por afrontar el problema ella sola.

–Es un sitio en el que, antiguamente, recluían a las personas que sufrían una enfermedad terrible que hacía que se les cayeran los dedos de las manos y de los pies.

Laura habría apostado cualquier cosa a que Sunshine pasaba los cinco minutos siguientes contando de reojo los dedos de Alicia. Gracias al cielo, calzaba sandalias.

–No tuvimos mucho tiempo para ver cosas –prosiguió Alicia–, pero me prometió que iríamos a Central Park para ver el monumento de Alicia en el País de las Maravillas. Recuerdo que me emocionó muchísimo. Pensé que le habían puesto Alicia por mí. –Se quitó las sandalias y hundió los dedos en la hierba fresca. Sunshine se los observó con atención–. Aquella tarde llovía y a mi madre se le hacía tarde para una cita que había concertado, de modo que no estaba de muy buen humor, pero yo estaba flotando en aquellos momentos. Me adelanté corriendo y cuando llegué al grupo escultórico vi a un tipo alto, negro, de aspecto extraño, con trenzas y botas grandes, que regalaba paraguas. Se agachó para estrecharme la mano y aún me acuerdo de su cara. Era una mezcla de bondad y tristeza, y se llamaba Marvin. –Apuró su té y se sirvió otra taza de la tetera con la desenvoltura confiada de los adolescentes–. En aquella época, mi cuento favorito era *El gigante egoísta*, de Oscar Wilde, y Marvin me pareció un gigante. Pero no era egoísta. Daba cosas. Paraguas gratis. De todos modos, cuando mi madre me alcanzó, se me llevó de allí a rastras. Pero no fue eso solamente. Trató a Marvin con grosería. Se comportó muy mal. Marvin quiso darle un paraguas y ella se portó como una zorra con él.

332

Sunshine, perpleja, arqueó las cejas ante aquella naturalidad a la hora de soltar improperios, pero su expresión fue de admiración.

–Solo lo vi un momento, pero no he podido olvidar la cara que ponía mientras mi madre se me llevaba a rastras. –Dio un profundo suspiro, pero otro pensamiento vino a eclipsar al anterior y sonrió–. Le envié un beso y lo recogió.

La fecha que figuraba en la etiqueta coincidía con el día que Alicia había estado en Central Park y el paraguas se había encontrado en el grupo escultórico. Laura estaba complacida.

–Creo que estaba hecho para ti.

–Espero que sí –dijo Alicia.

Zanahoria estuvo de guardia el resto del día en la puerta del cobertizo y Sunshine habló de su nueva amiga Alicia. Alicia estudiaba *literadura* y teatro ingleses en la universidad. A Alicia le gustaban David Bowie, Marc Bolan y Jon Bon *Hovis*. Y «la buena taza de té» había sido drásticamente reemplazada por la variedad del currante.

Aquella noche, mientras cenaban espaguetis con salsa boloñesa, Laura le contó a Freddy todos los detalles sobre la visitante.

–Entonces funciona –dijo Freddy–. La página web. Cumple la función que Anthony quería que cumplieras tú.

Laura negó con la cabeza.

–No. En realidad no. En cualquier caso, todavía no. ¿Recuerdas lo que decía la carta? «Si usted puede hacer feliz, aunque sea a una sola persona, si puede consolar a un corazón roto devolviéndole lo que perdió...». Y eso no lo he hecho todavía. Es verdad que Alicia se alegró de recuperar el paraguas, pero no podemos estar completamente seguros de que le perteneciera. Y la muchacha del coletero... cuando lo perdió, no se le rompió el corazón precisamente.

–Pero al menos es un comienzo –dijo Freddy, echando atrás la silla y levantándose para dar a Zanahoria el último paseo por el jardín, antes de ir a dormir–. Al final lo conseguiremos.

Pero no se trataba solo de los objetos perdidos. Estaba también la solución del enigma, la que había resultado tan evidente cuando Sunshine la había señalado. El objeto que había comenzado todo aquello. Anthony lo había calificado de «último hilo» que lo unía a Therese, y cuando lo perdió, el día del fallecimiento de ella, ese último hilo se rompió. Si la medalla de la primera comunión de la mujer era realmente la clave para que Therese y Anthony volvieran a estar juntos, ¿dónde se suponía que iban a encontrarla? Freddy había sugerido incluirla en la página web como un objeto perdido que necesitaba encontrarse, pero como no tenían la menor idea de su aspecto ni de cuándo la había perdido Anthony, las pistas que podían dar para su hallazgo eran prácticamente nulas.

Laura despejó la mesa. Había sido un día largo y estaba cansada. La satisfacción que había sentido tras la visita de Alicia había desaparecido poco a poco y había sido reemplazada por la inquietud de siempre.

Y en la habitación del jardín volvía a oírse la música.

44

Eunice

2013

En el salón de residentes de Happy Haven empezó otra vez la música. *Charmaine*, de Mantovani. Bajito al principio y luego cada vez más alto. Demasiado alto. Edie subió el volumen al máximo. No tardó en dar vueltas por la pista al son de los *glissandi* de las cuerdas, formando una espuma de redes y destellos. Giraba y deslizaba los pies, calzados con sus doradas zapatillas de baile, mientras las luces parpadeantes daban vueltas a su alrededor como una nevisca de arco iris.

Cuando Eunice y Bomber cruzaron el salón camino de la habitación del segundo, vieron un bulto irregular, un vestido de noche que apenas conseguía llenar una delgada anciana bigotuda, con una grasienta mata de pelo gris y unas zapatillas de felpa a cuadros. Daba traspiés por la sala, con los ojos cerrados y los brazos extendidos, rodeando cariñosamente el cuerpo de una pareja invisible. De pronto brotó de un sillón una ruidosa metralla de palos e improperios.

–¡Otra vez no! ¡Me cago en la leche, en Cristo y en Jehová! ¡Otra vez no! ¡Otra vez no! ¡Otra vez no! –Eulalia había dado un bote en su asiento, echando sapos y culebras por la boca–. ¡Otra vez no, estúpida, cretina, puta asquerosa! —rugió, lanzando un bastón hacia la bailarina, que se había detenido en seco.

El bastón pasó a un kilómetro de su objetivo, pero de todos modos Edie gritó de angustia mientras las lágrimas le corrían por las mejillas y la orina por las piernas, hasta mojarle las zapatillas. Eulalia había conseguido ponerse en pie y señalaba a la otra con sus garras.

—¡Y ahora se mea encima! Se mea en las bragas. Se mea en el suelo —cacareó con indignación, mientras la baba le manchaba las comisuras de la boca.

Eunice empujó a Bomber para que siguiera andando, pero se había quedado clavado en el suelo. Algunos residentes se habían puesto a gritar o a llorar, y otros seguían la escena de lejos con cara de no saber qué ocurría. Aunque tal vez solo estuvieran fingiendo. Hizo falta la intervención de dos enfermeros para contener a Eulalia mientras Sylvia se llevaba a la pobre Edie. La anciana arrastraba penosamente los pies, temblando y gimoteando, con el dobladillo del camisón goteando orina. Iba colgada del brazo de Sylvia, preguntándose adónde se habrían llevado la pista de baile.

Refugiados por fin en la habitación de Bomber, Eunice le preparó un té. Mientras ella se tomaba el suyo, repasó los últimos artículos que habían venido a engrosar el creciente botín de Bomber. Le había dado por robar cosas, objetos al azar que ni siquiera necesitaba. Un búcaro, un cubreteteras, cubiertos, rollos de bolsas de basura, paraguas. Nunca robaba en las habitaciones de otros internos, solo en las zonas de uso común. Al parecer era un síntoma de su enfermedad. Hurtos menores. Pero es que también perdía cosas. Perdía palabras a ritmo acelerado, como un árbol pierde las hojas en otoño. Una cama podía ser «un cuadrado blando para dormir» y un lápiz, «un palo de cuyo centro salen letras». En vez de hablar con palabras, hablaba con enigmas, o más frecuentemente, no hablaba en absoluto. Eunice sugirió ver una película. Era lo único que les quedaba ya. Eunice y Bomber, colegas y grandes amigos durante tantísimo tiempo. Los amantes ocasionales de Bomber habían aparecido y desaparecido, pero Eunice era una presencia constante. Eran un matrimonio sin relaciones sexuales ni certificado, y aquellos eran los últimos y míseros restos de la relación, antaño enriquecedora, que habían tenido: pasear y ver películas.

Bomber eligió la película: *Alguien voló sobre el nido del cuco*.

–¿Estás seguro? –preguntó Eunice.

Después de la escena que acababan de presenciar, había esperado algo más alegre, por ella y por él. Pero Bomber se mostró inflexible. Mientras los pacientes del centro psiquiátrico estatal entraban en el vallado patio de ejercicios, Bomber señaló la pantalla y le guiñó el ojo a su amiga.

–Somos nosotros –dijo.

Eunice lo miró a los ojos y sufrió una conmoción al ver la lucidez con que le devolvían la mirada. Era el antiguo Bomber quien hablaba; una rara visita en la que reaparecía ingenioso, divertido y brillante. Pero... ¿durante cuánto tiempo? Incluso la visita más breve era preciosa, pero desgarradora. Desgarradora porque también él debía de saber que tendría que volver. Pero... ¿volver adónde?

Habían visto muchas veces aquella película, pero en esta ocasión era distinta.

Durante la escena en que el Jefe coloca la almohada sobre la cara lastimosamente ausente de Mac y lo asfixia por compasión, Bomber le apretó la mano a Eunice y pronunció sus últimas palabras.

–Sácame de aquí.

Le estaba recordando su promesa. Eunice miró la pantalla y retuvo la mano de Bomber con fuerza mientras el gigantesco Jefe arrancaba del suelo el macizo surtidor de agua, lo lanzaba contra el ventanal y saltaba al exterior, hacia el día que despuntaba y hacia la libertad. Los títulos de crédito finales empezaron a desfilar, pero Eunice no podía moverse. Bomber le cogió la otra mano. Tenía los ojos anegados en lágrimas, pero sonreía mientras afirmaba con la cabeza y le decía en silencio, moviendo los labios, «por favor».

Antes de que Eunice pudiera decir nada, entró una enfermera sin llamar.

–Hora de la medicación –dijo, agitando las llaves y avanzando con decisión hacia el botiquín de la pared. Lo abrió y cuando iba a coger las pastillas se oyó un alarido de terror en el pasillo, seguido por el inconfundible cacareo de Eulalia.

–¡Condenada mujer! –maldijo la enfermera, corriendo hacia la puerta para ver qué pasaba y dejando abierto el botiquín.

Era hora de que Eunice se fuera. Debía irse, pero hasta que se fuera tendría a Bomber, por eso no soportaba la idea de marcharse. Cada minuto que transcurría era

338

una separación entre el ahora y el antes, no un tiempo que se aprecia. Porque la decisión se había tomado. Eunice sabía que no había más que una oportunidad, un momento en que todo el amor que había sentido por aquel hombre se concentraría en la fuerza sobrehumana que necesitaba. Había llegado la hora. La huella de la llave que había apretado con la mano cerrada seguía estampada en la piel de la palma. Abrió las ventanas y las dejó entornadas. Quería abrazarlo por última vez, lo quería con toda su alma. Quería retener su calor, sentir la respiración masculina en el cuello. Pero sabía que en ese caso las fuerzas la abandonarían, así que se limitó a ponerle la llave en la mano y a besarlo en la mejilla.

–No me iré sin ti, Bomber –susurró–. No podría dejarte en este estado. Te vendrás conmigo. Vámonos.

Y se marchó.

45

ANCIANO MUERE
DE UNA CAÍDA EN UNA RESIDENCIA

La policía investiga la muerte de un anciano residente de la clínica Happy Haven de Blackheath, que cayó de un balcón del segundo piso durante la tarde del sábado. El hombre, cuyo nombre no se ha facilitado, sufría Alzheimer y se cree que era un editor jubilado. La autopsia se realizará esta misma semana, mientras la policía sigue investigando lo que se ha calificado de «muerte inexplicable».

London Evening Standard

46

-H ay una persona muerta en el estudio –anunció Sunshine en tono informal.

Había ido en busca de Laura, que estaba en el jardín cortando rosas para la casa, para darle la noticia e incitarla a preparar el almuerzo. Zanahoria estaba tumbado al sol, boca arriba y con las patas en el aire, pero cuando llegó Sunshine se puso en pie para recibirla.

La página llevaba un año colgada en la red y mantenía ocupadas a las dos mujeres. Sunshine había aprendido a hacer fotos y a incluirlas en la página con los detalles de los objetos. Freddy incluso le había enseñado a mantener una cuenta en Instagram. Laura se encargaba del correo electrónico. Por un lado, seguían gestionando la colección de Anthony y por el otro incorporaban los objetos nuevos que Sunshine recogía cuando sacaba a pasear a Zanahoria. Laura y Freddy se habían acostumbrado igualmente a recoger todo lo que veían y había espontáneos que también les enviaban objetos. A aquel ritmo, las estanterías del estudio no iban a vaciarse nunca.

–¿Una persona muerta? ¿Estás segura?

Sunshine la miró como solo ella sabía mirar. Laura entró a ver de qué se trataba. Ya en el estudio, Sunshine le enseñó una lata de galletas de Huntley & Palmers, de color azul celeste. La etiqueta decía:

Lata de galletas Huntley & Palmers
con posibles cenizas de crematorio.
Encontrada en vagón sexto desde
la locomotora, tren de las 14:42 de
London Bridge a Brighton.
Difunto desconocido.
Dios lo tenga en su seno, descanse en paz.

La funeraria Lupin y Bottle (fund. 1927) estaba en la esquina de una calle muy transitada, enfrente de una panadería de lujo. Al llegar a la puerta, Eunice sonrió para sí al acordarse de la señora Doyle y pensar que era un buen lugar para que se ocuparan de Bomber. Este había fallecido hacía ya seis semanas y Eunice no había tenido la menor noticia sobre su entierro. El forense había concluido que se trataba de muerte accidental, aunque el personal de Happy Haven había recibido serias críticas por su falta de respeto hacia la salud y la seguridad, y había escapado por muy poco a la acción de la justicia. Portia había pedido que le sirvieran en bandeja la cabeza de Sylvia. Había hecho un aparatoso y exagerado alarde de dolor ante los medios escritos y audiovisuales, pero Eunice no había dejado de preguntarse si el motivo era que se sentía sinceramente apenada o que le proporcionaría una considerable publicidad cuando emprendiese

*la gira promocional de su siguiente libro. Portia era
ya demasiado famosa para hablar personalmente con
Eunice. Tenía secretarias para despachar asuntos tan
triviales. Por ese motivo estaba Eunice mirando un
escaparate con una reproducción en miniatura de un
coche fúnebre de caballos y un exquisito despliegue
de lirios. La única información que había conseguido
sonsacar a la más humilde empleada de su excelencia
era el nombre de los empresarios de pompas fúnebres
que se estaban encargando de todo. Habría podido te-
lefonear, pero la funeraria estaba en el mismo edificio
de Bomber, de modo que la tentación había sido demasiado fuerte para resistirse.*

*Al oír la campanilla de la puerta, la mujer que esta-
ba en el mostrador levantó la cabeza y sonrió a Eunice
con una cordialidad no fingida. Pauline era una señora
corpulenta, vestida con lo mejor de Marks & Spencer,
que desprendía un aire de persona competente y amable. Eunice pensó en una jefa de exploradoras. Por
desgracia, la noticia que aquella mujer tenía para ella
fue la más cruel y horrible que Eunice podía concebir.*

*–Fue muy reducido. En el crematorio solo estuvo
presente la familia. La hermana, esa que escribe libros
guarros, lo organizó todo.*

*Por la repugnancia con que Pauline había pronun-
ciado la palabra «hermana», a Eunice le quedó claro que no había congeniado con Portia. Eunice sintió
que su cabeza entraba en barrena y que el suelo corría
a su encuentro. Poco después se vio sentada en un cómodo sofá, tomando un té azucarado y con un chorri-
to de brandi, mientras Pauline le acariciaba la mano.*

–Ha sido la impresión, querida –dijo–. Se ha puesto usted blanca como el papel.

Reconfortada por el té, el brandi y unas galletas, Eunice estuvo en condiciones de escuchar la espantosa historia de labios de la muy comunicativa Pauline. Portia había querido dar carpetazo al asunto con la máxima rapidez y discreción.

–Estaba de gira publicitaria, ya ve, y no quería cancelar ningún compromiso. –Pauline bebió un sorbo de su taza y sacudió la cabeza de un lado a otro en un gesto de reproche–. Pero dijo que cuando volviera, celebraría una ceremonia por todo lo alto; misa cantada y entierro de las cenizas. Invitaría a «todo el que valiera la pena, querida», y por su forma de decirlo, parecía que la música iba a correr a cargo de un coro de ángeles, presidido por su santidad el papa. Por lo visto, pensaba dejar el funeral de la princesa Diana a la altura del betún.

Eunice escuchaba con horror.

–Pero no era eso lo que él quería –murmuró con voz compungida–. Me dijo personalmente lo que deseaba. Fue el amor de mi vida.

Y ahora iba a fallarle, precisamente al final.

Pauline sabía escuchar y enjugar lágrimas. Era su trabajo. Pero por dentro de su cómodo vestido y su blusa de fácil planchado latía el valiente corazón de una inconformista. En otros tiempos, su rubia melena había sido una cresta rosa de mohicano y en la nariz todavía se apreciaba la pequeña cicatriz de un piercing en forma de imperdible. Le tendió a Eunice otro pañuelo de papel.

346

–Esta tarde está todo el mundo en un entierro de alto copete. Normalmente, no hago esto, pero… ¡Venga conmigo!

Condujo a Eunice al otro lado del mostrador y se adentraron por un pasillo al que daban la cocina del personal, el velatorio y otras dependencias, y que desembocaba en la habitación donde se guardaban las cenizas del crematorio en espera de ser recogidas. Bajó de un estante una extraordinaria urna de madera y miró la etiqueta.

–Es este –dijo con amabilidad. Miró su reloj–. La dejaré a solas con él para que pueda despedirse. El personal no volverá hasta dentro de una hora, así que nadie la molestará.

Menos de una hora después, Eunice estaba en un tren, con las cenizas de Bomber en una lata de galletas de Huntley & Palmers en el asiento contiguo. Había tenido que pensar y obrar con rapidez cuando Pauline la dejó sola. Encontró una bolsa de supermercado y una lata de galletas en la pequeña cocina donde Pauline había preparado el té. Metió las galletas en la bolsa y vació las cenizas en la lata. Luego pasó las galletas a la urna, pero quedaba un poco ligera. Buscó con nerviosismo algo que pesara y en otra habitación encontró una caja con grava decorativa. Metió un par de puñados de piedrecillas, atornilló la tapa lo mejor que pudo y volvió a dejar la urna en el estante. Cuando salió al vestíbulo con la lata abrazada contra el pecho, Pauline no levantó la cabeza del mostrador, pero le enseñó los pulgares para desearle buena suerte. No había visto nada.

Cuando el empleado tocó el silbato, Eunice acarició la lata con cariño y sonrió.

—A Brighton.

Laura estaba estupefacta. Cogió la lata y la sacudió ligeramente. Pesaba lo suyo.

—¡No la agites! —dijo Sunshine—. Lo despertarás. —Y se rio de su propia broma.

Laura se preguntaba qué otras cosas acecharían en los oscuros rincones del estudio.

—No me extrañaría que este lugar estuviera encantado —le dijo a Sunshine.

Después del almuerzo, Laura la ayudó a incluir los detalles en la página web, aunque estaba completamente segura de que nadie iba a reclamar aquel artículo.

Aquella noche, Freddy, Laura, Sunshine, Zanahoria, Stella y Stan cenaron en The Moon is Missing para celebrar el primer aniversario de la página. Sunshine no dejaba de contar cosas relacionadas con los objetos que publicaba en la página, sobre todo a propósito de la lata de galletas.

—Pues ya es raro perder una cosa así —dijo Stella, atacando los tacos de cangrejo rebozado con patatas fritas cortadas a mano—. ¿Y por qué iba alguien a meter las cenizas de una persona amada en una lata de galletas?

—Puede que por eso, porque quien lo hizo amaba a esa persona —dijo Stan—. O quizá fuera porque no amaba al tipo de la lata y quería deshacerse de él.

—También es posible que no sean restos humanos. A lo mejor son solo cenizas de una chimenea. Porque es eso lo que parecen –dijo Freddy, tomando un largo trago de cerveza helada.

Sunshine iba a enzarzarse en una discusión con él, pero Freddy le guiñó el ojo y la muchacha comprendió que había sido solo una broma.

–Es un hombre muerto, era el amor de la vida de ella y ella aparecerá para llevárselo –anunció con actitud desafiante.

–Muy bien –replicó Freddy–. Hagamos una apuesta. ¿Qué te juegas conmigo a que no aparece nadie para reclamar la lata de galletas?

Sunshine arrugó la cara, en un gesto de concentración, y le dio a Zanahoria un par de patatas fritas mientras meditaba. De repente, una sonrisa le iluminó la cara. Se echó atrás en la silla y cruzó los brazos con un suspiro de victoriosa satisfacción.

–Tienes que casarte con Laura.

Laura, pillada por sorpresa, derramó el vino.

–Pero qué dices, niña –exclamó Stan–. Caramba, Sunshine, desde luego sabes cómo poner los pelos de punta a la gente.

Laura notó que se le ponía la cara como un tomate. Stan y Stella reían alegremente por lo bajo y Sunshine sonreía de oreja a oreja. Laura deseaba que se la tragara la tierra, apuró el vino demasiado rápido y pidió otro vaso. Freddy no decía nada. Parecía entre molesto y decepcionado, pero cuando le vio la cara a Laura, se puso en pie de un salto y le tendió la mano a Sunshine.

–¡Hecho!

Hacía calor aquella noche y el aire estaba cargado con el cálido y aterciopelado aroma de las rosas mientras Freddy y Laura paseaban por el jardín, y Zanahoria buscaba intrusos entre los arbustos. Laura seguía asustada por la apuesta de Freddy. Había estado muy callado mientras volvían del *pub*. Aunque llevaban juntos poco más de un año y Freddy vivía ahora prácticamente en Padua, nunca habían hecho planes para el futuro. Laura se consideraba muy afortunada por tener una segunda oportunidad en la vida y en el amor, pero temía que cualquier intento de afianzar la relación, por desenfadado que fuera, espantara los sentimientos. Porque estaba enamorada de Freddy. No era un enamoramiento tonto e infantil como le había ocurrido con Vince, sino que había ido creciendo en segundo plano hasta convertirse en un amor duradero, detonado primero por la pasión y luego sostenido por la amistad y la confianza. Pero al mismo tiempo que crecía el amor, crecía el miedo a perderlo; las dos emociones estaban unidas con crueles grilletes y se alimentaban mutuamente. Laura quería decirle algo.

—Esa apuesta con Sunshine, supongo que será solo una broma. No espero que tú... —Se sentía tan incómoda que no sabía cómo continuar.

De repente pensó que casarse con Freddy era tal vez lo que quería y que por eso estaba tan alterada. Su insensata esperanza de «vivieron felices y comieron perdices» se había convertido en objeto de una broma y se sentía ridícula.

Freddy le cogió la mano y la obligó a volverse para mirarlo.

–Una apuesta es una apuesta y yo soy hombre de palabra.

Laura se soltó la mano. En aquel momento, todas las dudas que había tenido sobre su relación, todos los temores a fracasar y todas las frustraciones que le ocasionaba su propia imperfección se concentraron en una única andanada.

–No te preocupes –dijo–, no tienes por qué esperar hasta que encuentres una vía de escape digna. Sé perfectamente que en esta relación soy la que no da la estatura.

–La talla –respondió Freddy con calma–. Se dice «no dar la talla».

Freddy estaba tratando de entrar en el torbellino emocional que la propia Laura estaba agitando, pero ella no escuchaba.

–¡No necesito compasión! ¡La pobre y vieja Laura! No fue capaz de alejar a su marido de las bragas de otra y el único ligue que ha tenido en todos estos años ha resultado un fracaso total, ¿qué te proponías entonces, Freddy? ¿Llevártela por ahí y hacerle creer que vale algo, para abandonarla cuando apareciera alguien mejor?

Parecía un pájaro atrapado en la red de un cazador: cuanto más forcejeaba, más se enredaba. Pero no podía evitarlo. Sabía que se estaba comportando de un modo irracional, de un modo perjudicial para sí misma. Pero no podía detenerse. Las ofensas y las acusaciones fluían mientras Freddy permanecía impasible, a la espera de que la tormenta amainara. Cuando Laura dio media vuelta para dirigirse a la casa, la llamó.

–¡Laura! ¡Por el amor de Dios, mujer! Sabes lo mucho que te quiero. Iba a pedírtelo, de todos modos. Que te casaras conmigo. –Movió la cabeza de un lado a otro, con tristeza–. Ya lo había planeado. Pero de pronto aparece Sunshine y me arrebata la iniciativa.

Laura se detuvo, pero no pudo volverse a mirarlo. Tampoco pudo impedir que de su boca saliera el desesperado y embustero golpe de gracia con el que ella misma acabó rompiéndose el corazón.

–Te habría dicho que no.

Lágrimas silenciosas le bañaban la cara mientras entraba en la mansión. En la oscuridad de la rosaleda se oyó llorar a otra persona.

47

Eunice

2013

Portia ofreció a las galletas una despedida espléndida. Había querido la catedral de San Pablo o la abadía de Westminster, pero al comprender que ninguna de las dos estaba a su alcance ni siquiera con su obscena riqueza, tuvo que conformarse con el salón de baile de un hotel pijo de Mayfair. Eunice se instaló al fondo, en el asiento que se le había asignado –adornado, como todos los demás, con un estrambótico lazo de seda negra–, y se dedicó a observar la magnificencia que la rodeaba. El salón era realmente impresionante, con un suelo flexible de madera, espejos antiguos hasta el techo y un sistema de sonido de última tecnología, a juzgar por la tremenda acústica de la «Lacrimosa» del *Réquiem* de Mozart que llenaba la atmósfera enrarecida. O eso o Portia tenía escondida detrás de alguna mampara a toda la Filarmónica de Londres, con coros incluidos. Los espejos reflejaban los monstruosos arreglos florales de lirios y orquídeas que destacaban en estantes y pedestales como trífidos albinos.

Eunice había acudido con Gavin, un amigo de Bomber de los tiempos en que eran estudiantes, y que en el presente se ganaba la vida cortando, coloreando y mimando el pelo de famosos, ya fueran auténticos o pre-fabricados. Uno de los motivos por los que Portia lo había invitado era su lista de clientes.

–¡La madre que los parió! –murmuró Gavin entre dientes. O casi entre dientes–. Que no me hablen de contratar multitudes. La mayoría de los que están aquí no sabrían distinguir a Bomber de Bardot.

Sonrió con desdén al fotógrafo que subía y bajaba por el pasillo central, haciendo fotos de los «dolientes» reconocibles por el público. Portia había cedido los derechos de la ocasión a una revista de moda que ninguna mujer inteligente admitiría que leía, a no ser en la peluquería. Los asientos estaban casi totalmente ocupados por amistades, asociados y parásitos de Portia, además de algún que otro famoso que destacaba entre la masa como un chorro de lentejuelas en un vestido vulgar. Las amistades de Bomber se habían congregado al fondo, alrededor de Eunice y Gavin, como aficionados al teatro que ocupan los asientos más baratos.

En la parte frontal de la sala, encima de una mesa adornada con más flores, se encontraba la urna. Estaba flanqueada a un lado por una gigantesca foto enmarcada de Bomber («Él nunca habría elegido esa –murmuró Gavin–. Tiene el pelo hecho un asco».) y, al otro, por otra foto en la que aparecían Bomber y Portia de niños. Él conducía una bicicleta y ella iba sentada en la barra.

–Tenía que salir en la foto, ¿no te fastidia? –bramó Gavin–. Ni siquiera deja que Bomber sea la estrella de su propio funeral. Por lo menos, conseguí convencerla para que invitara a algunos amigos auténticos de su hermano e incluyera en todo este montaje algo que a él le habría gustado realmente.

Eunice sintió curiosidad.

–¿Cómo te las apañaste?

Gavin sonrió.

–Con un chantaje. La amenacé con ir a la prensa si no accedía. No creo que a su editor le gustara ver un titular que dijese «Hermana egoísta desprecia el último deseo de su hermano», y ella lo sabe. Por cierto, ¿dónde está Bruce Pelo Cardado? –preguntó, mientras inspeccionaba las filas de cabezas que tenía delante, en busca de las delictivas greñas.

–Imagino que llegará con Portia –respondió Eunice–. ¿Qué te propones exactamente?

Gavin parecía muy satisfecho de sí mismo.

–Es una sorpresa, pero te daré una pista. ¿Recuerdas *Love actually*, con Hugh Grant y Emma Thompson, aquella boda del principio en que los miembros de la banda están camuflados entre los asistentes?

Antes de decir nada más, cambió la música y Portia y su séquito avanzaron por el pasillo central al son de «O Fortuna», de los *Carmina Burana*. Portia vestía un traje pantalón blanco de Armani y un sombrero con el ala del tamaño de una rueda de tractor, del cual colgaba un velo de gasa negra de topos.

–¡La hostia! –barbotó Gavin–. Ni que fuera a casarse con Mick Jagger.

Incapaz de contener la histeria, se aferró al brazo de Eunice. A ella se le llenaron de lágrimas los ojos, pero no de dolor, sino de risa. Le habría gustado tanto que Bomber estuviera allí para reírse con ella. Pero sobre todo deseaba que Portia se enterase de dónde estaba Bomber realmente. Aún no se lo había contado a Gavin. Estaba esperando el momento oportuno. La ceremonia fue curiosamente entretenida. Un coro infantil de una escuela local –privada y muy exclusivista– cantó *Over the rainbow*, de *El mago de Oz*, Bruce leyó un elogio en nombre de Portia como si recitara un monólogo de *Hamlet* y una actriz de una telecomedia de segunda categoría leyó un poema de W. H. Auden. Un obispo retirado cuya hija era, al parecer, una vieja amiga de Portia, rezó unas plegarias. Fueron breves y difíciles de entender por culpa del *whisky* que el obispo había ingerido con el desayuno. O para desayunar.

Entonces fue el turno de Gavin.

Se levantó del asiento y salió al pasillo. Sirviéndose del micrófono que había escondido bajo la silla, se dirigió a los reunidos con gesticulación teatral.

–¡Damas y caballeros, esto es por Bomber!

Volvió a sentarse. Los reunidos sintieron un escalofrío de anticipación. Gavin miró a Eunice y le guiñó el ojo.

–Empieza el espectáculo –murmuró.

Se oyó un acorde y de la parte de atrás brotó una voz masculina que cantaba con suavidad, acompañado por un piano. Quien cantaba era un hombre rabiosamente guapo, vestido con un inmaculado traje de etiqueta y con los ojos perfilados con un toque sutil que indudablemente era creación suya. Los compases iniciales de *I Am What I Am*, de *La Cage aux Folles*, se elevaron en el silencio y Gavin se frotó las manos con placer.

Conforme el cantante avanzaba hacia el centro de la sala y aumentaba el ritmo de la canción, el hombre señaló a seis coristas sentadas estratégicamente en los extremos de las filas que daban al pasillo. Las seis se levantaron por turno y se desprendieron de un respetable abrigo, dejando al descubierto indumentarias subidas de tono, joyas en abundancia y sorprendentes colas de plumas. Eunice no entendía cómo habían podido sentarse con ellas. Cuando la extraordinaria criatura y su asombroso séquito llegaron a la parte delantera de la sala, la canción llegaba a su clímax. Se dio la vuelta delante de la urna para dar la cara al público y vociferar los últimos versos mientras las coristas, situadas en fila detrás de él, daban patadas rítmicas al aire. Cuando sonó la desafiante nota final, todas las personas presentes menos una se pusieron en pie y rompieron a aplaudir espontáneamente. Portia prefirió desmayarse.

Gavin disfrutó descaradamente de su triunfo hasta que llegaron a la iglesia rural de Kent donde iban a enterrar las galletas, junto a Grace y Godfrey. Portia había contratado una procesión de largas limusinas negras para llevar a todo el mundo, pero Eunice y Gavin optaron por viajar por su cuenta, e hicieron el recorrido escuchando música de películas y comiendo patatas fritas con sal y vinagre en el Audi descapotable de Gavin. Eunice se sintió un poco culpable por obligar a Grace y a Godfrey a compartir su tumba de manera fraudulenta con una urna de galletas variadas, pero esperaba que, dadas las circunstancias, entendieran que había sido inevitable. Cuando llegaron al mismo cementerio donde Eunice había prometido cumplir la última voluntad de Bomber, se lo contó todo a Gavin.

–¡Virgen Santísima y Danny La Rue en una caja de zapatos! –exclamó el hombre–. Mi pobre y querida niña, ¿qué harás ahora?

Eunice comprobó el estado de su sombrero en el retrovisor y asió la manija de la portezuela.

–No tengo ni puñetera idea.

48

Shirley encendió el ordenador y comprobó los mensajes de voz. Era lunes por la mañana y los lunes siempre había mucho trabajo a causa de todos los animales que se extraviaban los fines de semana. Llevaba quince años trabajando en el Hogar de Perros y Gatos de Battersea y había visto multitud de cambios. Pero había algo que nunca cambiaba: las notificaciones de extravíos. El correo ya estaba allí y Shirley se puso a clasificar los sobres. Uno estaba escrito con pluma estilográfica. La letra era grande y ampulosa y Shirley sintió curiosidad. La carta que contenía también estaba escrita a mano.

A quien corresponda:

Adjunto donativo en memoria de mi querido hermano, recientemente fallecido. Era amante de los perros y adoptó dos del establecimiento de ustedes. La única condición que pongo a dicho donativo es que instalen una placa en su honor en algún lugar público de su propiedad. Deberá decir:

«En memoria del querido Bomber,

amadísimo hijo, adorado hermano, amigo fiel y abnegado amigo de los perros.

Descanse en paz con Douglas y Baby Jane».

En su debido momento enviaré a un representante mío para comprobar que se han cumplido estas instrucciones de modo satisfactorio.

Atentamente,
Portia Brockley

Shirley sacudió la cabeza en un gesto de incredulidad. ¡Vaya morro! Es verdad que se aceptaban con mucho gusto todos los donativos, pero una placa como aquella iba a costarles un ojo de la cara. Se concentró en el cheque, extrañamente sujeto a la carta con un clip y casi sufrió un desmayo. Había tantos ceros que era como si el 2 inicial hubiera hecho pompas de jabón.

L aura se sentía como al borde de un precipicio, sin saber si iba a caer o a volar. Se había asegurado de estar sola en casa aquel día. Sunshine, excepcionalmente, iba a salir con su madre y no había vuelto a ver a Freddy desde la bochornosa escena en la rosaleda. Lo había llamado, pero su teléfono pasaba automáticamente al buzón de voz. Laura le había dejado una humilde y sincera disculpa, pero al parecer llegaba demasiado tarde. No había recibido ninguna respuesta y Freddy no había reaparecido por Padua desde aquella noche. Ya no sabía qué más hacer. Sunshine no dejaba de decirle que Freddy volvería, pero Laura sabía ya que no. Había dormido a rachas y se había despertado perdida, en una tierra de nadie situada entre el nerviosismo y los malos presentimientos. La mansión le parecía opresiva. Incluso Zanahoria estaba inquieto: se paseaba sin cesar de un lado a otro, arañando las baldosas con las uñas. Mientras se preparaba para recibir la visita, tenía la sensación de que estaba a punto de estallar una tormenta. Padua había estado muy silenciosa los últimos días. La puerta del dormitorio de Therese seguía cerrada por dentro y ya no se oía música. Pero no era el silencio de la paz y el recogimiento. Era el silencio amargo de la desolación y la derrota. Laura le había fallado a Therese y, en consecuencia, le había fallado a Anthony. El último deseo de este seguía sin cumplirse.

La persona que esperaba iba a llevarse las cenizas de la lata de galletas. Las había reclamado. Laura no le había contado nada a Sunshine y no solo por la apuesta que había cruzado con Freddy. Quería hacerlo sola. No podía explicar por qué, ni siquiera podía explicárselo a sí misma, pero era importante. El timbre sonó a las dos en punto, la hora acordada para la cita. Laura abrió la puerta y vio a una señora delgada, sesentona, vestida con elegancia y tocada con un sombrero azul cobalto.

–Soy Eunice –dijo.

Cuando Laura estrechó la mano que le tendía la visitante, sintió que desaparecía la tensión que la venía atenazando.

–¿Le apetece un té o quizá algo más fuerte? –preguntó Laura.

Por alguna razón inexplicable se sentía como si tuvieran algo que celebrar.

–La verdad es que me gustaría tomar algo fuerte. En ningún momento me había atrevido a imaginar que lo recuperaría, y ahora que estoy a punto de recuperarlo, me siento francamente un poco débil.

Prepararon ginebra con lima en honor de Anthony y la llevaron al jardín, recogiendo la lata de galletas por el camino. Cuando Eunice tomó asiento con la bebida en una mano y la lata en la otra, se le llenaron los ojos de lágrimas.

–Le pido mil perdones, señora. Me estoy comportando como una tonta. Pero no tiene usted ni idea de lo mucho que esto significa para mí. Acaba usted de traer consuelo al corazón roto de una mujer insensata. –Bebió un sorbo de su copa y aspiró una profunda bocanada de aire–. Supongo que querrá usted saber mis razones.

Las dos mujeres habían intercambiado varios correos electrónicos a través de la página web, pero solo para que quedara suficientemente comprobado que era Eunice quien había perdido las cenizas.

–¿Está usted cómoda? –le preguntó a Laura–. Me temo que va a ser una historia larga.

Eunice empezó por el principio y se lo contó todo a Laura. Era una narradora nata y a Laura le sorprendió saber que nunca se hubiera dedicado a escribir. El secuestro de las cenizas de Bomber de la funeraria había despertado las carcajadas de Laura, carcajadas que Eunice pudo compartir por fin, ahora que había recuperado a Bomber.

–Todo fue estupendamente hasta que subí al tren –explicó–. Ya instalada en el vagón, llegó una señora con dos niños pequeños atiborrados de dulces y refrescos, a juzgar por los churretes que les manchaban la boca y su comportamiento ingobernable. La pobre madre apenas podía mantenerlos sentados y cuando la niña anunció que «quería hacer pipí ahora mismo», la madre me preguntó si podía vigilar a su hijo mientras ella llevaba a la niña al lavabo. No podía decirle que no. –Bebió otro sorbo y apretó contra sí la lata que tenía al lado, como si temiera perderla otra vez–. El niño estuvo sentado en su asiento sacándome la lengua hasta que la madre desapareció por el pasillo, instante en el que se puso en pie y echó a correr. La ley de Murphy quiso que en aquel momento el tren llegara a una estación y yo no reaccioné con rapidez suficiente para impedirle saltar al andén cuando se abrieron las puertas, así que no tuve más remedio que ir tras él. Llevaba el bolso colgado del hombro, pero cuando me di cuenta de que me había dejado a Bomber en el asiento, ya era demasiado tarde. –Se estremeció al recordarlo–. Ya se imaginará usted el caos que siguió. La madre se puso hecha una furia y, por absurdo que parezca, me acusó de haber intentado secuestrar a su hijo. La verdad es que me alegré de devolverle al pequeño granuja. Yo estaba fuera de mí por haber dejado a Bomber en el tren y lo notifiqué en seguida, pero cuando el tren llegó a Brighton, había desaparecido.

Laura volvió a llenar los vasos.

–Bomber es un nombre insólito.

–Bueno, no era su nombre verdadero. Se llamaba Charles Bramwell Brockley. Pero nunca conocí a nadie que lo llamara así. Siempre fue Bomber. Y a ti te habría querido mucho –le dijo a Zanahoria, acariciándole cariñosamente la cabeza, que ya descansaba en el regazo de la mujer–. Quería a todos los perros.

–¿Y dice usted que era editor? ¿Sabe si llegó a conocer a Anthony? Era escritor, escribía sobre todo historias breves. Anthony Peardew.

–Ah, sí –respondió Eunice–. Recuerdo bien ese nombre. Gran historia la suya: Anthony y Therese, el estudio lleno de objetos, la página web. Podría escribirse un libro con todo ese material.

Laura pensó en su época de estudiante, cuando quería ser escritora, y sonrió con nostalgia. Demasiado tarde para todo aquello.

Eunice seguía apretando contra sí la lata de galletas.

–¿Sigue usted trabajando en el mundo editorial? –preguntó Laura.

Eunice negó con la cabeza.

–No, no. Dejó de ilusionarme cuando Bomber... –empezó a decir, pero se le fue apagando la voz–. Pero si alguna vez quiere intentar lo del libro, la ayudaría con mucho gusto. Aún tengo contactos y podría recomendarla a algunas agencias.

Guardaron silencio un rato, disfrutando de las bebidas, del perfume de las rosas y de la paz y tranquilidad de la soleada tarde.

–¿Y usted, Laura? –dijo Eunice–. ¿Hay alguien en su vida, alguien a quien ame como yo amé a Bomber?

Laura negó con la cabeza.

–Lo amaba hasta hace unos días. Pero nos peleamos. –Hizo una pausa, pensando en lo que había ocurrido realmente–. Bueno, vale, yo empecé la discusión. Fue una discusión lamentable, ridícula e infantil. En realidad, ni siquiera fue una discusión porque él no replicaba. Se quedó allí, escuchándome despotricar como una loca histérica antes de abandonar la escena haciendo aspavientos. No he vuelto a verlo desde entonces. –Para Laura fue una sorpresa el alivio que le produjo contarlo en voz alta–. Me llamo Laura y he sido una completa idiota.

–Es usted muy dura consigo mismo, querida. –Eunice le apretó el brazo y sonrió–. Pero ¿lo quiere? –Laura asintió con cara de tristeza–. Pues hable con él.

–Lo he intentado. Pero no responde a mis llamadas y no se lo reprocho. Me porté de un modo horrible. Le he dejado mensajes diciéndole que lo siento, pero es evidente que ha perdido el interés.

Eunice negó con la cabeza.

–No, no me refiero a eso. Hable con él, no con su teléfono. Búsquelo y dígaselo cara a cara.

Eunice introdujo la mano en su bolso y sacó una cajita.

–Ya me olvidaba –dijo–. Le he traído algo para su página. Lo encontré hace muchos años, cuando iba a mi primera entrevista con Bomber. Lo he guardado como una especie de talismán. Nunca se me ocurrió pensar en la persona que seguramente lo perdió. Pero ahora creo que es justo que lo tenga usted. Sé que ha pasado mucho tiempo, siempre es posible que usted encuentre a quién pertenece realmente.

Laura sonrió.

–Desde luego que lo intentaré. Lo único que necesito es anotar los detalles que usted recuerde.

Eunice no tuvo que hacer ningún esfuerzo por recordar. Informó a Laura del día, el mes, el año y el lugar sin el menor titubeo.

–Fue uno de los mejores días de mi vida, ¿sabe? –dijo.

Laura recibió la cajita de manos de Eunice.

–¿Puedo? –preguntó.

–Naturalmente.

Cuando Laura sacó el medallón de la caja, supo durante un segundo lo que era ser como Sunshine. El objeto que tenía en la mano le hablaba con tanta claridad como si tuviera voz propia.

–¿Está usted bien? –preguntó Eunice, pero su voz sonó como si estuviera muy lejos, como si hablara por una línea telefónica defectuosa.

Laura se puso en pie sin mucha seguridad.

–Acompáñeme –le dijo a Eunice.

La puerta del dormitorio de Therese se abrió sin ninguna dificultad y Laura dejó la medalla de la comunión, con la imagen de santa Teresa de las Rosas enmarcada en oro, en el tocador, al lado de la foto de Anthony y Therese. El pequeño reloj azul, parado como de costumbre, se puso en marcha espontáneamente. Laura contuvo la respiración y durante unos instantes las dos mujeres guardaron silencio. Y abajo, en la habitación del jardín, empezó a oírse la música, primero suavemente y luego cada vez más alto.

Solo con pensar en ti.

Eunice se quedó atónita cuando Laura levantó el puño en el aire, con alegría, y por la ventana abierta entró un remolino de pétalos de rosa.

Mientras Laura acompañaba a Eunice hasta la puerta del jardín, Freddy detuvo su abollado Land Rover delante de la entrada de la casa y bajó de un salto. Saludó a Eunice con educación y miró a Laura.

–Tenemos que hablar.

Eunice besó a Laura en la mejilla y le guiñó el ojo al recién llegado.

–A eso me refería exactamente.

Cerró la puerta tras de sí y se alejó sonriendo.

50

Iban los cinco juntos por el paseo marítimo: Eunice y
Gavin del brazo, con Bomber, Douglas y Baby Jane
en una bolsa de lona con rayas. Eunice estaba decidida
a ir sola, pero Gavin no lo había permitido. Cuando
Bomber fue ingresado a la fuerza en Happy Haven, le
había pedido a Gavin que protegiera amistosamente
a Eunice, pero Gavin no había sabido cómo hacerlo
sin ofender el espíritu independiente de la mujer. Sin
embargo, cuando ella confesó con franqueza sus más
secretos sentimientos en el funeral, Gavin vio allí una
grieta en la coraza femenina y la estaba aprovechan-
do para cumplir la palabra dada. Era un día perfecto
para ir a la playa: luminoso, con una brisa suave y un
cielo del color del curasao azul. Gavin había dejado el
Audi en su casa y había hecho el viaje con Eunice en
tren para poder brindar con impunidad absoluta por
los amigos de los que iban a despedirse.

Eunice quería que todo el día fuera un homenaje a
Bomber y en consecuencia siguieron el itinerario con-
sagrado por la costumbre. Mientras paseaban hacia el
muelle conocieron a una pareja joven que llevaba un
par de diminutos carlinos con sendos collares de bisu-

tería que especificaban su sexo. Eunice no pudo resistir la tentación de detenerse a admirarlos. Los perritos se sometieron dócilmente a los halagos y caricias de rigor y siguieron su camino trotando alegremente. Gavin vio su expresión abatida y le apretó un poco el brazo.

–Alégrate, criatura. Bill Bailey estará pronto en casa.

Eunice se había permitido por fin adoptar un perro. Había querido hacerlo desde la muerte de Bomber, pero luego, tras perder las cenizas, pensó que en cierto modo no lo merecía. Tenía que cumplir con las obligaciones contraídas con sus queridos amigos antes de permitirse adquirir otra. El pastor escocés con manchas blancas y negras había pasado la mayor parte de su triste vida atado a una cadena delante de un cobertizo y los empleados de Battersea no eran muy optimistas respecto a sus posibilidades de reinserción. Pero aquel perro tenía un corazón valiente y estaba dispuesto a dar otra oportunidad al mundo. Los empleados lo habían bautizado Bill Bailey en honor a la canción, esperando que apareciese la persona ideal que se lo llevara a su casa. Y esa persona había aparecido. Era Eunice. En cuanto vio al animal, se enamoró de sus orejas puntiagudas y de sus grandes ojos negros. Al principio se comportó con cautela, pero después de un par de visitas llegó a la conclusión de que Eunice era la persona que le convenía y se dignó a lamerle la mano. La semana siguiente sería suyo para siempre.

Eunice y Gavin se turnaban para llevar la bolsa de lona. Eunice se había resistido al principio a desprenderse de ella, pero los restos de los tres amigos pesaban mucho y acabó alegrándose de contar con la ayuda de Gavin.

–¡Joder! –exclamó este–. En vez de meterlos en una bolsa habríamos podido traer uno de esos carritos de la compra que llevan las ancianas a los supermercados.

Eunice sacudió la cabeza de un lado a otro con vehemencia.

–¿Bromeas? –replicó–. ¿Para que me tomen por una anciana?

Gavin le guiñó el ojo.

–Tranquila. Yo no te echaría ni un día más de cuarenta años, pequeña.

Hacía calor y había mucho ruido en el centro de máquinas recreativas, y el aire olía intensamente a perritos calientes, dónuts y palomitas de maíz. Por la cara que ponía Gavin, debía de estar pensando que Eunice lo había llevado a la mismísima Babilonia. Las luces de colores giraban y explotaban en sincronía frenética con las sirenas y las campanillas. La calderilla tintineaba en las máquinas y caía a chorros en las bandejas, lo primero con más frecuencia que lo segundo. Cuando Gavin pisó con su caro zapato una patata aplastada y resbaló, puso cara de querer huir, pero Eunice le llenó la mano de monedas y señaló con la cabeza la máquina favorita de Bomber.

–Vamos, anímate. A Bomber le gustaba esa.

Mientras Eunice introducía una moneda en la ranura, recordó la confusión que reflejaba la cara de Bomber la última vez que habían estado allí; y la rapidez con que había sido reemplazada por una sonrisa cuando ella había acudido en su rescate. Aquel día era para los recuerdos felices, no para los tristes. Eunice obligó a Gavin a jugar durante casi media hora, al término de la cual le había cogido el gusto a la cosa. Contra todo pronóstico (probablemente amañado), ganó en una máquina de ganchos de pesca un pequeño y feísimo osito de trapo que entregó orgullosamente a Eunice como regalo. Mientras la mujer inspeccionaba la asimétrica y cómica cara del oso, tuvo una idea.

–Deberíamos comprar un recuerdo para cada uno –dijo, levantando la bolsa de lona.

En un quiosco del muelle vieron un llavero en forma de dónut y lo adquirieron para Douglas. En una tienda de The Lanes, la zona peatonal y comercial de Brighton, Gavin localizó un perrito de antigua porcelana de Staffordshire.

–A mí me parece que es macho –dijo–, y creo que Baby Jane preferiría que lo fuera.

Comieron *fish and chips* y Gavin pidió una botella de champán para brindar por los pasajeros de la bolsa de lona, que ocupaban una silla aparte. Eunice estaba resuelta a no perderlos de vista ni un momento. El champán le dio ánimos para afrontar lo que iba a hacer a continuación. Iba a dejarlos en libertad. El sol reverberaba en la fachada del Royal Pavilion, cuyas cúpulas y agujas parecían brotar hacia el cielo y perforarlo.

«En Xanadú Kubla Khan ordenó
un majestuoso palacio de placer...».

Cada vez que lo veía, Eunice recordaba los versos que el opio había inspirado a Coleridge. Lo primero que hicieron fue entrar. Iba a ser la última visita de Bomber y Douglas y la primera de Baby Jane. Eunice eludió conscientemente la cocina, donde se exponía el espetón movido por un perro. En la tienda de regalos compró una bola de cristal con nieve en cuyo interior se veía una miniatura del palacio; era el recuerdo para Bomber. Cuando se disponía a pagar, se fijó en otro objeto.

–También me llevaré una lata de galletas de esas –le dijo a la empleada.

–¿Ya te pica la gazuza? –preguntó Gavin, que se ofreció a llevarle la lata.

Eunice sonrió.

–Le debo una lata igual a una mujer llamada Pauline.

Fuera del área del palacio, junto al estanque, vieron un banco y tomaron asiento. El palacio se reflejaba boca abajo en el agua como una serie de adornos navideños. Eunice sacó unas tijeras del bolsillo e hizo un agujero en una esquina inferior de la bolsa de lona. Había meditado largamente la forma de llevar a cabo los últimos deseos de Bomber. Una vez que se decantó por un lugar, se dedicó a pensar en el modo. Ni siquiera sabía si estaba permitido y no lo había consultado por si la respuesta era negativa, así que la discreción era fundamental. Al final se inspiró, como siempre, en una de las películas favoritas de los dos: *La gran evasión*. Si una docena de hombres podían esparcir la tierra procedente de los tres túneles por las perneras de los pantalones, delante mismo de guardias armados, ¿podría Eunice esparcir las cenizas de sus tres amigos por el agujero abierto en el fondo de una bolsa de lona sin llamar la atención? Estaba a punto de averiguarlo.

–¿Quieres que te acompañe para vigilar? Si te sirve, podría silbar el tema musical de la película.

Eunice sonrió. La verdad es que aquella parte prefería hacerla sola. Gavin vio alejarse por la hierba la pequeña figura, con la espalda recta y la cabeza muy alta. Al principio pensó que Eunice seguía un trayecto errático, pero pronto se dio cuenta de que se trataba de otra cosa. Cuando volvieron a reunirse en el banco, la bolsa de lona estaba vacía.

–Bomber tenía razón a propósito de este sitio –dijo Gavin, mirando el reflejo del estanque–. Es absolutamente maravilloso. Por cierto –añadió–, ¿qué has escrito?

–¡Cuñas fuera!* –respondió.

---

* Se refiere a las cuñas que calzaban las ruedas de los aviones de la Segunda Guerra Mundial. Era el grito que precedía al despegue. Bomber significa «bombardero» en inglés (N. del T.).

374

51

El cursor parpadeaba en la pantalla como dando ánimos. Cuando Laura levantó las manos para teclear, sintió algo a lo que aún no estaba acostumbrada, el peso del anillo del zafiro que lucía en el anular de la izquierda. Zanahoria dormitaba a sus pies, mientras Freddy, con el que se había prometido hacía solo tres días, estaba en la cocina con Sunshine, preparando la buena taza de té. Laura estaba por fin lista para cumplir su sueño. Tenía ya la historia ideal y nadie podía decir que el argumento estuviera demasiado «trillado». Era una historia arrolladora de amor y pérdida, de vida y muerte, y por encima de todo, de redención. Era la historia de una pasión grandiosa que se prolongaba durante más de cuarenta años y que concluía con un final feliz. Empezó a teclear sonriendo. Tenía ya el comienzo perfecto...

El guardián de los objetos perdidos

Capítulo I

Charles Bramwell Brockley viajaba solo y sin billete en el tren de las 14:42 de London Bridge a Brighton...

Agradecimientos

Que esté escribiendo esto significa que mis sueños se han hecho realidad y que ya soy una autora por méritos propios. El viaje ha sido largo y me he encontrado con desvíos extraños, atascos frustrantes y muchos tumbos en un camino lleno de baches. Pero aquí estoy. Son muchas las personas que me han ayudado a llegar y si tuviera que mencionarlas una por una tendría que escribir otro libro, pero ellas saben quiénes son y les doy las gracias a todas.

Los verdaderos responsables son mis padres, cómo no. Me enseñaron a leer antes de ir al colegio, me inscribieron en la biblioteca infantil y llenaron mi infancia de libros, detalle por el que les estaré eternamente agradecida.

Gracias también a Laura Macdougall, la magnífica agente de Tibor Jones, por creer en mí y en mi novela desde el principio. Nos conocimos al pie de la estatua de John Betjeman en St Pancras (fue indiscutiblemente una señal) y a los pocos minutos supe que quería trabajar con ella. Le doy las gracias por su apoyo y entusiasmo ilimitados, por su indefectible profesionalidad, por su experta orientación durante mis primeros tanteos en Twitter e Instagram, y por sus cremas de limón.

Gracias igualmente a Charlotte Maddox, de Tibor Jones, por todo lo que ha hecho por negociar mis derechos en el extranjero y por el entusiasmo que manifestó siempre por mi novela, y asimismo a todo el personal de Tibor Jones –sin duda la agencia más guay de todo el planeta– por haberme dispensado un trato tan cordial y cariñoso. ¡Sois los mejores!

También quisiera manifestar mi gratitud a Fede Andornino, mi editor en Two Roads y fundador del Equipo Sunshine, por atreverse a publicar *El guardián*. Su humor, su paciencia y su entusiasmo ilimitado convirtieron nuestra colaboración en un placer absoluto. ¡Hurra! Gracias también a todo el personal de Two Roads, sobre todo a Lisa Highton, Rosie Gailer y Ross Fraser, por recibirme con los brazos abiertos y por todo lo que hicieron para que *El guardián* se convirtiese en un libro de verdad. Mi más cordial agradecimiento a Amber Burlison por su brillante corrección de estilo, a Miren Lopategui por corregir las galeradas tan cuidadosamente y a Laura Oliver por su trabajo de maquetación. Gracias a Sarah Christie y a Diana Beltrán Herrera por dar vida a la rosaleda de Padua y crear una cubierta preciosa.

Gracias a Rachel Kahan, de William Morrow, otro miembro del Equipo Sunshine, por sus valiosas aportaciones editoriales y por el humor con que se expresaron. Gracias también a todos mis editores extranjeros por difundir *El guardián* en todo el mundo.

Mis más efusivas gracias a Ajda Vucicevic. Estuviste ahí desde el principio y tu fe en mí no se ha quebrantado nunca.

Peter Budek, de The Eagle Bookshop, de Bedford, ha sido mi amigo, mi mentor y un hombro sobre el que llorar en los buenos momentos y en los malos. También me ha invitado a incontables tazas de té, me ha dado valiosísimos consejos y toneladas de maravilloso material de investigación. Pete, eres una leyenda. ¡Termina de escribir por lo menos uno de tus libros!

Tracey, mi loco amigo, nos dejaste mientras escribía esta novela y me entristece muchísimo que no estés aquí para compartir este momento conmigo, pero gracias a ti perseveré cuando me tentaba la idea de desistir.

Gracias asimismo al personal de los hospitales de Bedford y Addenbrooke por su atención y amabilidad, y por ayudarme a terminar este libro. Un agradecimiento especial para el personal de la Primrose Unit (servicio de oncología del hospital de Bedford) por su apoyo constante y su interés por lo que yo escribía.

También me gustaría dar las gracias a Paul por soportarme. Mientras escribía esta novela llené la casa con multitud de objetos que encontraba, dejaba notas en todas las superficies y en términos generales invadía todos los rincones con mi tema. Me encerraba durante horas y de pronto aparecía exigiendo la comida con mal humor. Y a pesar de todo, sigues aquí.

Por último, me gustaría dar las gracias a mis maravillosos perros. Son muchas las ocasiones en que tuvieron que aguantar pretextos como «Os sacaré a pasear en cuanto termine este capítulo». Billy y Tilly murieron antes de terminar *El guardián* y los echo de menos todos los días, aunque Timothy Bear y Duke duermen en el sofá mientras escribo estas líneas. Y roncan.

Acerca de Ruth Hogan

Nací en la casa de Bedford donde mis padres viven todavía. Mi hermana se alegró tanto de tener una compañera que me tiró una moneda de tres peniques.

De niña me gustaban las Brownies, pero detestaba a las Scouts, me fascinaban los ponis y leía todo lo que me caía en las manos. Por suerte, mi madre era librera. Mis libros favoritos eran los de la serie de los *Moomin* de Tove Jansson; *El caballo sin cabeza* de Paul Berna, titulado en Inglaterra *Los cien mil francos; El león, la bruja y el armario;* las anécdotas de las cajas de cereales; y los epitafios.

Después de pasar por la segunda enseñanza me matriculé en el Goldsmiths College, de la Universidad de Londres, donde estudié filología inglesa. Era una carrera interesante y me gustaba.

Y luego conseguí un empleo como Dios manda.

Trabajé diez años en la administración local, en un departamento de recursos humanos. Me sentía completamente fuera de lugar, pero pagaba las facturas y la hipoteca.

Con treinta y tantos años sufrí un accidente de tráfico que me impidió trabajar a jornada completa y me incitó a escribir en serio. Encontré un trabajo por horas como recepcionista de un osteópata y dediqué todo mi tiempo libre a escribir.

Todo iba bien hasta que en 2012 me detectaron un cáncer, que me dio muchos problemas, pero que ocasionó un emocionante viaje capilar desde la calvicie hasta el rastrojo oxigenado de Annie Lennox. Como la quimioterapia me producía insomnio, pasaba las noches escribiendo y el resultado final fue *El guardián de los objetos perdidos*.

Vivo en una caótica casa de estilo victoriano con los perros que he adoptado y mi sufrido compañero. Aprovecho todo el tiempo que tengo libre para escribir o pensar sobre ello, y tengo cuadernos de notas en todas las habitaciones para poner por escrito las ideas antes de que se me olviden. Soy una urraca; no paro de recoger tesoros (o «basura», según el punto de vista que se adopte) y soy una gran admiradora de John Betjeman.

Mi palabra favorita es antimacasar y sigo leyendo epitafios.

twitter.com/ruthmariehogan
instagram.com/ruthmariehogan

Esta primera edición de *El guardián de los objetos perdidos*,
de Ruth Hogan, se terminó de imprimir en
Grafica Veneta S.p.A. di Trebaseleghe (PD) de Italia en mayo de 2018.
Para la composición del texto se ha utilizado la tipografía Sabon,
diseñada por Jan Tschichold en 1964.

Duomo ediciones es una empresa comprometida
con el medio ambiente. El papel utilizado para
la impresión de este libro procede de bosques
gestionados sosteniblemente.

Este libro está impreso con el sol. La energía
que ha hecho posible su impresión procede
exclusivamente de paneles solares. *Grafica
Veneta* es la primera imprenta en el
mundo que no utiliza carbón.